Indice dei contenuti

Indice dei contenuti

Mimma Diaco ▪ Vinicio Parma ▪ Patrizia Ritondale Spano

Caffè Italia

Corso di italiano

Libro dello studente con esercizi

Caffè Italia 3

di Mimma Diaco, Vinicio Parma, Patrizia Ritondale Spano

Casella Postale 6 – Recanati – Italia
Tel. +39/071 750701
Fax. +39/071 977851
E-mail: info@elionline.com
www.elionline.com/caffe-italia

Gli autori hanno concordato insieme la stesura di tutto il volume. In particolare ognuno è autore di singole unità: le *Unità 1, 3, 6* sono di Mimma Diaco, le *Unità 2, 9, 10* sono di Vinicio Parma, l'*Unità* 5 è di Mimma Diaco e Vinicio Parma, l'*Unità 8* è di Patrizia Ritondale Spano e Vinicio Parma, le *Unità Bentornati, 4, 7* sono di Patrizia Ritondale Spano.

Progetto grafico e copertina: Lorenzo Domizioli, Studio Fridom – Firenze
Impaginazione: Studio Fridom – Firenze
Illustrazioni: Letizia Geminiani, Angelo Maria Ricci
Foto di copertina: Franca Speranza
Fotografie: Marka, Mimma Diaco, Archivio ELI

Hanno gentilmente concesso la riproduzione di materiali o contributi personali:
BMG, Curci Edizioni Musicali, Domenico Diaco (*Il Piccolo*), Einaudi, Feltrinelli, Ferrero, i F.L.A.G., Fondazione Mariele Ventre, Hukapan, Laterza, Longanesi, Massimo Vecchi (*I Nomadi*), Mondadori, Radio 24, RCS Libri, Riccardo Toffoletti (*Comitato Tina Modotti*), Serraglio Edizioni Musicali, Sugar Music

Stampato in Italia – Tecnostampa Recanati – 07.83.095.0
ISBN 9788853602312

Indice dei contenuti

Indice dei contenuti

Indice dei contenuti

Bentornati!

Bentornati a **Caffè Italia**!
Caffè Italia 3 è l'ultimo volume di un corso su tre livelli per l'apprendimento della lingua italiana, che accompagna gli studenti nel percorso didattico dal livello elementare all'intermedio superiore, cioè dal livello A1 al B2 del *Quadro Comune Europeo di Riferimento (QCER)*. L'articolazione dei materiali didattici è ricca e flessibile ed è quindi ideale sia per l'impiego in corsi intensivi che per una programmazione più lenta e graduale.

Caffè Italia 3 presuppone una competenza iniziale corrispondente al livello intermedio B1. Anche chi non ha utilizzato i due volumi precedenti potrà familiarizzare subito e senza difficoltà con la struttura chiara e con l'approccio didattico immediato del libro dello studente.

Il materiale proposto in ogni unità di questo terzo livello offre una grande varietà di spunti per attività e temi di approfondimento, l'insegnante e gli studenti potranno effettuare scelte e individuare percorsi per una durata complessiva variabile da un minimo di circa 120 ore a un massimo di circa 200 (tenendo presente sia il lavoro in classe che quello individuale). Il libro dello studente contiene:

- 10 unità didattiche
- 4 intervalli con attività di ascolto, lettura e giochi di ripasso
- 10 sezioni di riepilogo corrispondenti alle 10 unità didattiche
- 10 capitoletti di sintesi grammaticale
- un test finale corrispondente al livello B2
- il glossario suddiviso per unità, le soluzioni degli esercizi, le istruzioni dei giochi e alcuni testi di informazione e approfondimento relativi ai temi e alle attività delle unità.

L'obiettivo di **Caffè Italia 3** è quello di ampliare e arricchire le conoscenze e le abilità di partenza per raggiungere la competenza linguistica, comunicativa e socioculturale definita per il livello B2 del QCER.

Le principali componenti e le rubriche di ogni unità sono le seguenti:

1.00 **Ascoltate!** per le attività di comprensione orale: da quella globale a una più dettagliata. Il numero indica la traccia sull'audio CD.
Leggete! per le attività che concentrano l'attenzione sulla comprensione dei testi scritti.
Scrivete! per le attività che guidano allo sviluppo dell'abilità di scrittura.
Mettiamo a fuoco! per le attività di "scoperta" delle strutture e funzioni.

Grammatica attiva Questa tabella guida alla scoperta delle strutture.

Suggerimenti pratici per imparare e memorizzare meglio le strutture linguistiche più complesse.

Accenti regionali: il percorso alla scoperta delle varie pronunce regionali dell'italiano, iniziato nel volume 2, continua nelle rubriche che aprono ognuno dei 4 intervalli con un'attività di ascolto.
Percorsi: alla fine di ogni unità si trovano compiti e proposte per realizzare, collaborando con i compagni, un percorso di ripresa globale dei temi principali dell'unità stessa.
Italia online: informazioni e indirizzi dalla rete per approfondire con la ricerca su Internet alcuni temi delle unità.

Cari studenti,

se avete già lavorato con **Caffè Italia** 1 e 2 noterete qualche cambiamento negli aspetti formali di questo nuovo volume: il numero delle pagine di ogni unità è aumentato da 10 a 12, nella seconda parte del libro si trovano 2 pagine di riepilogo e autovalutazione, anziché 6 di esercizi e autovalutazione, e l'ultima pagina di ogni unità propone attività da fare in classe o spunti per ricerche personali, anziché approfondimenti di cultura e civiltà.
Tutti questi cambiamenti corrispondono alle nuove sfide che vi propone il livello di competenza superiore, che raggiungerete intraprendendo questo nuovo viaggio per familiarizzare sempre di più con la lingua e la cultura italiane.
Certamente ognuno di voi è ormai in grado di capire e farsi capire in situazioni di tipo quotidiano e si sa esprimere con frasi abbastanza corrette, anche se ancora piuttosto semplici. A questo punto si tratta di fare un bel salto in avanti e aumentare la pratica nella comprensione e produzione di testi orali lunghi e complessi, così come nella lettura e scrittura di testi autentici di vario tipo: argomentativi, espositivi, descrittivi, narrativi.
Le strutture linguistiche di cui dovete ancora occuparvi per perfezionare il vostro italiano, possono venir comprese ed esercitate nel modo migliore partendo da testi orali o scritti. Questi testi forniscono sia informazioni culturali sia spunti per la discussione e lo scambio di opinioni. Di tanto in tanto vi saranno comunque utili anche momenti di ripresa più sistematica delle strutture, con esercizi di ricostruzione delle forme o di trasformazione e completamento. Per questo terzo livello abbiamo ritenuto opportuno proporvi dei momenti di pausa per gli esercizi di questo tipo all'interno dell'unità stessa. Il riepilogo di ogni unità vi servirà per un ulteriore momento di ripasso da fare a casa o dopo la lezione.
Come avrete modo di scoprire, le proposte per il lavoro individuale di **Caffè Italia** 3 vanno ben oltre gli esercizi di pratica linguistica e invitano ognuno di voi a seguire le piste di ricerca che più vi interessano, per approfondire l'esercizio nella produzione dei tipi di testo più vicini alle vostre esigenze.
Come autori siamo ben consci del vostro desiderio di fare progressi e acquisire sempre maggiore indipendenza e precisione nell'uso della lingua italiana ed è proprio per questo che abbiamo cercato di offrirvi in ogni unità molti spunti e materiali. Ogni unità vi propone di approfondire le vostre conoscenze su un aspetto culturale o socioeconomico, vi fa avvicinare alle tematiche da vari punti di vista e con vari tipi di contributi con lo scopo di darvi un'immagine dell'Italia di oggi il più possibile autentica, varia e lontana dagli stereotipi.

Buon lavoro e buon divertimento!

1 Chi lo sa?

Dove sono state scattate le tre foto? Abbinate nome e foto. Sapete qualcosa di più su ognuno di questi luoghi? Scambiatevi le informazioni e poi confrontatele con quelle di pagina 172.

Spaccanapoli • Vucciria • Campo dei Fiori

1 ....

2 ....

3 ....

2 🎧 1.2 **Confrontiamo le esperienze**

Formate due gruppi. Ascoltate più volte le interviste. Ogni gruppo deve preparare 6 domande su una delle interviste. Poi, a turno, ogni gruppo fa una domanda e risponde a quella posta dall'altro gruppo.
A coppie: discutete delle analogie e delle differenze fra le vostre esperienze personali e quelle narrate nelle interviste.

3 Autovalutazione

Prima di riprendere il vostro viaggio alla scoperta della lingua e della cultura italiana riflettete su tutto quello che avete imparato, conosciuto e scoperto.

Che cosa so fare? Come?	Bene	Abbastanza bene	Male
Ascoltare (e comprendere)			
Trasmissioni radiofoniche/televisive	☐	☐	☐
Dialoghi tra persone	☐	☐	☐
Una lezione o un discorso su un argomento che mi interessa	☐	☐	☐
Parlare			
Parlare delle mie esperienze	☐	☐	☐
Raccontare fatti personali	☐	☐	☐
Raccontare la trama di un libro o di un film	☐	☐	☐
Esprimere le mie opinioni	☐	☐	☐
Partecipare a conversazioni	☐	☐	☐
Preparare ed esporre un argomento familiare	☐	☐	☐
Leggere (e comprendere)			
Descrizioni di avvenimenti, sentimenti e desideri contenuti in lettere personali	☐	☐	☐
Le informazioni più importanti di articoli di giornale	☐	☐	☐
Le istruzioni per l'uso di un apparecchio	☐	☐	☐
La trama di un libro o di un racconto	☐	☐	☐
Scrivere			
Lettere, parlando di esperienze personali	☐	☐	☐
Resoconti di esperienze, descrivendo sentimenti e impressioni	☐	☐	☐
Descrizioni di avvenimenti	☐	☐	☐
Raccontare una storia	☐	☐	☐
Brevi saggi su argomenti che mi interessano	☐	☐	☐

4 Che cosa vorrei migliorare o conoscere meglio?

Ascoltare: ....

Parlare: ....

Leggere: ....

Scrivere: ....

Grammatica: ....

Lessico: ....

Pronuncia: ....

Cultura: ....

Altro: ....

5 Quali sono i miei punti deboli, dove incontro maggiori difficoltà?

....

....

....

6 Cosa potrei fare per migliorare?

....

....

....

7 Cosa dovrebbe fare l'insegnante ideale?

Grado di importanza (1=poco importante; 5=molto importante)	1	2	3	4	5
Correggere sempre quando sente un errore	☐	☐	☐	☐	☐
Spiegare sempre tutte le regole di grammatica e di pronuncia	☐	☐	☐	☐	☐
Incoraggiare gli studenti alla scoperta della lingua e della cultura italiane	☐	☐	☐	☐	☐
Valutare regolarmente le competenze degli studenti	☐	☐	☐	☐	☐
Gestire il lavoro in classe e le lezioni: dare istruzioni, scandire i tempi delle attività	☐	☐	☐	☐	☐
Essere sempre a disposizione fornendo aiuto linguistico quando viene richiesto	☐	☐	☐	☐	☐
Dare informazioni sulla cultura e civiltà italiane	☐	☐	☐	☐	☐

Altro: ....

....

8 Scambio di idee

A coppie: confrontatevi su quanto avete scritto.

9 Caro/Cara insegnante...

Scrivete una lettera al vostro/alla vostra insegnante in 80 - 100 parole seguendo le domande guida.

- Perché studio l'italiano?
- Qual è stato il mio percorso di apprendimento fino a oggi (corsi, letture, viaggi, insegnanti simpatici/antipatici, gioie e dolori...)?
- Che cosa mi aspetto di trovare in questo corso? Che cosa mi piacerebbe conoscere? Come?

Unità 1

Ma che lingua parliamo?

A

1 **Problemi di cuore**

Guardate i fumetti e cercate di immaginare di che cosa stanno parlando Stefano e Roberto.

2 1.3 **Ciao raga!**

A coppie: mettete in ordine le frasi. Poi ascoltate e verificate.

- ☐ Stefano: Ciao **raga**.
- ☐ Roberto: Sì, ma anche se facevo finta di niente la **lumavo** anch'io. **La mia tipa** mi **ha sgamato** ed è **andata fuori di testa**.
- ☐ Stefano: Ma non sei tu che **l'avevi mollata**?
- ☐ Stefano: **Ma come sei messo!** Ti ho chiamato **40 volte**, ti ho **sparato** 20 sms e tu niente, **neanche di striscio!**
- ☐ Stefano: Ma **che cavolo** è successo?
- ☐ Roberto: Ma **che ne so io**! Ieri sera ero andato con lei al pub a vedermi con Davide e la banda, dovevamo fare una colletta per comprare un regalo alla prof di matematica. Lì c'era anche la mia ex che continuava a guardarmi...
- ☐ Roberto: Ciao, **Ste**, ho visto che mi hai chiamato, però...
- ☐ Roberto: Eh... **sono in palla**. Roberta **mi ha scaricato** e io adesso **sono incasinato**.

3 Traduciamo

Il dialogo è un esempio del modo di parlare dei giovani. A coppie: provate a tradurre le espressioni in neretto con le corrispondenti espressioni in italiano standard. Trovate un modello di traduzione a pagina 172.

4 Mettiamo a fuoco

Leggete ancora il dialogo in A2, sottolineate tutti i verbi al passato prossimo, all'imperfetto e al trapassato prossimo e inseriteli nelle rispettive colonne della tabella.

Grammatica attiva

I tempi del passato

Passato prossimo: ....

....

Imperfetto: ....

Trapassato prossimo: ....

Il passato prossimo indica un fatto avvenuto in un tempo .... L'imperfetto indica un'azione passata considerata nel suo svolgimento ed esprime .... di un'azione nel passato.
Il trapassato prossimo esprime un fatto avvenuto .... di un altro fatto del passato a cui è collegato.

Completate con le forme dell'infinito e della prima persona.

Infinito	Passato prossimo	Imperfetto	Trapassato prossimo
essere	.... /sono stata	ero	ero stato/ero stata
....	ho avuto	....	avevo ....
....	....	chiamavo	avevo chiamato
andare	sono andato /......................	....	ero andato/ero andata
....	ho messo	mettevo	avevo ....
....	ho sentito	....	.... sentito
venire	sono venuto/sono venuta	....	................./.................

5 Ora tocca a voi!

Completate il riassunto del dialogo fra Roberto e Stefano. A coppie: presentate a turno i vostri racconti.

Stefano e Roberto si sono incontrati ieri pomeriggio. Stefano ha raccontato a Roberto che cosa era successo con la sua ragazza la sera prima.

....

....

....

....

....

....

....

....

....

....

B

1 Che cos'è Slangopedia?

Leggete il testo e rispondete alle domande.

1. A che cosa serve Slangopedia?
2. Chi costruisce il vocabolario di Slangopedia?
3. Dove si trova il dizionario dello slang giovanile?
4. Che cos'è L'Espresso?
5. In che cosa consiste il linguaggio giovanile secondo l'articolo?

Slangopedia, un fiume di parole (ABC)

Tutto è nato da un'inchiesta de *L'Espresso* sul nuovo linguaggio giovanile di fine Millennio. Uno slang scherzoso, ludico e creativo fatto di sigle e metafore inventate, rielaborate, accorciate e raddoppiate. Neologismi e tormentoni rubati al dialetto e a Internet, al cinema e alla TV. Sono meteore velocissime le parole dei giovani: durano una decina d'anni, dicono gli esperti, e poi scompaiono. L'unica è stargli dietro in tempo reale. Così, quando è nato il sito de *L'Espresso*, abbiamo lanciato il primo dizionario on line dello slang giovanile. E oggi *Slangopedia* contiene più di 800 voci, tutte proposte da lettori di ogni parte d'Italia (e dall'estero), che inviano per mail parole gergali indicandone età, luogo di provenienza e significato. Un vocabolario autocostruito insomma, in cui ciascuno dice la sua e invia parole e frasi (incomprensibili ai più) con cui i *teenagers* comunicano quotidianamente tra di loro.

2 Mettiamo a fuoco

Ritrovate le parole nel testo e abbinate ogni parola alla definizione giusta.

1. ☐ ludico
2. ☐ metafora
3. ☐ neologismo
4. ☐ tormentone
5. ☐ quotidianamente
6. ☐ stare dietro a qualcuno o a qualcosa
7. ☐ sigla

a. abbreviazione di nomi di enti, ditte, ecc. formata dalle loro iniziali
b. vocabolo di recente invenzione introdotto in una lingua
c. nel linguaggio dei media, ripetizione ossessiva e martellante di temi d'attualità, notizie, canzoni e altro, proposti continuamente dai mezzi di comunicazione
d. che ha a che fare con il gioco
e. seguire con attenzione, mantenersi informati, aggiornarsi
f. figura retorica che consiste nel sostituire un termine proprio con uno figurato, ovvero con un'immagine
g. tutti i giorni

3 Ora tocca a voi!

Cercate nella vostra lingua tre parole entrate in uso negli ultimi 10 anni e spiegate ai compagni in quali situazioni vengono usate.

C

1 Un esempio di linguaggio tecnico

Per telefonare in Italia con un telefono cellulare si può comprare una scheda prepagata. Osservate le immagini e cercate di individuare le parole chiave nei testi che le accompagnano.

Nella busta che vedete qui sopra oltre alla sim avete trovato questa scheda:

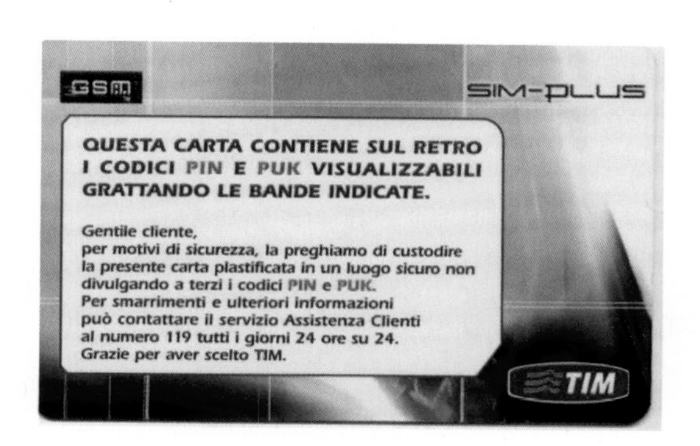

2 E adesso come faccio?

Immaginate di avere comprato una busta come quella sopra, l'avete aperta e non avete trovato la carta con i codici PIN e PUK. A coppie: raccontate che cosa avete fatto. Usate il passato prossimo e l'imperfetto.

D

1 1.4 A ogni lingua le sue espressioni

Ascoltate o leggete queste frasi. Trovate le espressioni che contengono la parola "lingua". Poi collegatele alle loro definizioni nella tabella della pagina seguente.

1. Cerco il titolo dell'ultimo libro di Antonio Tabucchi. Ce l'ho sulla punta della lingua, ma...
2. Perché non mi rispondi? Hai perso la lingua?
3. Ormai sono passati almeno due mesi da quando Sandro l'ha lasciata, ma lei continua a parlare di lui e si dispera... Eh, la lingua batte dove il dente duole.
4. Luciano è un disastro, non riesce mai a tenere a freno la lingua!
5. Dopo che gli avevo raccontato tutto mi sarei morsa la lingua.
6. Se c'è qualcosa di poco carino, Paolo te lo dice sicuramente, sai che lui non ha peli sulla lingua.
7. Non raccontare niente a Francesca, quella ha la lingua lunga.
8. Le affermazioni di Giorgio hanno ferito profondamente tutti noi. Forse è vero che ne uccide più la lingua che la spada.
9. Dài, racconta! Di noi ti puoi fidare. Sappiamo tenere la lingua a posto.

Espressioni idiomatiche e proverbi

1. avere una parola o una frase sulla punta della lingua
2. aver perso la lingua? (come domanda)
3. tenere a freno la lingua
4. tenere la lingua a posto
5. mordersi la lingua
6. non aver peli sulla lingua
7. avere la lingua lunga
8. "La lingua batte dove il dente duole."
9. "Ne uccide più la lingua che la spada."

- ☐ a. pentirsi, essere dispiaciuti di aver parlato
- ☐ b. non parlare a sproposito, quando non è opportuno
- ☐ c. essere schietti, non aver paura di dire le cose chiaramente anche se sono sgradevoli
- ☐ d. tornare sempre su un tema che sta a cuore, preoccupa o addolora
- ☐ e. essere sul punto di dire senza riuscirci per un improvviso vuoto di memoria
- ☐ f. si chiede a chi parla poco o non risponde
- ☐ g. non parlare troppo, controllarsi
- ☐ h. le parole possono essere più dure e dannose delle armi
- ☐ i. parlare molto, non essere capaci di tacere

2 Ora tocca a voi!

A coppie: inventate una storia utilizzando almeno 3 espressioni sulla lingua. Poi cercate anche nella vostra madrelingua espressioni che contengono la parola "lingua" e confrontatele con quelle elencate qui sopra. Potete aiutarvi con un vocabolario.

3 Dal latino all'italiano

Parlate delle vostre conoscenze sulle origini della lingua italiana. Scegliete tra le seguenti le risposte corrette. Poi verificate leggendo il testo.

	Vero	Falso
1. L'italiano deriva dal francese.	☐	☐
2. Nel Medioevo le trasformazioni del latino danno origine a diverse lingue regionali.	☐	☐
3. Dante scrive la *Divina Commedia* in latino.	☐	☐
4. La parola "vulgus" in latino significa "volgare".	☐	☐
5. Ogni popolazione resta in parte fedele alla propria lingua originaria.	☐	☐
6. Nel 1100 il volgare comincia ad essere usato da poeti e scrittori.	☐	☐

L'italiano appartiene come lo spagnolo, il francese, il portoghese e il rumeno al gruppo delle lingue romanze o neolatine, deriva cioè dal latino. Non deriva **però** direttamente dal latino classico usato nell'antica Roma dai grandi scrittori, **ma** dal latino usato dal popolo, che infatti viene chiamato "vulgaris" da "vulgus" che significa "popolo". **Mentre** il latino classico scriveva *domus*, *equus*, *os*, *ignis*, il latino volgare diceva *casa*, *caballus*, *bucca* e *fuoco*.

In origine il latino era la lingua di una piccola città: Roma. Nei secoli V e IV a.C. in Italia si parlavano anche altre lingue, come per esempio, l'osco, l'umbro, il greco, il gallico, il veneto, il ligure, il sardo, l'etrusco. Dopo la conquista di tutta l'Italia da parte di Roma fra il III e il I secolo a.C., per facilitare gli scambi culturali e commerciali, si rende necessaria una lingua comune, così tutte le popolazioni della penisola imparano il latino. Ogni popolazione **tuttavia** resta in parte fedele alla propria lingua originaria e quindi lo parla in modo diverso.

Nel Medioevo le trasformazioni del latino sono sempre più profonde e danno origine a diverse lingue regionali dette volgari, mentre il latino vero e proprio resta la lingua della cultura e della Chiesa.

Agli inizi del 1300 la lingua volgare locale, sviluppatasi a partire dal latino volgare, comincia ad essere usata da poeti e scrittori, ed è questo che la fa conoscere in tutta Italia.

Il fiorentino, essendosi sviluppato in territorio etrusco, rimane la lingua più vicina al latino rispetto ad ogni altro volgare italiano. Dopo la *Divina Commedia* di Dante, anche altri grandi scrittori come Boccaccio e Petrarca scrivono in fiorentino, così questa lingua regionale diventa sempre più importante fino a diventare la lingua comune a tutta la nazione, **mentre** gli altri volgari continuano ad esistere come dialetti regionali.

4 Mettiamo a fuoco

Osservate le parole in neretto nel testo in D3 e cercate di capire la loro funzione nelle frasi. Poi scrivete un testo su un argomento a vostra scelta usando almeno una volta ognuna di queste parole.

E

1 Parole famose

Queste sono parole molto conosciute anche fuori dall'Italia. Sapevate che derivano dai dialetti parlati in 4 città italiane? Abbinate le parole alle città di provenienza.

pizza | mozzarella | ciao | risotto | panettone | bimbo

Napoli: .... Milano: .... Venezia: .... Firenze: ....

2 Il dialetto che cos'è?

Che cos'è un dialetto secondo voi? Come lo definireste?

3 Che cosa dice il dizionario?

Leggete la definizione e confrontatela con le vostre idee.

dialetto [dia-lèt-to] sostantivo m.
Col termine dialetto si può indicare la parlata di un solo centro abitato, in quanto entità linguistica di solito abbastanza omogenea e individuabile: il dialetto fiorentino, milanese, napoletano, palermitano, cagliaritano; per aree più ampie, subregionali o regionali, è più corretto usare il termine al plurale: i dialetti toscani, lombardi, campani, siciliani, sardi. Tutti i dialetti neolatini d'Italia sono dirette derivazioni del latino parlato e si collocano quindi "in parallelo" alla lingua italiana, derivata da uno di essi, il dialetto fiorentino, attraverso un processo di elaborazione letteraria.
[DISC © 1997, Giunti Gruppo Editoriale, Firenze]

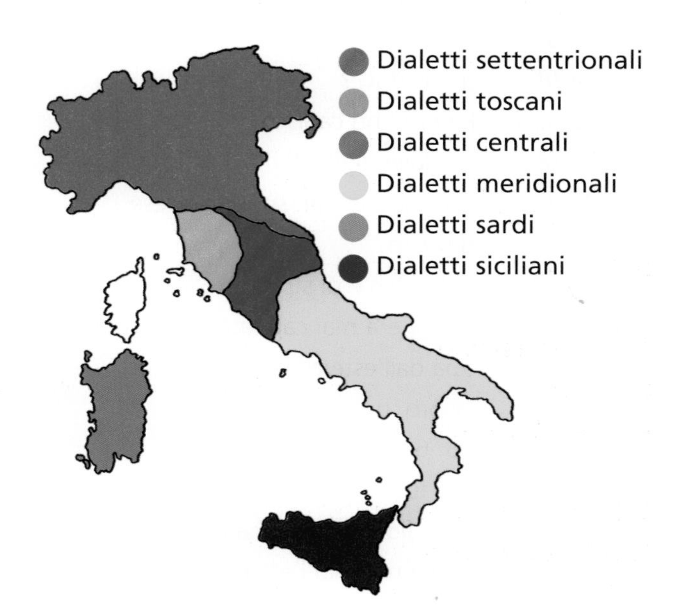

Principali aree dialettali in Italia
Questa rappresentazione è molto semplificata e raggruppa in una stessa "macroarea" parlate dialettali diverse tra loro con un buon numero di caratteristiche comuni. All'interno dei confini italiani si trovano anche diverse "isole" o "penisole" di altre lingue nazionali: i dialetti francoprovenzali, i dialetti tedeschi sudtirolesi, i dialetti ladini dolomitici, i dialetti ladini friulani.

4 Quale vi piace di più?

A coppie: trovate qui sotto altre affermazioni sul dialetto. Leggetele e discutetene insieme.

1. "Una lingua è un dialetto con alle spalle un esercito e una flotta." (Einar Haugen, linguista)
2. "Il dialetto non mi piace, non lo uso perché è brutto, incivile, sbagliato, sgrammaticato." (Mauro, impiegato)
3. "Il dialetto deve vivere non perché è necessario, bensì perché è lo strumento che consente a determinate culture e tradizioni di sopravvivere. E deve vivere anche perché corrisponde alle esigenze culturali dei gruppi locali." (Gaetano Berruto, linguista)
4. "Il dialetto diventa lingua quando viene scritto ed adoperato per esprimere i sentimenti più alti del cuore... per esprimere le proprie idee, il proprio sentire, i propri desideri." (Pier Paolo Pasolini, scrittore)
5. "Uso il dialetto in famiglia e con gli amici, al lavoro uso l'italiano perché dove lavoro io ci sono milanesi, siciliani, liguri e non mi capirebbero." (Flavia, ricercatrice)

F

1 1.5 **Indovinello**

Ascoltate o leggete e trovate la risposta.

È una lingua nella lingua. È creativa, immediata ed economica. È orale ma ormai sta diventando anche lingua scritta. Si arricchisce di giorno in giorno e si diffonde sempre più capillarmente.

2 **Dai che si chatta!**

Ecco un esempio di "internettese". A coppie: osservate le due foto e fate delle ipotesi sulle due persone raffigurate. Poi leggete e cercate di tradurre in italiano standard.

<alex28> c6?
<alice32> sì
<alex28> da dv dgt??
<alice32> ke dici? nn capisco
<alex28> da dove digiti??
<alice32> francia, ma non sono francese
<alex28> davvero?
<alice32> beh, ke c'è di strano?
<alex28> nn mi era mai capitato di chattare con 1 tipa dall'estero, ke fai lì?
<alice32> lavoro, quanti anni hai?
<alex28> 28. 6 sposata?
<alice32> div. tu?
<alex28> sono fidanzato da 5 anni ma nn mi sposo
<alice32> perké no? Hai l'età giusta ;-)
<alex28> daiiiiiii non fare la veterana
<alice32> SKERZO
<alex28> il tuo nome?
<alice32> alice
<alex28> piacere alessandro... ke lavoro fai lì?
<alice32> organizzo meeting per le ditte
<alex28> dimmi girl... ti manka l'italia?
<alice32> è un discorso molto lungo. Cmq, sì, un po' mi manca
<alex28> torna tra noi italiani, dai

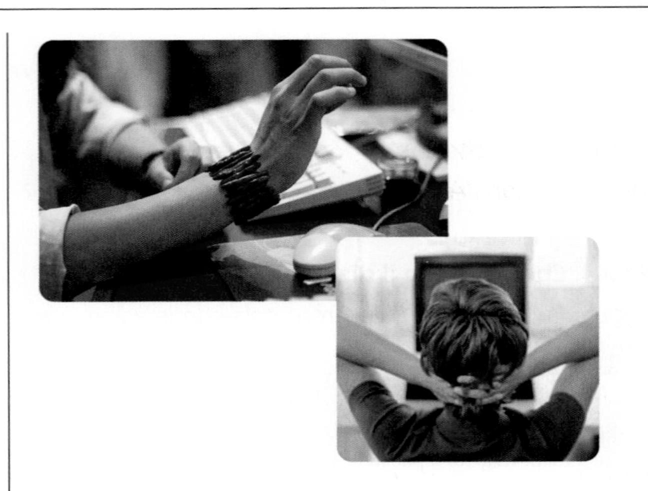

<alice32> quest'anno, se trovo lavoro, vengo, ormai è deciso
<alex28> brava
<alice32> uè, è tardissssimo, me ne vado a nanna, ciao ale e dormi bene
<alex28> nooooooooo e io adesso con ki chatto?
<alice32> magari alla prox
<alex28> resta ancora un po', pls
<alice32> sorry, ma domani devo alzarmi presto
<alex28> ok un bacio, NOTTEEEEEE
<alice32> notte
<alex28> ti do la mia mail: alesxxx@gnn.it, sentiamoci
<alice32> ok, ales
<alex28> ti aspetto, ribuonanotte
<alice32> notte e buona giornata x domani

3 **Per queste parole ormai non serve una traduzione, vero?**

A coppie: cercate di dare una definizione delle parole. Sceglietene tre e formate tre frasi.

cliccare | e-mailare | chattare | ceccare | bannare | downloadare | formattare | loggare

4 Che cosa caratterizza una chat?

Cercate nella trascrizione della chat le caratteristiche del linguaggio che si usa in Internet, detto anche "internettese", e completate la griglia con un esempio.

Uso di emoticons:	....	**Tolleranza nell'ortografia:**	....
Uso del maiuscolo per enfatizzare:	....	**Mancato uso delle lettere maiuscole:**	....
Uso di sigle, numeri e abbreviazioni:	....	**Altro:**	....

5 Ora tocca a voi!

Immaginate di essere alice32, scrivete una mail ad alex28 e raccontategli di quando avete lasciato l'Italia. Cominciate con "Avevo 20 anni e..."

G

1 1.6 Ma che cosa vorranno dire?

Ascoltate il breve dialogo fra due amici in un bar e completate le frasi di Daniele e Alessandra.

Daniele: Non vorrei fare della .... ma mi pare di ricordare che anche un anno fa eravamo allo stesso punto di oggi e quindi con questo .... fatto senza la .... sarà difficile evitare di arrivare all'approvazione della legge sulle ....

Alessandra: Secondo me hanno fatto l' ....

In poche battute avete sentito alcune parole che forse ancora non conoscevate. Si tratta del "politichese", una microlingua che attinge da vari campi e che spesso risulta difficile per i non addetti ai lavori. Forse questa tabella vi può aiutare a "decifrare" il dialogo appena sentito.

ribaltone:	cambiamento nelle alleanze politiche
par condicio:	condizione di equità nella visibilità pubblica che i media riservano ai soggetti politici, in particolare durante la campagna elettorale
inciucio:	compromesso poco trasparente
dietrologia:	ricerca forzata, nell'analisi dei fatti, di "quanto sta dietro" e quindi dei motivi veri
mini-pensioni:	pensioni minime

2 Confronti culturali

Nella vostra lingua sono presenti parole specifiche del mondo della politica? Annotatele qui e cercate di presentarle ai compagni. Che cosa significano? Quando vengono usate? Da chi?

....

....

....

....

....

3 L'italiano giuridico

Ecco un esempio di un'altra varietà dell'italiano. Leggete e poi scegliete la giusta definizione delle parole ricavate dal testo seguente.

Legge 482 del 15 dicembre 1999

Art. 1

1. La lingua ufficiale della Repubblica è l'italiano.
2. La Repubblica, che valorizza il patrimonio linguistico e culturale della lingua italiana, promuove altresì la valorizzazione delle lingue e delle culture tutelate dalla presente legge.

Art. 2

In attuazione dell'articolo 6 della Costituzione e in armonia con i princìpi stabiliti dagli organismi europei e internazionali, la Repubblica tutela la lingua e la cultura delle popolazioni albanesi, catalane, germaniche, greche, slovene e croate e di quelle parlanti il francese, il franco provenzale, il friulano, il ladino, l'occitano e il sardo.

1. valorizzare

☐ **a.** far aumentare il valore economico di qualcosa

☐ **b.** evidenziare le caratteristiche positive

2. patrimonio

☐ **a.** complesso di beni appartenenti ad una persona fisica o giuridica

☐ **b.** complesso di beni culturali, sociali e spirituali ereditato attraverso i tempi

3. tutela

☐ **a.** protezione, difesa, salvaguardia

☐ **b.** cura, protezione e rappresentanza giuridica di un minore

4. principi

☐ **a.** membri non regnanti di una famiglia reale

☐ **b.** concetti fondamentali di una dottrina, una scienza, una disciplina

4 A che cosa serve questa legge?

A coppie: cercate di trovare esempi concreti per l'applicazione della legge 482.

H

1 1.7 A tu per tu con la lingua italiana

A coppie: ascoltate una parte della trasmissione "Diario" del 14.06.2005 dedicata alla lingua italiana, condotta da Roberta Giordano su "Radio 24 Il sole24ore". Prendete appunti e poi scambiatevi le informazioni che avete raccolto.

2 1.7 A voi la scelta

Ascoltate ancora e scegliete le risposte giuste.

1. Come partecipano gli ascoltatori alla trasmissione?

☐ telefonata ☐ e-mail ☐ fax ☐ lettera

2. Quale di queste città non viene nominata?

☐ Modena ☐ Bologna ☐ Palermo ☐ Varese

3. Nella grammatica, che tipo di parola è "assolutamente"?

☐ una congiunzione ☐ un avverbio ☐ una preposizione ☐ un aggettivo

4. Quali di queste parole vengono trattate?

☐ circo ☐ assolutamente ☐ romano ☐ per esempio

3 1.8 Mettiamo a fuoco

Ascoltate ancora e completate alcune parti della trasmissione. Poi completate la tabella.

1. Siccome qualcuno .... poi dice "presempio" in modo più marcato, stiamo attenti e non lo diciamo.
2. E .... è influenzata dalla forma o da una pronuncia della parola nella lingua romena stessa, mi guardi, sono piccole differenze, l'uno dall'altro, va beh...
3. Volevo capire "- Andiamo a prendere un caffè? - .... sì!"
4. Beh sì, o è sì o è no. Quindi si dovrebbe fare a meno di rafforzarlo perché se è sì, ... è sì, però vede che abbiamo bisogno di... le parole che usiamo molto hanno bisogno... si consumano...
5. Grazie Luca da Varese, professore non Le dico assolutamente buonanotte che non è necessario, Le dico .... buonanotte e sogni d'oro, semmai.

Grammatica attiva

La formazione dell'avverbio derivato

L'avverbio derivato si forma perlopiù da un aggettivo aggiungendo il suffisso ....

assoluto ➝ assolut- + **a** + ... ➝ ....

semplice ➝ semplice + ... ➝ ....

In particolare per gli avverbi di modo, che rappresentano il gruppo più ampio tra quelli derivati, per variare, si può usare la struttura: in modo + aggettivo ➝ in modo assoluto

Ci sono anche avverbi molto frequenti che hanno una forma propria, continuate voi l'elenco: presto, prima, male, bene, ...

Esercizio 1: *Formate gli avverbi derivati dagli aggettivi.*

chiaro	....	preciso	....
sicuro	....	naturale	....
difficile	....	generale	....

Esercizio 2: *Per ognuno di questi avverbi scrivete il suo contrario.*

dopo	....	lì	....	presto	....	molto/tanto	....
fuori	....	sempre	....	bene	....	spesso	....

4 Ora tocca a voi!

Preparate un dialogo fra due "tipi snob" che cercano di usare spesso queste parole. Poi presentatelo alla classe. Vince chi è riuscito a utilizzarne di più.

L'italiese		
big	look	trendy
body	privacy	weekend
bypassando	soft drink	....
flashback	teenager	....
jogging	training	....

I

1 Capite il friulano?

Che cosa si nasconde dietro queste frasi in friulano? Fate delle ipotesi e poi confrontatele con le traduzioni a pagina 172.

• Mandi, cemût stâstu? • Jo o soi Jacum. • Soi un furlan, o ven di Udin. • Vuê al è propite cjalt!

2 Il Friuli Venezia Giulia, regione di tante lingue

La minoranza linguistica: *a coppie, cercate una definizione per questa espressione e presentatela ai vostri compagni. Poi leggete il testo.*

Il friulano è una lingua neolatina, si è formata più o meno intorno all'anno Mille ed ha mantenuto un'originalità tutta sua che la rende ancora oggi diversa dall'italiano e dagli altri idiomi parlati nei territori limitrofi. I primi documenti in lingua friulana e le prime composizioni poetiche risalgono ai secoli XII e XIII. Secondo una statistica pubblicata recentemente:

- la lingua friulana è parlata da circa 600.000 – 650.000 persone,
- il 52% dei friulani capisce e parla il friulano,
- il 20% lo capisce ma lo parla occasionalmente,
- il 19% lo capisce ma non lo parla, mentre il 2,6% non lo capisce e non lo parla.

In Friuli oltre al friulano troviamo anche altre 2 lingue: il tedesco e lo sloveno. Le comunità di lingua e cultura germanica sono situate in Carnia a Sauris (Zahre) e Timau (Tischlbong), tre nella Valcanale e cioè Pontebba (Pontafel), Malborghetto Valbruna e Tarvisio (Tarvis).

Lo sloveno invece si parla a Trieste e lungo la fascia di confine con l'attuale Repubblica di Slovenia.

Grazie alla legge 482 del 15 dicembre 1999 sulla tutela delle minoranze linguistiche, i friulani hanno diritto di scrivere e parlare in friulano nei rapporti con le pubbliche amministrazioni e di ricevere le risposte anche in lingua friulana.

3 1.9 Una donna friulana: Tina Modotti

Tina Modotti è un esempio di donna emigrata. Ascoltate la sua biografia e guardate le sue fotografie. Poi scrivete un'e-mail ad un vostro amico raccontandogli che siete stati alla mostra fotografica su Tina Modotti.

Posso farti un paio di domande?

A. *Intervistate almeno tre compagni seguendo le domande del questionario.*

Questionario

1. Nella zona dove abiti si parla il dialetto? Tu lo usi? Lo insegneresti ai tuoi figli?
2. Sei in grado di scrivere una frase nel tuo dialetto?
3. Qual è stata la tua telefonata più lunga?
4. Qual è la parola italiana che preferisci?
5. Che cosa consiglieresti ad un tuo amico che è appena stato "scaricato" dalla sua ragazza o a una tua amica che ha lasciato il suo ragazzo?
6. Hai mai chattato con italiani?
7. Hai mai partecipato ad una trasmissione radiofonica?
8. Sapresti fare un esempio di "tormentone" degli ultimi anni nel tuo paese?

B. *A coppie: analizzate le risposte che avete raccolto e cercate di individuare gli elementi che caratterizzano i comportamenti sociali delle persone intervistate. Scrivete una breve sintesi in forma di articolo giornalistico.*

C. *Ogni coppia presenta alla classe i risultati. Alla fine delineate oralmente un "profilo della classe".*

Ecco alcuni indirizzi di siti che vi possono essere utili nel viaggio alla scoperta della lingua e cultura italiane. Visitateli, raccogliete informazioni. Poi, in classe, scambiatele con quelle raccolte dai compagni.

Università per stranieri di Siena
www.unistrasi.it

Università per stranieri di Perugia
www.unistrapg.it

Università di Urbino – Corsi di italiano
www.uniurb.it/CorStran

Accademia della Crusca
www.accademiadellacrusca.it

Università di Padova – lingua giovani
www.maldura.unipd.it/linguagiovani

Università di Venezia – Centro Itals
www.itals.it

RAI – Lingua italiana
www.linguaitaliana.rai.it

Società Dante Alighieri
www.ladante.it

La storia siamo noi

A

1 Fotogrammi

Abbinate le immagini alle frasi e cercate di individuare gli errori storici contenuti in alcune frasi.

1. ☐ Nell'Ottocento nacquero i movimenti in difesa degli interessi dei lavoratori.
2. ☐ Nel 1992 le camicie nere, corpo paramilitare fascista, marciarono su Roma rendendo possibile l'ascesa al potere di Benito Mussolini.
3. ☐ Nel 1492 Cristoforo Colombo scoprì l'America, credendo però di aver trovato le Indie.
4. ☐ Dante Alighieri, massimo poeta italiano, scrisse il suo capolavoro, la *Divina Commedia*, tra il 1613 e il 1621.
5. ☐ La Prima guerra mondiale durò dal 1914 al 1918, l'Italia però entrò in guerra solo nel 1915.
6. ☐ Galileo Galilei non inventò solamente il cannocchiale ma affermò anche il principio della rotazione della terra intorno al sole.
7. ☐ Tra il '400 e il '500 fiorì la civiltà rinascimentale che lasciò segni architettonici indelebili in molte città italiane.
8. ☐ Negli anni '40 l'Italia conobbe il boom economico. Simbolo di quell'epoca furono in particolare gli elettrodomestici.

B

1 1.10 **Entriamo nel tema**

Ascoltate e leggete la canzone di Francesco De Gregori. Poi scambiatevi opinioni seguendo le domande guida.

- Qual è l'idea di storia proposta dalla canzone? Ne esistono altre?
- Qual è il messaggio dell'autore?

La storia siamo noi, nessuno si senta offeso;
siamo noi questo prato di aghi sotto il cielo.
La storia siamo noi, attenzione nessuno si senta escluso.

La storia siamo noi, siamo noi queste onde nel mare,
questo rumore che rompe il silenzio,
questo silenzio così duro da masticare.

E poi ti dicono: "Tutti sono uguali,
tutti rubano nella stessa maniera".
Ma è solo un modo per convincerti
a restare chiuso dentro casa quando viene la sera;
però la storia non si ferma davvero davanti ad un portone,
la storia entra dentro le stanze, le brucia,
la storia dà torto e dà ragione.

La storia siamo noi,
siamo noi che scriviamo le lettere,
siamo noi che abbiamo tutto da vincere e tutto da perdere.

E poi la gente (perché è la gente che fa la storia)
quando si tratta di scegliere e di andare
te la ritrovi tutta con gli occhi aperti
che sanno benissimo cosa fare:
quelli che hanno letto un milione di libri
e quelli che non sanno nemmeno parlare;
ed è per questo che la storia dà i brividi,
perché nessuno la può fermare.

La storia siamo noi, siamo noi padri e figli,
siamo noi, bella ciao, che partiamo
la storia non ha nascondigli,
la storia non passa la mano.
La storia siamo noi,
siamo noi questo piatto di grano.

2 **La storia, ma quale?**

Scegliete una delle definizioni di storia e scrivete degli argomenti a favore della tesi prescelta (120/140 parole in tutto). Poi leggete il testo ai compagni.

- ☐ Solo i grandi uomini fanno la storia, tutti gli altri sono spettatori.
- ☐ La storia siamo tutti noi con i nostri modi di comportarci, di vivere, di decidere.
- ☐ La storia in sé non esiste, esistono tante storie, tanti racconti quanti narratori.
- ☐ La storia è provvidenza guidata da un essere soprannaturale.
- ☐ La storia è una successione casuale di eventi senza senso e direzione.

C

1 1.11 Alla scoperta delle mie origini

Ascoltate e rispondete alle domande.

1. Da dove viene Silvia?
2. Come mai ora abita in Italia?
3. Quando e perché il nonno di Silvia emigrò in Argentina?
4. Perché desidera approfondire lo studio della storia d'Italia?
5. C'è qualcuno in classe che ha origini diverse dal paese in cui è nato?

2 Un pezzo di storia italiana

Silvia sta leggendo un brano di Giuliano Procacci, noto storico italiano. Prima di leggere collegate le seguenti parole ai loro sinonimi.

duce | moto | insorti | approssimativo

.... incerto, non esatto o preciso o chiaro
.... capo riconosciuto di un gruppo
.... rivolta, protesta pubblica, spesso violenta
.... ribelli, rivoltosi

Di quale periodo storico tratta questo brano? Inserite le date che ritenete più probabili nei vuoti, poi verificate a pagina 172.

La prima difficile prova che il nuovo governo, a capo del quale era Antonio Salandra, dovette affrontare fu la "settimana rossa" del giugno .... Sotto questo nome si è soliti designare un moto di piazza che, con tutti i caratteri dell'improvvisazione e della spontaneità, provocò profondo sconvolgimento per una settimana nel paese e si sviluppò principalmente tra le Romagne e le Marche, una zona in cui l'opposizione repubblicana, anarchica e socialista aveva profonde radici. Si trattò di una rivoluzione provinciale, guidata da duci provinciali – i romagnoli Benito Mussolini, Pietro Nenni e l'anarchico Errico Malatesta – animata da passioni provinciali, che quindi non riuscì a trasformarsi in movimento di protesta a livello nazionale.
In effetti i grossi centri industriali ed operai del paese, chiamati a scendere in sciopero per solidarietà agli insorti di Ancona e delle Romagne, risposero solo in parte all'appello del Partito Socialista e della Confederazione generale del lavoro. Se la "settimana rossa" non poté trasformarsi in una rivoluzione ciò non impedì che essa apparisse come un minaccioso sintomo rivoluzionario a quei conservatori che della rivoluzione avevano una visione altrettanto approssimativa quanto quella di molti rivoluzionari del momento. Tale era Salandra, che ordinò di inviare nelle Romagne 100.000 soldati e tale era anche il re, che riportò una forte impressione dalle dichiarazioni antimonarchiche e repubblicane degli insorti. [...]
Era questa la situazione interna italiana quando nel luglio .... arrivò la notizia dell'attentato di Sarajevo e dell'ultimatum austriaco alla Serbia.

[da Giuliano Procacci, "*Storia degli italiani*", © Laterza, 1977, pag. 481-482]

Come avrete capito, il testo di Procacci si riferisce alla Prima guerra mondiale, detta anche la Grande guerra perché fu la prima guerra moderna veramente mondiale che coinvolse intere nazioni e costò la vita a milioni di persone. Qui sotto potete leggere dello stesso avvenimento, come lo visse in prima persona lo scrittore italiano Giovanni Comisso.

3 Un'altra prospettiva

Leggete il brano e completatelo con le parole date.
Se necessario consultate il dizionario per capirne il significato. Poi confrontate a pagina 173.

viottolo | bastone | ghiaioni | strappandoci | colli (2) | reggimento

Verso la fine del 1914 mi trovavo in campagna a Onigo di Piave, ospite di un vecchio amico della mia famiglia. Una sera, di ritorno dai ...., trovai un telegramma per me: mio padre mi richiamava a Treviso, per raggiungere il .... a cui ero stato destinato. Partii quella sera stessa. [...] Lasciai tutto commosso quella villa solitaria tra i ...., nella notte, accompagnato fino alla stazione da un contadino mio compagno di giochi che mi rischiarava il .... con una lanterna appesa ad un .... Con lui e con altri tra quelle colline e sui .... del Piave, tutte le domeniche dopo il vespro, ci si divertiva a fare la guerra graffiandoci e .... i vestiti. Ora, partivo per fare il soldato sul serio e forse anche la guerra.

[da Giovanni Comisso: *Giorni di guerra*, © Longanesi 1950, pag. 5, 1ª edizione 1930]

4 Tendenze

Nei libri di storia si incontrano spesso espressioni che designano gruppi o tendenze sia politiche che culturali e sociali. Completate la tabella.

Aggettivo	Nome
fascista	
	comunismo
liberale	
	anarchismo/anarchia
idealista	
	socialismo
razionalista	
	consumismo

5 Quante storie!

Abbinate le espressioni alle definizioni.

A coppie: create un breve dialogo con una di queste espressioni.

Espressioni idiomatiche

1. Non fare tante storie!
2. Ma che storia è questa?!
3. Secondo me tu ti racconti una storia.
4. Uffa, è sempre la solita storia!
5. Eh, questa però è una storia lunga!
6. Ma è un secolo che non ci vediamo!
7. Roba dell'altro secolo!

☐ a. avvertimento sul fatto che c'è da raccontare molto
☐ b. esclamazione per quando ci si rivede dopo molto tempo
☐ c. reazione di sorpresa a un fatto, a un'informazione
☐ d. esortazione a non creare complicazioni inutili
☐ e. commento su qualcosa che si ritiene anacronistico
☐ f. reazione di noia di fronte a una cosa che si ripete spesso
☐ g. espressione di dubbio sulla verità di qualcosa

6 Mettiamo a fuoco

Nei due testi di pagina 26 e 27 si trova una forma di passato alternativa al passato prossimo. Ricordate come si chiama? A coppie: sottolineate tutte le forme di questo tipo: ne compaiono in totale 14. Poi indicate per ognuna l'infinito.

D

1 Tangentopoli

In un giornale italiano, Silvia ha letto di questo avvenimento di storia recente particolarmente significativo per l'Italia. A coppie: leggete il testo e ricostruite l'ordine corretto delle parti. Poi abbinate le parole in grassetto alle rispettive definizioni nel vocabolario.

☐ In un primo momento sembrò che si trattasse di uno dei soliti casi isolati di disonestà, di sfruttamento privato di una carica pubblica. Come disse, minimizzando il fatto, Bettino Craxi, allora segretario del Partito socialista, un "**mariuolo**".

☐ I magistrati scoprirono infatti che esisteva un vero e proprio sistema organizzato della corruzione: per ogni tipo di appalto o incarico che veniva attribuito da parte dello Stato a livello locale o centrale le imprese dovevano pagare una **tangente,** cioè una percentuale variabile, a favore dei partiti politici. Finirono in prigione o furono indagati i più importanti uomini politici, ministri, imprenditori, alti dirigenti dello Stato.

☐ Le indagini condotte dai magistrati milanesi dimostrarono invece che si trattava di una pratica di corruzione assolutamente normale nella gestione della **cosa pubblica** non solo a Milano ma anche nel resto d'Italia. Quel piccolo avvenimento provocò una serie impressionante di arresti, inchieste, interrogatori che finirono per cambiare profondamente il panorama politico italiano e che andarono sotto il nome di "tangentopoli" o "mani pulite".

[1] Tutto iniziò il 17 febbraio del 1992. Un uomo politico socialista, Mario Chiesa, amministratore di un **ospizio** per bisognosi, il Pio Albergo Trivulzio, noto a Milano come la Baggina, venne arrestato dalla polizia mentre riceveva una **mazzetta** di danaro di sette milioni da un imprenditore.

☐ Nei mesi successivi si assistette ad uno spettacolo veramente unico nell'intera storia d'Italia, una sequenza di arresti che pareva non dover finire mai. Alla fine i magistrati di Milano emisero 24.500 **avvisi di garanzia,** eseguirono 4.525 arresti, mentre l'indagine coinvolse 1.069 uomini politici. Dopo un tale terremoto l'Italia non fu più la stessa: era nata la II repubblica.

Vocabolario: 1. .... delinquente, malfattore; 2. ....: istituto che ospita poveri orfani o anziani; 3. ....: dal latino *res publica,* indica l'amministrazione e gli affari dello Stato; 4. ....: lo manda il magistrato alla persona sotto indagine; 5. .... oppure ....: danaro pagato illegalmente per ottenere favori.

2 Mettiamo a fuoco

A coppie: con l'aiuto dei tre testi precedenti completate la tabella.

Grammatica attiva

Il passato remoto - Forme regolari

	provocare	potere	finire
(io)	....	potei/etti	finii
(tu)	provocasti	....	finisti
(lui/lei/Lei)	....	.... /ette	....
(noi)	provocammo	potemmo	....
(voi)	provocaste	....	finiste
(loro)	....	poterono/ettero	....

Il passato remoto - Forme irregolari

Ricostruite il paradigma dei verbi con l'aiuto delle forme date:

dissi – conoscemmo – facesti – sapeste – seppero – avemmo – dicesti – conoscesti – diedero – feci – fosti – seppi conosceste – faceste – dissero – seppe – ebbe – diede – conobbi – ebbero – fui – dicemmo – conobbe – fummo facemmo – avesti – deste – fu – aveste – demmo – foste – furono – desti – diceste – fecero – disse – diedi – fece sapemmo – sapesti – conobbero – ebbi

	essere	avere	fare	dire	dare	sapere	conoscere
(io)	....	....	....	....	....	....	....
(tu)	....	....	....	....	....	....	....
(lui/Lei)	....	....	....	....	....	....	....
(noi)	....	....	....	....	....	....	....
(voi)	....	....	....	....	....	....	....
(loro)	....	....	....	....	....	....	....

Esercizio 1: *Completate il testo con il passato remoto dei verbi tra parentesi.*

L'Italia come appariva suddivisa nel 1815.

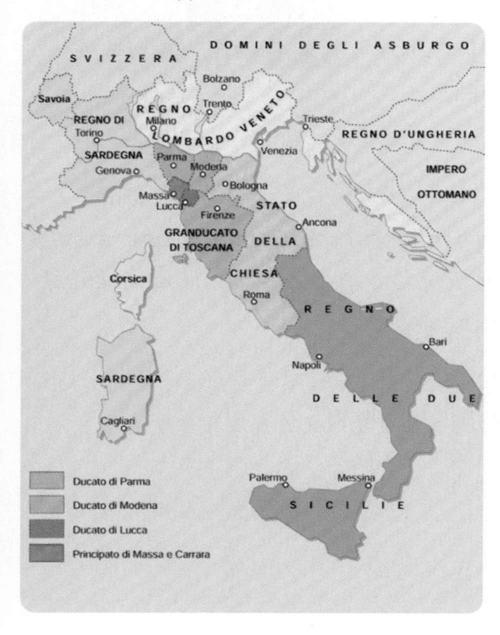

Il Risorgimento Con il termine Risorgimento si indica il periodo storico compreso tra il 1820 e il 1870 circa in cui (svilupparsi) .... il movimento d'indipendenza e (realizzarsi) .... l'unificazione dell'Italia. Le prime organizzazioni risorgimentali (essere) .... società segrete, la più famosa delle quali (essere) .... la Carboneria che (organizzare) .... e (guidare) ...., peraltro senza successo, i moti di rivolta del 1820/21 e del 1831. Giuseppe Mazzini (capire) .... per primo che erano necessarie altre forme organizzative più ampie, capaci di mobilitare il popolo. Così (fondare) .... la Giovine Italia, che (essere) .... di fatto il primo partito democratico della storia italiana.

La prima vera e propria Guerra d'Indipendenza (scoppiare) .... nel 1848 e (segnare) .... la comparsa di un nuovo protagonista, il Regno di Sardegna, e cioè uno degli Stati italiani del tempo, la cui capitale era Torino. La Seconda Guerra d'Indipendenza (iniziare) .... il 26 aprile 1859 e (finire) .... nel luglio dello stesso anno.

3 **Ora tocca a voi!**

Come è nato il Regno d'Italia? Il testo che avete appena letto non è completo. A casa: fate una ricerca e preparate una sintesi sulla storia del Risorgimento fino alla nascita del Regno d'Italia. Poi presentatela alla classe.

4 **Lessico storico**

Parlando di storia si fa in genere riferimento ai secoli, misurando a partire dalla nascita di Cristo (d.C.). I secoli precedenti alla nascita di Cristo si calcolano allo stesso modo ma a ritroso (a.C.). Completate la tabella.

Nome a partire dalla data di inizio		Nome a partire dal numero ordinale (in cifre romane)	
1000	Il Mille	XI	L'undicesimo secolo
1100	Il Millecento	XII	Il dodicesimo secolo
1200	Il Milleduecento/Il Duecento	XIII	Il tredicesimo secolo
1300	....	XIV	Il quattordicesimo secolo
1400	Il Millequattrocento/Il Quattrocento	XV	....
1500	Il Millecinquecento/Il Cinquecento	XVI	....
1600	Il Milleseicento/Il Seicento	XVII	....
1700	....	XVIII	Il diciottesimo secolo
1800	Il Milleottocento	XIX	....
1900	....	XX	....
2000	Il Duemila	XXI	Il ventunesimo secolo

Esercizio 2: *Cercate tutte le forme del passato remoto. Le lettere restanti danno il nome di questo palazzo.*

F	E	C	I	G	U	B	B	B	E	V	V	E	R	O
I	O	C	A	D	D	E	R	O	L	E	S	S	I	I
M	I	S	E	R	O	L	P	A	L	F	E	R	M	Ò
A	C	C	E	N	D	E	M	M	O	A	Z	Z	O	D
E	I	S	C	R	I	S	S	E	R	O	C	O	N	S
D	I	S	S	I	O	L	V	I	N	S	E	R	O	I

_ _ _ _ _ _ _ ' _

La maggior parte dei verbi irregolari al passato remoto prende forme irregolari solo in tre persone, ma ci sono alcuni verbi irregolari anche nelle altre persone. Un modo per ricordare meglio le forme irregolari al passato remoto è raggrupparle per tipi che presentano analogie. Completate:

Gruppo con due consonanti: volli, ...	Gruppo -rsi: persi, ...
Gruppo con due ss: scrissi, ...	Gruppo -nsi: raggiunsi, ...
Gruppo con una sola s: presi, ...	Gruppo -cqu: nacqui, ...

Esercizio 3: Giuseppe Garibaldi, l'eroe dei due mondi

Silvia ha notato che in Italia molte strade e piazze sono intitolate a Garibaldi e ora sta leggendo la biografia del grande generale ligure. Anche nelle biografie si usa molto il passato remoto: coniugate i verbi dati.

Garibaldi (nascere) .... a Nizza (città sotto il governo dei Savoia fino al 1860) il 4 luglio 1807. I genitori erano entrambi originari della Liguria, che al tempo faceva parte del Regno di Sardegna. A scuola (essere) .... molto interessato alla storia romana. Nel 1821 (iniziare) .... l'apprendistato come marinaio. Tra le tante avventure che (vivere) .... nei suoi viaggi una (avere) .... particolare importanza per il suo futuro e (essere) .... l'incontro con Emile Barrault, un professore francese seguace di Henri de Saint Simon e delle sue idee di libertà. Nel 1832, appena venticinquenne, (diventare) .... capitano e (venire) .... a contatto con le idee repubblicane di Giuseppe Mazzini.
Due anni dopo (iscriversi) .... alla Giovine Italia, l'organizzazione rivoluzionaria segreta fondata da Mazzini che combatteva per l'unificazione dell'Italia. (Prendere) .... parte quindi ad una rivolta popolare in Piemonte nello stesso anno e (decidere) .... di sfuggire alla polizia trasferendosi in Sud America. Anche in Brasile (condividere) .... le lotte dei repubblicani contro il governo.
In Uruguay (conoscere) .... e nel 1842 (sposare) .... Ana Maria Ribeiro da Silva, detta Anita. Nel 1848 (fare) .... ritorno in Italia e (svolgere) .... un ruolo militarmente importante nella Prima Guerra d'Indipendenza divenendo famoso. Sconfitto, (fuggire) .... nuovamente all'estero. Cinque anni dopo (combattere) .... in Italia nella Seconda guerra d'Indipendenza contro gli austriaci. Ma l'impresa che doveva renderlo immortale, o per usare il nome che tutti gli (dare) .... , eroe dei due mondi, (essere) .... la spedizione di un gruppo di mille uomini da lui organizzata per la conquista del Sud dell'Italia nel 1860.
Contrariamente a tutte le aspettative, la sua impresa (avere) .... successo e la spedizione (chiudersi) .... a Teano, vicino a Napoli, luogo in cui simbolicamente (mettere) .... il Regno delle Due Sicilie, appena conquistato, nelle mani di Vittorio Emanuele. Negli anni successivi (rimanere) .... attivo soprattutto nella ricerca di una via per unificare all'Italia Roma e il Lazio ancora sotto il dominio del papato e la protezione della Francia. Dopo che Roma (venire) .... annessa all'Italia a seguito della guerra franco-prussiana del 1870/71, (ritirarsi) .... a Caprera dove (morire) .... il 2 giugno 1882.

Esercizio 4: *Coniugate i verbi al passato remoto o all'imperfetto.*

Una gallina calabrese (decidere) .... di diventare mafiosa. (Andare) .... da un ministro mafioso per avere una raccomandazione ma questo le (dire) .... che la mafia non (esistere) .... (Andare) .... da un giudice mafioso ma anche questo le (dire) .... che la mafia non (esistere) ....
(Andare) .... infine da un sindaco mafioso e anche questo le disse che la mafia non (esistere) .... La gallina (ritornare) .... a casa e alle amiche che le (fare) .... delle domande (rispondere) .... che la mafia non (esistere) .... Tutte le galline (pensare) .... così che era diventata mafiosa.

[Adattato da *Le galline pensierose* di Luigi Malerba © Einaudi 1980]

E

1 C'era una volta...

Leggete i brani seguenti tratti da fiabe famose e abbinateli al titolo della fiaba.

Pinocchio | Cenerentola | Biancaneve | Cappuccetto Rosso | Il gatto con gli stivali

....

Dopo che la balena lo **ebbe inghiottito**, si trovò dentro la sua enorme pancia, buia ed umida, ma laggiù in fondo vide una piccola luce e gli sembrò anche di sentire...

....

Quando il lupo **ebbe inghiottito** la nonna ben bene pensò che in fondo aveva ancora fame e allora gli venne un'idea...

....

Non appena il principe l'**ebbe vista** ed **ebbe iniziato** a danzare con lei non la lasciò più per tutto il ballo finchè all'orologio del campanile batterono dodici rintocchi...

....

Dopo che lo specchio **ebbe terminato** di parlare e la terribile sentenza **fu emessa,** la terribile matrigna **fu presa** da una terribile furia e fece chiamare...

....

Non appena l'orco **ebbe ripreso** le sue sembianze normali, al gatto venne un'idea geniale e gli disse: "Sapresti anche trasformarti in un animale piccolissimo come un topolino?"...

2 Mettiamo a fuoco

Nelle descrizioni compare un nuovo tempo verbale simile al passato remoto, si chiama: trapassato remoto. Cercate di individuarne le forme completando la tabella.

Grammatica attiva

Il trapassato remoto

	iniziare	vedere	inghiottire	prendere
(io)	ebbi iniziato	....	....	fui preso/a
(tu)	....	avesti visto	....	fosti....................
(lui/lei/Lei)	....	....	ebbe inghiottito	....
(noi)	....	avemmo....................	....	fummo presi/e
(voi)	....	....	aveste....................	foste....................
(loro)	ebbero....................	....	....	furono....................

Il trapassato remoto è un tempo composto che richiede l'uso del passato remoto di essere o avere più il participio del verbo, funzionando quindi come il passato e il trapassato prossimo. Esso si usa solo in frasi secondarie dipendenti da una frase principale al passato remoto. La frase al trapassato remoto esprime un'azione anteriore a quella espressa con il passato remoto.

Esercizio 1: *Formate delle frasi con il trapassato remoto utilizzando gli elementi dati.*

1. (Loro) • dopo che • finire di fare i compiti • accendere la televisione • subito
   ....
2. Non appena • Mara • entrare in casa • togliersi il cappotto
   ....
3. Una volta che • (io) • iniziare a leggere il libro • non riuscire più a distaccarmene
   ....
4. Quando • i ragazzi • raggiungere • l'isola • scendere dalla barca
   ....
5. Lasciare • (io) • la carica di sindaco • dopo che • raggiungere • il settantesimo anno d'età
   ....
6. Cominciare • (voi) • a fare confusione • non appena • l'insegnante • finire di parlare
   ....

Esercizio 2: *A coppie: uno di voi nomina un verbo all'infinito, l'altro un pronome personale soggetto, poi il primo coniuga il verbo nella persona indicata al trapassato remoto e il secondo formula una frase con la forma coniugata.*

F

1 1.12 La storia d'Italia attraverso una sua città

Ascoltate più volte questa ricostruzione della storia della città di Perugia e indicate se le affermazioni sono vere o false. Potete verificare le risposte leggendo il testo a pagina 173.

	Vero	Falso
1. La città di Perugia sorse nell'antichità in una valle bagnata dal fiume Tevere, come centro di scambi commerciali.	☐	☐
2. I barbari invasero la città ma non la distrussero come avevano fatto a suo tempo i romani.	☐	☐
3. Il comune di Perugia conobbe il suo massimo periodo di fioritura tra il X e il XIV secolo.	☐	☐
4. Dal 1861 Perugia è entrata a far parte prima del Regno d'Italia, poi della Repubblica italiana.	☐	☐

2 Ora tocca a voi!

La storia, non solo quella dell'Italia, è anche storia delle città. A piccoli gruppi: provate a raccontare la storia della vostra città o della città in cui vi trovate o ancora della città italiana che più vi interessa.

3 Mettiamo a fuoco

Leggete ancora le frasi tratte dai testi sulla storia visti fin qui e cercate di rispondere alle domande nella tabella. Fate le vostre ipotesi e parlatene con l'insegnante.

La grande guerra: Era questa la situazione interna italiana quando nel luglio del 1914 **arrivò** la notizia dell'attentato di Sarajevo e dell'ultimatum austriaco alla Serbia.
Perugia: Proprio la particolare conformazione della collina su cui **si è sviluppata** nel corso dei secoli **ha prodotto** una grande varietà di soluzioni urbanistiche, contribuendo a dare alla città un aspetto unico.

Grammatica attiva

Passato prossimo e passato remoto
Quando si trova un passato prossimo anche in un testo con il passato remoto, che cosa significa?
Passato remoto e imperfetto
Normalmente nei testi scritti con il passato remoto si trovano anche le forme dell'imperfetto, queste mantengono la funzione che hanno anche in contrasto con il passato prossimo, ricordate quali sono le regole d'uso principali?

Esercizio 1: *Coniugate i verbi nella fiaba scegliendo il tempo corretto fra il passato remoto e l'imperfetto. Poi completate il racconto.*
Cenerentola
(esserci) .... una volta una ragazza molto bella e buona che (vivere) .... da sola con il padre in una grande casa poco fuori città. Sua madre (morire) .... quando lei (avere) .... tredici anni e dopo qualche anno il padre (sposare) .... un'altra donna. La matrigna di Cenerentola (essere) .... una donna falsa e cattiva ed inoltre (avere) .... due figlie stupide e brutte. La vita di Cenerentola (divenire) .... un vero inferno. (Dovere) .... servire le tre donne come una schiava e sopportare le loro cattiverie. Il suo amato padre, ammaliato dalla nuova moglie, non (accorgersi) .... di nulla. Un bel giorno il re (decidere) .... di dare un grande ballo a cui (invitare) .... tutte le ragazze del reame perché (volere) .... che suo figlio scegliesse la sua sposa e futura regina. La matrigna (proibire) .... a Cenerentola di andare al ballo e (fare) .... fare alle figlie abiti nuovi e costosi perché (sognare) .... di vedere una di loro al fianco del principe. La sera del ballo Cenerentola (essere) .... triste, ma all'improvviso...

Esercizio 2: *A coppie: uno legge molto lentamente mentre l'altro ascolta scrivendo solo i nomi propri e disegnando i fatti principali. Poi dovrà raccontare la storia sulla base del suo schizzo.*

Romolo e Remo
Secondo un'antica e famosa leggenda accadde un bel giorno che il dio Marte e Rea Silvia si conobbero e si innamorarono follemente l'una dell'altro. Dal loro amore nacquero due gemelli, che però vennero rapiti ancora in fasce dal cattivo Amulio, mentre Rea Silvia divenne sua prigioniera. Egli fece mettere i due neonati in una cesta e ordinò che venisse abbandonata alla corrente del fiume Tevere. Il fiume era in piena e trascinò la cesta lontano finché essa non si andò a fermare in un cespuglio sotto il colle Palatino. Una lupa trovò lì i due gemelli e li portò con sé dando loro il suo latte. Un pastore, poi, notando la lupa che allattava i due bambini, li prese con sé e li crebbe. Quando furono grandi disse loro la verità ed essi uccisero Amulio liberando la madre. Romolo, poi, dopo aver ucciso il fratello, decise di fondare, nel punto in cui i due erano stati trovati, una città: Roma.

Percorsi

A. *Certamente conoscete personaggi che sono entrati nella storia del vostro paese o famosi in tutto il mondo. Pensate ora ad uno di questi personaggi e fate una breve lista di quello che sapete su di lui/lei.*

B. *Grazie alla macchina del tempo avete incontrato lo scorso fine settimana il vostro personaggio famoso nella vostra città. Scrivete quello che avete fatto insieme e riferite alla classe.*

C. *Bevendo un caffè "Italia" magico vi siete trasformati nel vostro personaggio storico preferito. Muovetevi liberamente nella classe e conoscete gli altri personaggi famosi.*

D. *A casa, scrivete una breve biografia del vostro personaggio storico preferito.*

Italia ON LINE

Lingua e cultura italiana

Certamente uno dei personaggi storici dell'Umbria più famosi nel mondo è San Francesco d'Assisi, una figura ancora attuale oggi. Ai seguenti indirizzi Internet potete trovare interessanti informazioni su questa figura storica esemplare.

http://web.tiscali.it/cuorearianna/san_francesco.htm
http://www.san-francesco.org/

Intervallo 1

A. 1.13 **Accenti regionali.** *Ascoltate più volte l'intervista. La prima volta annotate qual è l'argomento principale di cui tratta. Poi rispondete alle domande. Infine ascoltate ancora e cercate di individuare la provenienza della persona che parla. Quali caratteristiche della sua pronuncia riconoscete?*

Argomento:

....

1. Qual è il gioco preferito di chi parla? Che posto occupa all'interno de *La Settimana Enigmistica*?
2. Di cosa si serve la signora per risolvere le definizioni difficili?
3. Come vengono definite le vignette presenti all'interno della rivista? Sai trovare un sinonimo di questo aggettivo?
4. Quali altri giochi vengono citati?
5. Quante volte ha partecipato ai concorsi indetti da *La Settimana Enigmistica* e cosa ha vinto?
6. Da quanto tempo la signora è appassionata di enigmistica?
7. Che cosa inventava insieme al fratello?
8. Quanti anni ha la sorella della signora? Che cosa vuol dire l'espressione: "è viva e vegeta"?

B. **Il piacere della lettura.** *Leggete questo brano di un romanzo italiano contemporaneo da cui è stato tratto un film di successo. Certamente vi troverete molte parole sconosciute, ma non fermatevi, leggete più volte cercando di intuire sempre più l'atmosfera e la storia che racconta. Secondo voi, come continua la storia? Confrontate le vostre impressioni con i compagni.*

Non hai rispettato lo stop. Sei passata in volata con la tua giacca di finto lupo, gli auricolari del walkman pressati nelle orecchie. Aveva appena piovuto e presto sarebbe tornato a piovere. Oltre le ultime fronde dei platani, oltre le antenne, gli storni affollavano la luce cinerea, folate di piume e garriti, chiazze nere che oscillavano, si sfioravano senza ferirsi, poi si aprivano, si sperdevano, prima di tornare a serrarsi in un altro volo. In basso, i passanti avevano il giornale o anche solo le mani sulla testa per proteggersi dalla grandine di sterco che pioveva dal cielo e s'accumulava sull'asfalto insieme alle foglie bagnate cadute dagli alberi, spargendo in giro un odore dolciastro e opprimente che tutti avevano fretta di lasciarsi alle spalle.
Sei arrivata dal fondo del viale, in volata verso l'incrocio. Ce l'aveva quasi fatta a schivarti. Ma c'era fango per terra, guano oleoso di storni in raduno. Le ruote della macchina hanno slittato dentro quella crosta sdrucciolevole, poco, ma quel poco è bastato a sfiorare il tuo scooter. Sei andata su verso gli uccelli e sei tornata giù dentro la loro merda, e insieme a te è tornato il tuo zaino con gli adesivi. Due dei tuoi quaderni sono finiti al limite del marciapiede in una pozzanghera d'acqua nera. Il casco è rimbalzato sulla strada come una testa vuota, non l'avevi agganciato. I passi di qualcuno ti hanno subito raggiunta. Avevi gli occhi aperti, la bocca sporca, senza più incisivi. L'asfalto ti era entrato nella pelle, punteggiandoti le guance come la barba di un uomo. La musica si era interrotta, gli auricolari del walkman erano scivolati dentro i tuoi capelli. L'uomo della macchina ha lasciato lo sportello spalancato ed è venuto verso di te, ha guardato la tua fronte aperta e si è portato le mani in tasca per cercare il cellulare, lo ha trovato, ma gli è caduto dalle mani. Un ragazzo lo ha raccolto, è stato lui a chiamare i primi soccorsi. Intanto il traffico s'era fermato. C'era quella macchina di traverso sulle rotaie e il tram non poteva passare. L'autista è sceso, sono scesi in molti, e hanno camminato verso di te. Gente che non avevi mai visto ti ha sfiorato con lo sguardo. Un piccolo gemito ti è uscito dalle labbra insieme a un bozzolo di schiuma rosata, mentre te ne andavi dalla vita vigile. C'era traffico, l'ambulanza ha tardato. Tu non avevi più fretta. Eri ferma dentro la tua giacca di pelo come un uccello senza vento.

[Da: Margaret Mazzantini, *Non ti muovere* © Mondadori 2001, pp. 7-8]

Leggete le istruzioni a pagina 171.

Lo san tutti!

Ci sono cose che tutti (o quasi) gli italiani sanno. Sono legate all'esperienza del periodo scolastico, alla conoscenza di slogan pubblicitari o ad abitudini e tradizioni vissute in prima persona. Per risolvere il cruciverba e rispondere alle domande dovrete fare qualche ricerca su Internet, oppure consultare un amico o un'amica italiana. In alcuni casi, vi aiuteranno le immagini qui accanto.

Cruciverba

Verticali

1. Si regala alle donne l'8 marzo.
2. Li regala il 14 febbraio l'innamorato.
3. Il colore delle storie poliziesche.
4. Lo fa chi non va a scuola senza dirlo ai genitori: .... *la scuola.*
7. Il verbo che completa lo slogan di molti supermercati: .... *2 e prendi 3.*

Orizzontali

2. Utile compendio per studenti poco volenterosi.
5. Un regalino che fanno gli sposi agli invitati al loro matrimonio.
6. Una polvere benefica da usare dopo un bel bagno caldo.
8. Un frate che accompagna la vita di tutti giorni con i suoi consigli.

Domande

1. Quando è nata la famosa collana di storie poliziesche che ha dato il colore al numero **3**?
2. Perché gli insegnanti italiani non apprezzano il compendio del numero **2** orizzontale? Da dove deriva il suo nome?
3. Che cosa si festeggia l'8 marzo? Qual è l'origine storica di questa festa?
4. Come si chiama veramente il frate del numero **8**? Che cos'altro sapete a questo proposito?
5. Quali altri modi di dire ci sono in Italia per indicare l'azione del numero **4**?

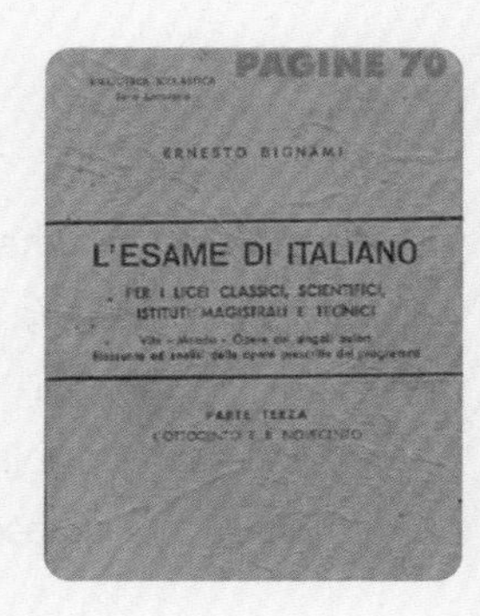

La musica è vita!

Claudio Abbado, direttore d'orchestra

A

1 Parole e musica

In piccoli gruppi: scrivete in cinque minuti tutte le parole che conoscete relative alla musica. Vince la squadra che trova più parole nel tempo stabilito.

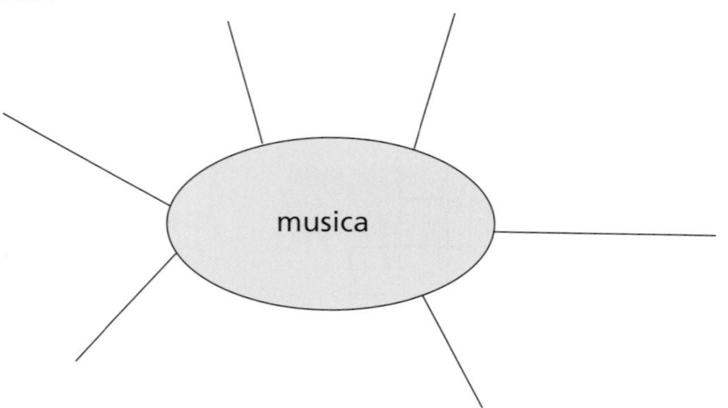

2 Noi e la musica

A coppie: pensate almeno tre domande, oltre a quelle proposte qui sotto, da fare agli altri studenti. Girando per la classe, raccogliete le risposte del maggior numero di persone possibile.

- Ti/Le piace ascoltare la musica?
- Che tipo di musica ascolti/a?
- Con chi l'ascolti/a?
- Che cosa sai/sa della musica italiana?

B

Unità 3

1 Che cos'è il Festival di Sanremo?

A coppie: leggete e mettete in ordine i paragrafi. Poi rispondete alla domanda: c'è qualcosa di nuovo che avete appreso leggendo il testo oppure avevate già queste informazioni?

☐ Mike Bongiorno e Pippo Baudo sono i presentatori che hanno condotto il Festival per ben undici volte. Negli ultimi anni viene utilizzata la formula del presentatore maschio accompagnato da due co-presentatrici, una bionda e una mora.

☐ In oltre 50 anni di storia, per il palco del Festival sono passati i nomi celebri della canzone italiana. Si tratta di una competizione in cui diversi interpreti propongono delle canzoni originali, composte da autori italiani, che vengono votate da una giuria o dal pubblico a seconda delle edizioni. Ormai è diventato uno dei principali eventi mediatici della televisione italiana e non manca di sollevare dibattiti e polemiche ad ogni sua edizione.

☐ Il Festival di Sanremo è la manifestazione canora più importante nel panorama musicale italiano. Nato nel 1951, da più di mezzo secolo si tiene ogni anno a Sanremo, in un periodo che va dalla fine di febbraio all'inizio di marzo. La sede è il Teatro Ariston, in origine era il Casinò di Sanremo.

☐ È inoltre il trampolino di lancio più prestigioso a disposizione dei nuovi autori ed interpreti per farsi conoscere da un pubblico più vasto, così da Sanremo passano giovani autori che poi magari non ci andranno più e faranno una strada diversa dalla canzone di consumo. Tuttora viene trasmesso annualmente in diretta ed in eurovisione da Raiuno.

2 1.14 Opinioni diverse

Ascoltate le interviste e inserite nella tabella chi è a favore e chi è contro Sanremo.

A favore	Contro
....	....
....	....
....	....
....	....

3 1.14 Prendiamo appunti e discutiamo

Ascoltate nuovamente e prendete appunti sulle dichiarazioni rilasciate nelle interviste. Poi formate 2 o 3 gruppi, scegliete una delle opinioni su Sanremo e difendete la vostra posizione in un dibattito.

4 Ricordate?

Nell'unità 8 di Caffè Italia 2 avete già iniziato a studiare il congiuntivo. A coppie: fate l'elenco dei verbi e delle espressioni che richiedono l'uso del congiuntivo e confrontatevi con tutta la classe.

5 Mettiamo a fuoco!

Ascoltate di nuovo l'intervista in B2 e completate le frasi.

Francesco: .... che Sanremo .... vario, come la vita.
Alessandra: .... che nessuno mai .... emergere dall'accademia della canzone.
Daniela: .... che anche nelle canzoni più banali .... qualcosa di vero e di eterno.
Riccardo: .... la .... di far vincere sempre l'artista e non la canzone.
Tiziano: .... che la gente .... così tanto tempo.
Patrizia: .... che si .... sempre che non se ne può più.
Diego: Forse è meglio che uno .... Sanremo piuttosto che un film di guerra.

Grammatica attiva

Congiuntivo presente – Ripresa

Osservate queste due frasi. Secondo voi, che differenza c'è fra la prima e la seconda? Completate la definizione.

A Patrizia Sanremo piace sempre.
Credo che a Patrizia Sanremo piaccia sempre.

*L'***indicativo** *è il modo verbale che serve per esprimere* .... *mentre il* **congiuntivo** *si usa per esprimere* ....

Il **congiuntivo** *si usa nelle proposizioni subordinate, quando nella principale ci sono verbi che esprimono:*
....

Ho paura che per i cantanti non raccomandati andare a Sanremo sia inutile.
Patrizia ha l'impressione che tutti critichino Sanremo.
Dubito che si riesca a sentire canzoni impegnate.
Mi auguro che almeno una volta le canzoni non siano banali.

Esercizio 1: *Completate con la forma corretta dei verbi fra parentesi.*

1. Penso che (essere) .... da evitare come la peste, io ascolto altra musica.
2. Mi auguro che quest'anno ci (fare) .... sentire canzoni di un certo spessore e non solo "orecchiabili".
3. Sono molto contenta che, dopo quattro giorni, il festival oggi finalmente (finire) ....
4. Ogni anno mi domando se (avere) .... senso trasmettere 32 canzoni in più di una serata.
5. Dicono che (essere) .... da abolire ma a me piace tantissimo e io non me ne perdo uno.
6. Credo che (essere) .... una manifestazione molto importante nel panorama della musica italiana.

6 Ora tocca a voi!

Sentimento, opinione, volontà o dubbio? In piccoli gruppi: decidete per ogni verbo della lista qual è il significato che esprime e preparate una frase che lo contenga. In classe, a libro chiuso: l'insegnante nomina una lettera dell'alfabeto, il gruppo che per primo dice un verbo che inizii con questa lettera ha diritto a leggere la sua frase. Se è giusta vince due punti, altrimenti solo 1 punto.

pensare • avere paura • temere • dispiacere • piacere • sperare • essere contento • essere sorpreso • vergognarsi ritenere • raccomandare • volere • supporre • avere l'impressione • non essere certo • desiderare • chiedere lasciare • aspettarsi • permettere • preferire • pregare • proibire • credere

C

1 Arezzo Wave

Che cosa si nasconde dietro questo titolo? A coppie: fate delle ipotesi per rispondere alla domanda poi abbinate le espressioni alle loro definizioni. Sapendo che queste espressioni sono tratte dal testo che segue, fate delle ipotesi sul contenuto del testo e prendete qualche appunto.

1. ☐ macchina da soldi
2. ☐ pubblico d'oltralpe
3. ☐ ente no profit
4. ☐ modello multiculturale
5. ☐ solido network
6. ☐ di grande portata

a. reti radiotelevisive che operano in collaborazione fra di loro
b. che si riferisce a diverse culture
c. sistema o strategia per ottenere grandi guadagni
d organizzazione che non ha come fine primario il guadagno
e. di grande importanza, valore
f. al di là delle Alpi

2 La cultura della musica

Leggete il testo e confrontate i vostri appunti dell'attività C1 con le informazioni che avete ora. Ci sono molte differenze? Quali idee o informazioni nuove avete trovato nel testo?

www.arezzowave.it

Nel panorama delle manifestazioni musicali *Arezzo Wave* è una di quelle che fanno ormai parte della storia stessa della musica italiana. Tutto inizia nel marzo del 1987 con *Arezzo Wave Love Festival,* grande evento musicale estivo nel campo delle musiche attuali.

Affinché possiate farvi un'idea completa della diffusione della manifestazione basta che navighiate nelle pagine del sito per scoprire che negli ultimi anni ha avuto riconoscimenti internazionali, infatti molti artisti italiani sono stati resi noti al pubblico d'oltralpe proprio grazie a questa prestigiosa manifestazione.

Arezzo Wave 2006: i F.L.A.G.

Nell'aprile del 2002 nasce la *Fondazione Arezzo Wave Italia* (FAWI), ente no profit che persegue l'obiettivo di valorizzare, preservare e accrescere le potenzialità della cultura giovanile e di esportare all'estero la musica italiana.

La Fondazione promuove l'educazione del pubblico e la diffusione delle culture musicali attuali con le sue forme di espressività, superando limiti geografici, ideologici, religiosi e discriminatori, diffondendo un modello educativo multiculturale e multietnico. Si occupa inoltre di cercare e valorizzare i nuovi talenti delle scene musicali, grazie alla creazione di un ampio e solido network di punti di riferimento e "antenne" in tutto il paese. FAWI, osservatorio autorevole delle nuove tendenze musicali e del costume italiano, sofferma il proprio interesse anche sulla letteratura, il teatro, il cabaret, la fotografia, il cinema e lo sport di strada.

Nonostante il progetto della FAWI sia di così grande portata, gli organizzatori riescono ancora oggi a gestire il Festival senza che questo diventi un'ennesima macchina da soldi. Ciò è possibile a patto che la manifestazione rimanga gratuita.

3 Mettiamo a fuoco

Ritrovate le frasi nel testo di C2 e completatele con la congiunzione.

Grammatica attiva

Congiuntivo in dipendenza da congiunzioni

L'uso del congiuntivo può dipendere anche dalla presenza di determinate congiunzioni. Ecco alcuni esempi. Completate.

.... possiate farvi un'idea completa della diffusione della manifestazione basta che navighiate nelle pagine del sito.

.... il progetto della FAWI sia di così grande portata, gli organizzatori riescono ancora oggi a gestire il festival .... questo diventi un'ennesima macchina da soldi.

Ciò è possibile .... la manifestazione rimanga gratuita.

Esercizio 1: *Completate con le forme del congiuntivo.*

Stasera voglio fare una torta, sperando che (esserci) .... abbastanza uova in casa.

Sembra che il tempo (stare) .... per migliorare e sarebbe ideale visto che Marina e sua sorella arrivano questo pomeriggio. Pare che (trasferirsi) .... a Udine, o meglio Daniela è convinta, ma mi ha detto che Marina non ne è così sicura, può darsi che (cambiare) .... idea.

Bisogna che (sbrigarsi) .... se voglio avere il tempo di cucinare. La ricetta non è delle più semplici, penso che per capire come farla correttamente (convenire) .... leggerla almeno due volte.

Esercizio 2: *Ricostruite le frasi utilizzando un elemento da ogni colonna. Ci sono diverse combinazioni possibili.*

Ti devo dire una cosa	nel caso	sia vero.
Fatemi sapere	a meno che	parli in italiano.
Tesoro, ti racconto tutto questo	prima che	non si faccia tardi.
Vengo con voi	affinché	l'aereo non faccia ritardo.
Arriveremo a Udine alle 16.16	sebbene	mi dimentichi.
Ti giuro, non riesco a capirlo	ammesso che	vogliate passare da Bologna.
Ti credo anche stavolta	purché	tu sia preparata.

4 Attenzione ai prefissi!

Nel testo in C2 ci sono due parole, **multiculturale** *e* **multietnico***, con lo stesso prefisso* **multi-** *che deriva dal latino e vuol dire "molto". In italiano esiste un altro prefisso con lo stesso significato:* **poli-***. Cercate nel vocabolario almeno 5 parole che iniziano con ognuno dei due elementi e completate la tabella.*

multi-	poli-
....	....
....	....
....	....
....	....
....	....

Unità 3

D

1 1.15 Quarantaquattro gatti...

È il titolo di una canzone per bambini del 1968 che ha avuto successo in Italia ed è rimasta nel cuore degli italiani. A coppie: ascoltate, rispondete alla domanda, poi confrontatevi con la classe.

Pensate alla vostra infanzia, c'è una canzoncina per bambini che vi è rimasta nel cuore? Di che cosa parla?

Quarantaquattro gatti,
in fila per sei col resto di due,
si unirono compatti,
in fila per sei col resto di due,
coi baffi allineati,
in fila per sei col resto di due,
le code attorcigliate,
in fila per sei col resto di due.
Sei per sette quarantadue,
più due quarantaquattro!
[di G. Cesarini © *Millen*]

© Fondazione Mariele Ventre, 7° Zecchino d'Oro 1965

2 Il mitico Zecchino d'Oro

A coppie: completate il testo con le parole date. Se occorre, consultate il dizionario.

lustrini | calzamaglia azzurra | bambini | Mago | bacchetta magica | infanzia | mantello blu

Lo *Zecchino d'Oro*, è stato ideato con lo scopo di favorire la creazione di canzoni per .... , cioè stimolare l'impegno dei compositori a realizzare opere destinate al mondo dell' .... Fra i personaggi indimenticabili di questa fortunata manifestazione musicale ricordiamo il pupazzo Topo Gigio (sostituito da Geronimo Stilton durante il 47° *Zecchino d'Oro*) e il presentatore storico, il .... Zurlì, al secolo, Cino Tortorella. Un mago senza .... , vestito da paggio, da giullare, da buffone di corte con una .... , un .... e i .... tra i capelli, che ha fatto sognare e cantare i bambini di mezzo secolo.

3 Ora tocca a voi!

Con le parole che avete inserito nel testo e altre del mondo delle fiabe inventate una storia da raccontare ad un bambino. Oppure create una ninna nanna per farlo addormentare.

E

1 Famiglia di parole

A coppie: considerate le parole derivate dall'aggettivo ***libero****, in ognuna sottolineate la parte che crea la derivazione. Poi accertatevi di capire il loro significato. Se occorre, consultate il dizionario.*

libero → libertà, liberare, liberarsi, libertario, liberticida, libertino, liberale, libertinaggio, liberalizzare, liberazione, libero scambio, liberalismo

2 La libertà

Mettete in ordine le parole per ricostruire le frasi.

1. sopra • un • libertà • è • albero • La • non • stare ....
2. è • di • volo • non • il • un • moscone • neanche ....
3. non • libero • la • è • uno • libertà • spazio ....
4. partecipazione • libertà • è ....

3 Vorrei essere libero

Ricostruite questi versi tratti dalla famosa canzone La libertà *di Giorgio Gaber, cerchiando in ogni coppia di parole in neretto la più adatta. Poi confrontate con il testo originale a pagina 174.*

Vorrei essere libero, libero come un uomo.
Come un uomo appena **andato / nato**.
che ha di fronte solamente **la natura / la paura**
[...]
Come un uomo che ha **bisogno / un sogno**
di spaziare con la propria fantasia
[...]
che ha il diritto di **votare / volare**
e che passa la sua vita a **nominare / delegare**
[...]
Come l'uomo più **astuto / evoluto**
che si innalza con la propria **intelligenza / esigenza**
[...]
con addosso **il sarcasmo / l'entusiasmo**
di spaziare senza limiti nel cosmo

[© *Curci Edizioni musicali*]

4 Dove comincia e dove finisce la libertà?

A coppie: rispondete alla domanda. Per esprimere le vostre opinioni potete usare verbi come **pensare**, **credere**, **ritenere**, **supporre**, **avere l'impressione**, *seguiti dalle forme del congiuntivo. Poi cercate degli esempi che possano rappresentare le seguenti alternative e discutete.*

La libertà è partecipazione, ma anche:

a. rispetto e tutela di chi sceglie di restare sopra l'albero a giocare o a osservare le cose.
b. rispetto di chi ha un'opinione magari non allineata.
c. rispetto e tutela di chi gode di uno spazio libero in cui esprimersi, secondo insindacabili gusti e inclinazioni.

F

1 Due donne infelici

L'opera rappresenta un altro aspetto della musica italiana. Fra le opere più famose ricordiamo **La Traviata** *di Giuseppe Verdi e* **Madame Butterfly** *di Giacomo Puccini. A coppie: uno di voi chiude il libro e scrive su un foglio la prima trama che l'altro gli detta leggendola nella pagina accanto. Poi vi scambiate i ruoli e fate il dettato con la seconda trama. Infine controllate e discutete, anche con l'insegnante, gli eventuali errori fatti in questo dettato reciproco.*

Madame Butterfly

Sbarcato a Nagasaki, Pinkerton, ufficiale della Marina americana, per vanità e spirito d'avventura si unisce in matrimonio con una geisha quindicenne di nome Cio-cio-san, detta Butterfly. Secondo le usanze locali, acquisisce il diritto di ripudiare la moglie anche dopo un mese, infatti subito dopo Pinkerton ritorna in patria abbandonando la giovanissima sposa.
Cio-cio-san, forte di un amore ardente e tenace, pur struggendosi nella lunga attesa accanto al bimbo nato da quelle nozze, continua a ripetere a tutti la sua incrollabile fiducia nel ritorno dell'amato.
Dopo tre anni Pinkerton ritorna, accompagnato da una giovane donna, da lui sposata regolarmente negli Stati Uniti. Ritorna a prendersi il bambino, della cui esistenza è stato messo al corrente dal console Sharpless per portarlo con sé in patria ed educarlo secondo gli usi occidentali.
Soltanto di fronte all'evidenza dei fatti Butterfly comprende la sua grande illusione: la felicità sognata accanto all'uomo amato è svanita del tutto. Decide quindi di scomparire dalla scena del mondo, in silenzio, senza clamore e dopo aver abbracciato disperatamente il figlio, si uccide trafiggendosi il cuore con un pugnale.
Quando Pinkerton, sconvolto dal rimorso di averla abbandonata, entrerà nella casa di Butterfly per chiedere il suo perdono, sarà troppo tardi.

La Traviata

A Parigi Violetta Valéry dà un ricevimento e durante la festa conosce Alfredo, che dice di amarla da tempo. Alfredo e Violetta vanno a vivere in campagna. Improvvisamente sopraggiunge il padre di Alfredo, George Germont che chiede a Violetta di rompere la relazione considerata scandalosa per l'onore della sua famiglia. Violetta è angustiata ma acconsente e ritorna nella sua casa parigina mentre Alfredo ritorna nella casa paterna.
Durante una festa, Alfredo rivede Violetta e, pazzo di collera e gelosia, la offende gettandole ai piedi del denaro. Il comportamento di Alfredo è talmente scorretto da suscitare lo sdegno degli amici presenti e persino i rimproveri di suo padre che tuttavia non svela la verità al figlio. Violetta intanto è colpita da un grave malore.
Il male che Violetta accusa da tempo si fa più acuto e ormai, mentre fuori impazza il carnevale, non le rimane che poco tempo da vivere. Violetta ordina alla domestica di fare la carità ai poveri e, rimasta sola, legge una lettera di Germont, che le anticipa l'arrivo suo e di Alfredo. All'improvviso compare Alfredo. Violetta, ora che ha ritrovato l'amore, vorrebbe vivere, eppure sente di essere vicina alla morte, prende un medaglione con la propria immagine e lo consegna ad Alfredo, liberandolo da ogni vincolo. Si rianima per un attimo, sembra non soffrire più, ma poi muore tra lo strazio dei presenti.

2 Ora tocca a voi!

Secondo voi, quali sono i punti in comune nella vita delle due donne? Scambiatevi le vostre opinioni.

1 Chi è Massimo Vecchi?

A coppie: leggete e rispondete alla domanda.

Quando si dice Nomadi si parla di un gruppo che ha attraversato 40 anni di storia della musica italiana. Dopo la scomparsa qualche anno fa di Augusto Daolio, cantante e personalità di spicco del gruppo, la responsabilità di tenere alto il valore dei Nomadi è rimasta tutta sulle spalle di Beppe Carletti, tastierista, compositore ed unico elemento rimasto della formazione originaria. Il gruppo che lo accompagna ora è composto da: Danilo Sacco, voce trainante, Cico Falzone, chitarrista, Daniele Campani, batterista, Sergio Reggioli, violinista e percussionista e Massimo Vecchi, bassista, cantante e compositore di molti dei successi recenti, il più giovane per età e per permanenza nella formazione attuale. Proprio Massimo Vecchi ci ha concesso un'intervista.

2 1.16 L'esperienza di un musicista

Ascoltate l'intervista e scegliete la risposta che vi sembra più giusta. Poi confrontatevi con i compagni e scegliete tra le affermazioni quella che vi ha sorpreso di più.

1. *Con l'espressione* "Se vuoi montare sul treno, il posto è tuo" *Massimo intende*
   - ☐ puoi suonare con noi se vuoi
   - ☐ prendere il treno e andare in vacanza insieme
2. *Essere il bassista dei Nomadi per Massimo significa*
   - ☐ suonare in un gruppo che ha fatto e sta facendo la storia della musica leggera italiana
   - ☐ stare bene dal punto di vista umano e musicale insieme a 5 altre persone per un mese all'anno
3. *Il problema delle case discografiche è che*
   - ☐ non desiderano, o non possono, rischiare e preferiscono riproporre ciò che ha già avuto successo
   - ☐ per creare interesse nel pubblico cercano l'originalità degli artisti
4. *Fra gli artisti più interessanti per Massimo ci sono*
   - ☐ degli artisti con nomi inventati che vengono dall'Istria
   - ☐ Max Gazzè che fa parte della cosiddetta scuola romana e la cantante Elisa
5. *La musica di oggi deriva dalla musica*
   - ☐ rinascimentale, operistica, napoletana e fiorentina
   - ☐ americana degli anni '50
6. *Il progressive rock in Italia lo facevano*
   - ☐ i cantautori alla fine degli anni '70
   - ☐ gruppi come la PFM o il Banco del Mutuo Soccorso
7. *Massimo apprezza i cantautori che*
   - ☐ scrivono canzoni senza volgarità e senza esagerazioni ed enfasi
   - ☐ per dire cose interessanti sentono la necessità di imporsi con le loro canzoni

3 Mettiamo a fuoco

In queste frasi tratte dall'intervista, inserite le espressioni date al posto giusto.

che l'Italia abbia fatto | che ti voglia bene | secondo me

1. Posso fare l'esempio di Tiziano Ferro no? Che è stato, ... , una delle produzioni migliori .... uscire ultimamente.

2. Se si vuole creare interesse nel pubblico, a mio parere, bisogna cercare l'originalità e crearsi un pubblico proprio .... , che ti segua.

È il libro più lungo **che io abbia mai letto.**
Sandra è l'unica collega **che io conosca qui.**
La salute è la cosa più importante **che ci sia.**
La bicicletta è l'ultima cosa **che mi sia rimasta.**

Si usa il congiuntivo anche dopo il pronome relativo preceduto da un superlativo relativo.

H

1 Chi conosce più strumenti?

Scrivete il nome degli strumenti musicali raffigurati nelle immagini.

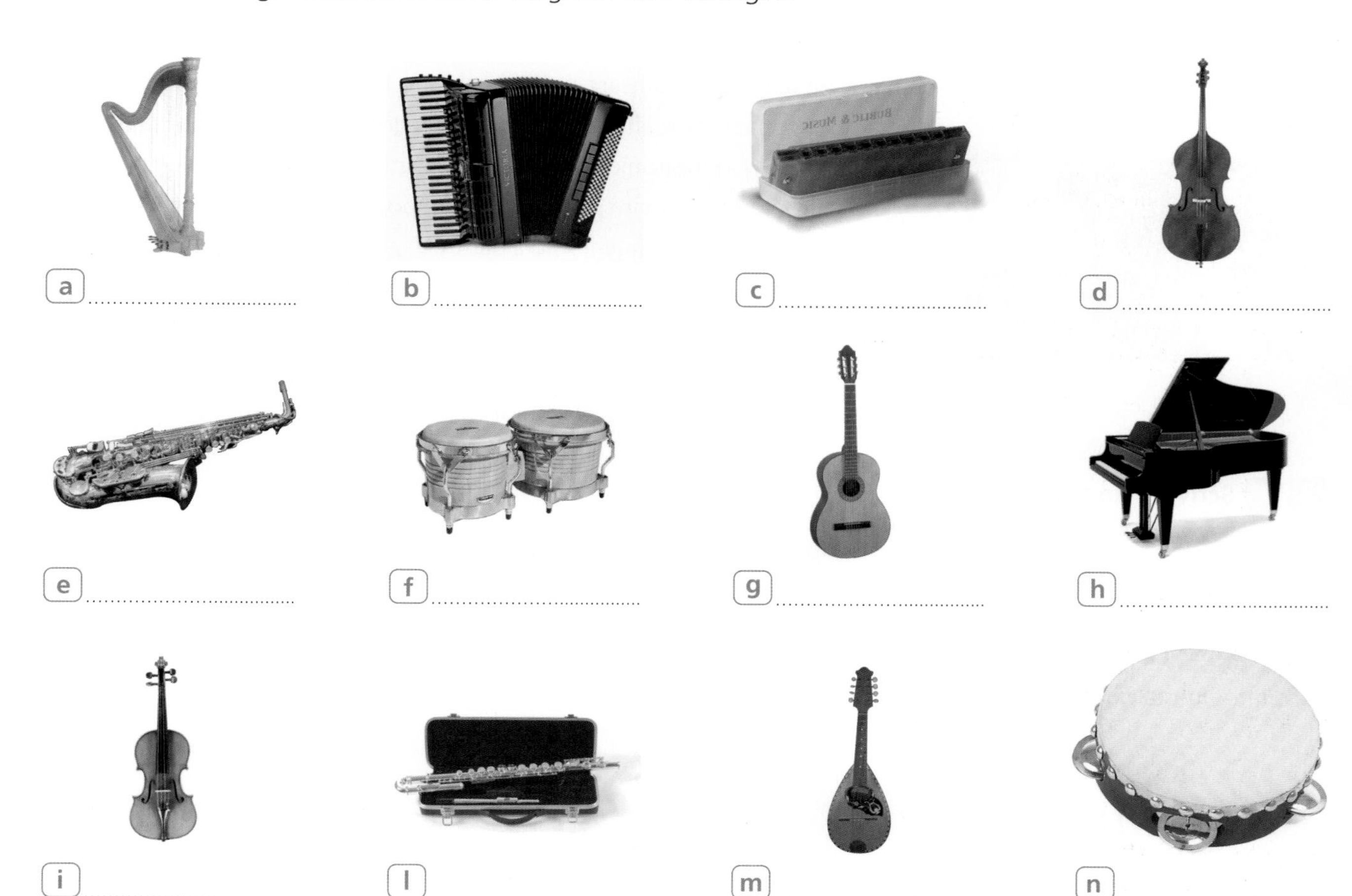

Unità 3

2 Di che strumento si tratta?

Cercate di capirlo leggendo questa descrizione.

L'artista lo padroneggia con il suo corpo, le sue forze gli son tutte sopra, lo appoggia al petto, lo tiene col mento e con le ginocchia, lo circonda con le braccia, lo vigila - quasi a contatto - con l'occhio e con l'orecchio, lo sente con il cuore. *[Luciano Fancelli, musicista e compositore, in: www.amicidellamusicamilano.it]*

3 Parole nascoste

Inserite le vocali mancanti per ricostruire tante parole attinenti alla musica.

La musica si può

_SC_LT_R_	C_MP_RR_	ST_D_ _R_
_M_R_	L_GG_R_	F_R_
_S_G_ _R_	_PPR_ZZ_R_	S_ _N_R_

La musica può essere

GR_G_R_ _AN_	L_GG_R_	B_R_CC_
D_D_C_F_N_C_	M_L_T_R_	M_D_RN_
D_ D_SC_T_C_	CL_SS_C_	ETN_C_
D_ F_LM	PR_F_N_	_L_TTR_N_C_
M_D_ _V_L_	L_R_C_	Z_G_N_
D_ B_LL_	L_T_RG_C_	P_P_L_R_
_P_R_ST_C_	S_CR_	S_NF_N_C_

I

1 Castelfidardo e la fisarmonica

Dopo aver letto il testo sceglete 5 aggettivi per descrivere la fisarmonica.

La storia italiana della fisarmonica inizia nel 1863 a Castelfidardo in provincia di Ancona, grazie allo straordinario ingegno di Paolo Soprani, considerato il padre di questo strumento in Italia. La fisarmonica è uno strumento intenso, compatto, versatile, maneggevole. Purtroppo, in Italia, la fisarmonica entra negli istituti musicali ufficiali solo a partire dagli anni '80 quando celebri compositori e direttori di conservatorio cominciano ad interessarsi a questo strumento, contribuendo alla sua definitiva affermazione anche nel mondo della musica classica. La città di Castelfidardo ospita il Museo della Fisarmonica, dedicato a tutti gli aspetti riguardanti questo meraviglioso strumento.

2 Scrivere un testo descrittivo

A coppie: sceglete 2 strumenti musicali e illustratene le caratteristiche. Scrivete la descrizione senza nominare gli strumenti. Ogni coppia cerca poi di indovinare gli strumenti descritti dalle altre coppie facendo domande.

3 1.17 La poesia è musica

Ascoltate questa poesia e lasciatevi trasportare dal ritmo.

L'infinito

Sempre caro mi fu quest'ermo colle,
e questa siepe, che da tanta parte
dell'ultimo orizzonte il guardo esclude.
Ma sedendo e mirando, interminati
spazi di là da quella, e sovrumani
silenzi, e profondissima quiete
io nel pensier mi fingo; ove per poco
il cor non si spaura. E come il vento
odo stormir tra queste piante, io quello
infinito silenzio a questa voce
vo comparando: e mi sovvien l'eterno,
e le morte stagioni, e la presente
e viva, e il suon di lei. Così tra questa
immensità s'annega il pensier mio:
e il naufragar m'è dolce in questo mare.

Giacomo Leopardi, nato a Recanati nelle Marche nel 1798, è uno dei poeti più importanti della letteratura italiana. Questa poesia è una delle poesie più studiate nelle scuole italiane.

Per approfondire: www.giacomoleopardi.it

La nostra musica

Lucio Battisti

A. *A coppie: riguardate tutta l'unità e riflettete su quello che non si dice sulla musica e che voi, invece, avreste voluto trovare.*

B. *In gruppi: immaginate di dover descrivere un possibile utente per ognuno dei generi musicali presentati in questa unità.*

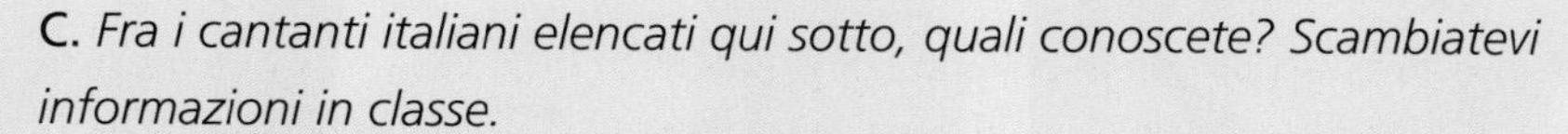

C. *Fra i cantanti italiani elencati qui sotto, quali conoscete? Scambiatevi informazioni in classe.*
Elisa, Luca Carboni, Mina, Fabrizio De Andrè, Milva, Mia Martini, Fiorella Mannoia, Luciano Pavarotti, Ligabue,Vasco Rossi, Eros Ramazzotti, Francesco De Gregori, Gianna Nannini, Irene Grandi, Lucio Dalla, Laura Pausini, Lucio Battisti, Pino Daniele, Paolo Conte, Giorgia, Alice, Vinicio Capossela, Tiziano Ferro.

Elisa

D. *Leggete questo brano e dite che cosa rispondereste voi alla domanda del bambino.*
Una volta un bambino domandò a Nino Rota, famoso compositore di colonne sonore:
- Signor Maestro dove va la musica quando finisce?
E, non ottenendo risposta, andò a cercarla in una stanzetta accanto. Non trovò la musica, ma una telefonista che gli diede un pezzetto di frittata.
[Adattato da *L'amico magico*, di Federico Fellini, prefazione a *La musica di Nino Rota* © Laterza 1983]

Vasco Rossi

E. *Il concerto più bello / più brutto, più divertente / più noioso a cui io abbia mai assistito. Scegliete un'alternativa e raccontate utilizzando 100/120 parole.*

Italia ON LINE

Se cercate i testi delle canzoni italiane provate questi siti:

http://angolotesti.leonardo.it

www.testimania.com

www.galleriadellacanzone.it

http://canzoni.lycos.it

Fiorella Mannoia

Francesco De Gregori

Un'Italia, mille volti

A

1 La realtà multiculturale

A coppie: osservate le foto e dite che cosa vedete. Poi scambiatevi idee e informazioni seguendo le domande guida. Prendete appunti.

- C'è una realtà multiculturale anche nel vostro paese di origine? Ci sono cittadini stranieri? Ci sono negozi stranieri o professionisti stranieri?
- Descrivete alcuni aspetti della convivenza con cittadini stranieri nel vostro paese o in un altro paese di cui conoscete la realtà: per esempio la scuola, il lavoro, l'abitazione.
- Se preferite, potete descrivere anche quello che avete notato riguardo alla presenza di cittadini stranieri durante un vostro soggiorno in Italia.

2 Ora tocca a voi!

A turno prendete la parola e, seguendo i vostri appunti, presentate oralmente ai compagni ciò che desiderate dire sul tema della realtà multiculturale.

B

1 Un po' di letteratura

Guardate la copertina del libro e leggete l'introduzione al testo. Poi rispondete alle domande.

- Che cos'è la "Letteratura della migrazione"?
- Che cosa vi aspettate di trovare nel brano riportato qui sotto?

Salah Methnani è uno dei primi scrittori di quel nuovo fenomeno letterario che va sotto il nome di "Letteratura della migrazione", nato in Italia nel 1990 con la pubblicazione di tre libri scritti a quattro mani. Uno di questi è il racconto autobiografico di Methnani, *Immigrato*, scritto con l'aiuto di Mario Fortunato, che narra le vicende vissute dall'autore nel suo percorso di integrazione nella società italiana.

2 Vero o falso?

Leggete il brano tratto dal libro di Methnani e Fortunato. Decidete se le seguenti affermazioni sono vere o false e indicate il punto del brano corrispondente.

1. Il protagonista non era molto contento di andare in Tunisia e incontrare il padre: ☐ V ☐ F..............................
2. Il protagonista prova dei sentimenti misti al suo arrivo in Tunisia, si sente un po' estraneo a tutto quello che gli sta intorno: ☐ V ☐ F..............................
3. In Tunisia faceva molto caldo: ☐ V ☐F..............................
4. Il protagonista risiede in Tunisia, ma lavora in Italia: ☐ V ☐ F ....
5. Il protagonista da quando era emigrato in Italia teneva una specie di diario: ☐ V ☐ F..............................
6. Il protagonista ha l'impressione che il padre non sia contento di vederlo: ☐ V ☐ F..............................

1 "... Era la mia prima vacanza in Tunisia. La mia prima vacanza da cittadino con regolare permesso di soggiorno in Italia, voglio dire. Anche le mie ferie dal lavoro erano "regolari": tre settimane, poi sarei ritornato a Roma.
5 Non avevo dubbi. Avevo telegrafato a mio padre per annunciargli la mia visita. Lui aveva risposto subito. Non ricordo con precisione che cosa aveva scritto nel telegramma. Ricordo soltanto che diceva di aspettarmi in ogni momento. Nelle sue parole, mi pare ci fos-
10 se una cortesia un po' affettata. La sua risposta, comunque, mi causò un'euforia che durò parecchi giorni. Mi dedicai all'acquisto di doni che potessero sorprenderlo, suggerendo indirettamente la mia discreta agiatezza economica. Comprai una cravatta blu, un por-
15 tafogli di cuoio scuro, due camicie a righe. Il giorno in cui presi l'aereo per Tunisi ero raggiante come un bambino. Non ero passato a salutare mia madre. Contavo di farlo al ritorno. Arrivai subito in piazza Bab Alioua, a Tunisi, e di lì presi l'autobus per Kairouan.
20 Era curioso tornare a esprimersi in arabo con chiunque. Durante la breve fila per il biglietto, mi ero sentito per metà uno straniero.
Era come se la realtà mi arrivasse di colpo dopo aver superato un qualche filtro, che la rendeva
25 contemporaneamente comprensibile e ignota.
Mi chiesi se, in qualche modo sconosciuto, io avessi smesso di essere tunisino.
Il paesaggio, a poco a poco, si trasformò, oltre i finestrini, in un desolato ma grandioso territorio
30 stepposo. Erano le prime ore del pomeriggio. Il caldo stagnava nell'aria, secco e ruvido come carta di vetro. Sull'autobus, qualche volta, prendevo in mano il mio vecchio quaderno giallo con ancora qualche foglio bianco. Lo ripercorrevo come il libro di memorie di
35 un individuo conosciuto tanto tempo prima. Mi domandavo quale destino avessero seguito tutte le persone di cui puntualmente avevo preso nota. Non c'era pacificazione in quelle mie domande su Munir e Isidor e Alì."

[*Immigrato* di Salah Methnani e Mario Fortunato, pp. 127-129, © Edizioni Theoria 1990]

3 Mettiamo a fuoco

Completate le seguenti frasi tratte dal testo in B2.

1. Mi dedicai all'acquisto di doni che .... sorprenderlo.
2. Era come se la realtà mi .... di colpo.
3. Mi chiesi se, in qualche modo sconosciuto, ... di essere tunisino.
4. Mi domandavo quale destino .... tutte le persone di cui puntualmente avevo preso nota.

Grammatica attiva

Congiuntivo imperfetto

Completate la tabella.

.........are	.........ere	.........ire
che (io) arrivassi	che (io) potessi	che (io) part.........
che (tu) arrivassi	che (tu) pot.........	che (tu) partissi
che (lui/lei/Lei) arriv.........	che (lui/lei/Lei) potesse	che (lui/lei/Lei) part.........
che (noi) arrivassimo	che (noi) pot.........	che (noi) partissimo
che (voi) arrivaste	che (voi) poteste	che (voi) part.........
che (loro) arrivassero	che (loro) pot.........	che (loro) partissero

4 Mettiamo a fuoco

Ci sono anche alcune forme irregolari. A coppie: cercate le forme al congiuntivo imperfetto dei seguenti verbi.

stare • bere • fare • essere • dare • tradurre • trarre • porre • dire • avere

Grammatica attiva

Congiuntivo trapassato

Completate la tabella con le forme del congiuntivo trapassato.

smettere	andare
che (io) avessi smesso	che (io) .... andato/a
che (tu) .... smesso	che (tu) fossi andato/a
che (lui/lei/Lei) avesse smesso	che (lui/lei/Lei) .... andato/a
che (noi) .... smesso	che (noi) fossimo andati/e
che (voi) aveste smesso	che (voi) .... andati/e
che (loro) .... smesso	che (loro) fossero andati/e

Completate la regola.

Il congiuntivo trapassato si forma con .... *degli ausiliari* .... *o* .... *più il* .... *del verbo.*

Esercizio 1: *Completate le frasi con il congiuntivo imperfetto.*

1. Avevo l'impressione che Luigi non mi (dare) .... assolutamente retta, visto che mi ignorava in quel modo.
2. Non sapevo che Fabio e Gaia (stare) .... ancora insieme.
3. Ora che avete trovato finalmente una casa, credevamo che (voi – essere) .... felici, ma non sembra.
4. Si chiese se Sara (avercela) .... ancora con lui. Erano mesi che non la sentiva.
5. Paola sperava veramente che Giuseppe le (dire) .... la verità e (smettere) .... di mentirle.
6. Vorrei tanto che (fare) .... più caldo per poter andare al mare.

5 Approfondiamo

Osservate questa frase tratta dal testo di Salah Methnani.

Era come se la realtà mi arrivasse di colpo.

Secondo voi che cosa si vuole sottolineare con l'espressione "come se"?

....

Osservate altri esempi.

Quando mi vedeva si comportava come se avesse paura di me.

Amavo molto Mario. Amavo soprattutto come riusciva a essere sempre positivo nei confronti della vita.

Grammatica attiva

Completate.

come se + ... esprime un fatto ....

come + ... esprime un fatto ....

Esercizio 2: *completate con il verbo al congiuntivo o all'indicativo.*

1. Mi ripete sempre le stesse cose come se non (io – capire) .... nulla.
2. Mi piaceva molto come (loro – riuscire) .... a essere sempre cordiali e disponibili con tutti.
3. Prendi tutto quello che vuoi, fai come se (essere) .... a casa tua!
4. Ieri sera Antonella ha fatto finta di non vedermi. Si è comportata come se non mi (conoscere) ....
5. Si baciarono come non (farlo – mai) .... prima.
6. Mi guardate come se mi (vedere) .... per la prima volta.

C

1 Che confusione in redazione!

Ecco due articoli tratti dal quotidiano "La Repubblica" sull'importanza della manodopera straniera in alcuni settori lavorativi. Il tipografo ha confuso i paragrafi. Rimetteteli in ordine sotto ai titoli a cui si riferiscono: scrivete il numero e le frasi più importanti di ogni paragrafo.

NEI CAMPI DI RISO ITALIANI TORNANO LE MONDINE, ORA SONO CINESI

☐ ....
....
....

☐ ....
....
....

☐ ....
....
....

☐ ....
....
....

VIAGGIO TRA I SIKH ADOTTATI DALLA PADANIA

☐ ....
....
....

☐ ....
....
....

☐ ....
....
....

☐ ....
....
....

[articoli tratti e adattati da "La Repubblica" 6/10/2003 e 15/08/2005)]

1. Turbanti gialli, rossi, blu. Li vedi appena sali sull'argine del Po. Punteggiano i campi, sbucano dalle fattorie, vanno e vengono nel tramonto. Sono i sikh, i leggendari indiani dalle lunghe barbe e dai lunghi pugnali che ieri popolavano i racconti di Salgari. Oggi gli stessi uomini abitano le nostre campagne, mungono le nostre vacche, fanno funzionare le nostre stalle, sono il pilastro del nostro settore agroalimentare. Il grana sarà anche padano doc, ma oggi parla sikh, come il parmigiano, il latte e il burro di casa nostra.

2. Prima erano le mondine che arrivavano in Piemonte e in Lombardia dalla Romagna e dal meridione e infaticabili dalle 6 del mattino fino a sera eliminavano le malerbe dalle piantine di riso. Sono state poi sostituite dai diserbanti che chimicamente impedivano alle malerbe di svilupparsi, ma che rischiavano di ammazzare anche il riso buono.

3. Claudio Cirio, che ha 75 ettari a riso a ovest di Novara, racconta:

4. Da quassù le luci della pianura ridisegnano la geografia, ormai multietnica, di un Paese che ha perso l'uso delle mani. A nord, la metallurgia bresciana con pachistani e senegalesi, a sud, verso Maranello, patria delle Ferrari, la macellazione dei maiali con i giganti del Ghana, a sud-est, verso Carpi, i cinesi nei laboratori del tessile. Qui, sul fiume, tra milioni di vacche, i sikh dalle lunghe barbe, a migliaia.

5. Nessuno ha mai saputo di preciso come fossero arrivati fino a qui gli uomini dalle lunghe barbe, forse con il circo Togni. Pare, infatti, che il vecchio Togni, bresciano, assumesse indiani per la stagione e a fine contratto li mollasse nelle stalle della Bassa.

6. "Non c'era che trovare della gente che mondasse il riso. La paga è buona, ma il lavoro è duro. Ho messo in giro la voce, sono arrivati gli studenti, un'ora e se ne sono andati, a pezzi. Così ho chiamato le mie vecchie mondine e benché avessero ormai tra i 60 e 70 anni, per tre anni ci hanno pensato loro. Non gli sembrava vero di tornare ai tempi della gioventù. Non è che fossero proprio giovanissime, però non pensavo neanche che ce la facessero. Poi è venuto il momento che anche loro hanno rinunciato..."

7. Paramjit Singh, 31 anni, è mungitore presso l'azienda Balzanelli nella Bassa Mantovana. Vi abita da dieci anni con la moglie e i suoi due figli. Vorrebbe che i figli ricevessero un'educazione più tradizionale. Ha qualche timore per la figlia, ma sa benissimo che non potrebbe più tornare. Qui si trova bene.

8. Così sono arrivati i mondini con gli occhi a mandorla. La cooperativa di Cirio 15 anni fa ha assunto un agronomo cinese e più tardi un contadino cinese che ha sparso la voce tra i conterranei. Sono ormai decine le aziende risicole che impiegano manodopera orientale. Per Cirio i cinesi sono un mito. Senza di loro la sua produzione sarebbe impossibile.

Unità 4

2 Ora tocca a voi!

A coppie: scambiatevi idee e informazioni. Alcuni settori dell'economia italiana funzionano solo grazie alla manodopera straniera. Anche nel vostro paese si assiste a un tale cambiamento?

3 Mettiamo a fuoco

Completate le frasi tratte dal testo appena letto.

1. .... che trovare della gente che mondasse il riso.
2. .... avessero ormai tra i 60 e 70 anni, per tre anni ci hanno pensato loro.
3. .... neanche che ce la facessero.
4. .... di preciso come fossero arrivati fino a qui gli uomini dalle lunghe barbe.
5. .... che i figli ricevessero un'educazione più tradizionale.

Grammatica attiva

Considerate le frasi in C3. Perché viene usato, nella frase subordinata, il verbo al congiuntivo imperfetto, anziché al congiuntivo presente?

....

Qui ci sono altre frasi tratte dai testi che avete letto:

Frase principale	Frase secondaria
Vorrebbe	che i figli ricevessero un'educazione più tradizionale.
Non pensavo neanche	che ce la facessero.
Per tre anni ci hanno pensato loro	benché avessero 60 e 70 anni.
Mi domandavo	quale destino avessero seguito tutte le persone.
Mi chiesi	se in qualche modo io avessi smesso di essere tunisino.
Nessuno ha mai saputo di preciso	come fossero arrivati fino a qui gli uomini dalle lunghe barbe.

Il **congiuntivo imperfetto** e *il* **congiuntivo trapassato** *che si trovano nella frase secondaria dipendono dal tempo verbale della frase principale. Completate le regole.*
Nelle frasi principali si possono trovare i seguenti tempi verbali:

....

Quando si vuole esprimere un'azione contemporanea a quella della frase principale al passato, nella frase secondaria si usa il congiuntivo ....
Quando si vuole esprimere un'azione che è avvenuta prima rispetto a quella della frase principale, nella frase secondaria abbiamo il congiuntivo ....

Per familiarizzare con i due concetti di **azione contemporanea** *(a un'altra)* e **azione antecedente** *(a un'altra) osservate le due rappresentazioni grafiche riferite all'asse che indica il trascorrere del tempo da sinistra a destra.*

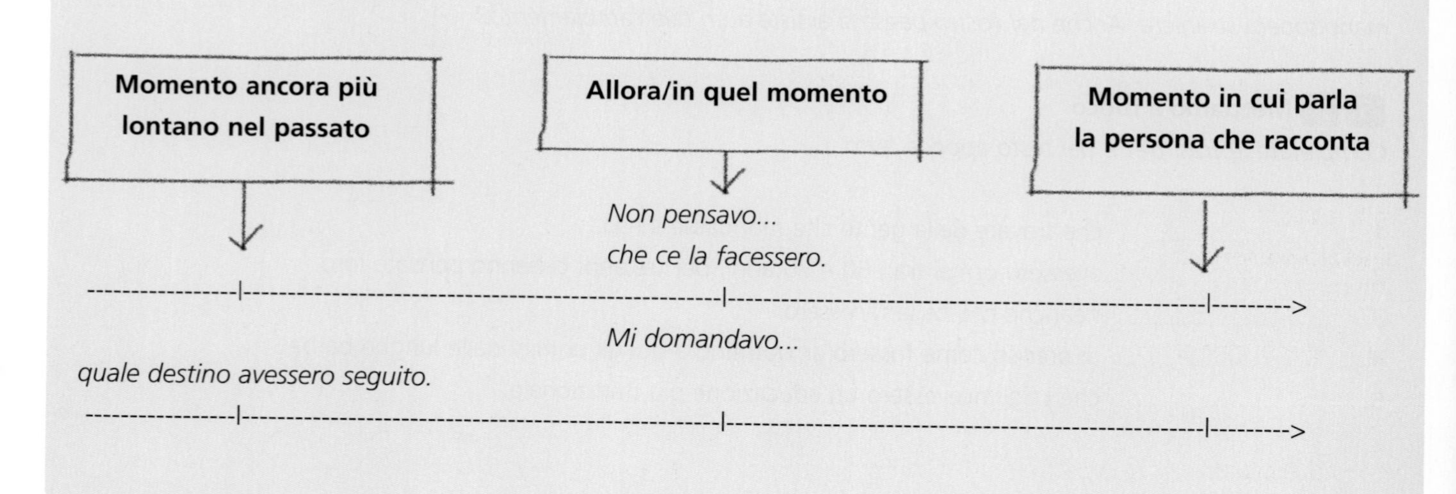

Esercizio 1: *Completate con il verbo al congiuntivo imperfetto o trapassato. Poi associate a ognuna delle tre immagini la frase corrispondente.*

1. Non sapevo proprio che Marco e Lisa (lasciarsi) .... Mi sembrava che (essere) .... una coppia molto affiatata.
2. Mio padre voleva che, una volta finita la scuola, (io – andare) .... subito a lavorare, invece ho preferito iscrivermi all'università.
3. Malgrado (noi – camminare) .... tutto il giorno, avevamo ancora voglia di giocare.
4. In paese si diceva che il marito di Lia due anni fa (scappare) .... con la moglie del macellaio e che poi entrambi dopo qualche mese (ritornare) .... pentiti alle rispettive famiglie.
5. Mi piacerebbe tanto che tu (studiare) .... di più e (arrivare) .... puntuale a lezione.
6. Sarebbe stato meglio che (venire) .... anche voi ieri sera alla festa di Luisa. Ci siamo divertiti veramente tanto. Mancavate solo voi!

Unità 4

a ☐

b ☐

c ☐

D

1 Facciamo il punto sul congiuntivo

Il modo congiuntivo serve a esprimere incertezza, possibilità, soggettività o volontà. La presenza di particolari verbi, espressioni o connettivi nella frase principale rende obbligatorio l'uso del congiuntivo nella frase secondaria. A coppie: completate liberamente le frasi della seguente tabella per avere un riepilogo completo di esempi.

Verbi ed espressioni che esprimono **un sentimento:**	*Ho paura che Marco si sia ammalato.* *Speravo che* .... *Mi dispiace che* ....
Verbi ed espressioni che esprimono **un'opinione o un giudizio personale:**	*Credo che* .... *Pensavo che* .... *Ho l'impressione che* ....
Verbi ed espressioni che esprimono **volontà:**	*Maria desidera tanto che tu vada a trovarla.* *Voglio che* ....
Verbi ed espressioni che esprimono un **dubbio:**	*Non sono sicura che tu mi dica la verità.* *Dubitavo che* ....

Costruzioni impersonali:	*Bisogna che tu vada a comprare il pane.* *Può darsi che* ....
3a pers. sing. di **essere** + aggettivo, avverbio o nome:	*È meglio che tu venga stasera dopo cena.* *Era importante che* .... *È un peccato che* ....
Alcune congiunzioni subordinanti: **sebbene, malgrado, nonostante, affinché/perché (significato finale), purché, senza che, a patto che, prima che, a condizione che, a meno che, nel caso che, qualora**	*Vado alla festa di Paola, sebbene non ne abbia la minima voglia.* *Andiamo a casa prima che* .... *Parlo più lentamente perché tu mi capisca meglio.* *Ti ho prestato i soldi a patto che* ....
Nella frase relativa per esprimere una caratteristica esclusiva:	*Cerco un ragazzo che sia sempre gentile ed educato.*
Con un superlativo relativo:	*È la persona più simpatica che io abbia mai conosciuto.*
Con alcuni aggettivi e pronomi indefiniti: **chiunque, ovunque, qualunque**	*Ovunque tu sia, prima o poi ti troverò.* *Chiunque* ....
Interrogative indirette:	*Non so chi sia andato alla festa ieri sera.* *Mi sono sempre chiesto cosa* ....

2 **Trova la citazione!**

A coppie: ricostruite le frasi seguendo gli indizi che trovate sotto. Poi cercate di riflettere sul loro significato ed esprimete il vostro parere su ognuna.

Paese che vai, | Fatti non foste a viver come bruti | dei paesi tuoi.

Chi lascia la strada vecchia per la nuova | usanze che trovi. | mal si trova.

ma per seguir virtute e canoscenza. | Donne e buoi

Due modi di dire che hanno in comune un atteggiamento poco aperto alle novità, entrambi sono in rima!

1. ....

2. ....

Un modo di dire che non esprime un giudizio, ma si limita a constatare qualcosa.

3. ....

Una citazione dalla "Divina Commedia" di Dante Alighieri.

4. ....

Esercizio 1: *Completate il racconto di Jasmine con i verbi al congiuntivo* **presente, passato, imperfetto** *o* **trapassato.**

Sono nata in un piccolo paese vicino a Dakar, in Senegal, e sin da bambina ho sempre avuto la sensazione che lassù, sopra di me, (muoversi) .... un altro mondo. Io volevo viaggiare e vedere cosa succedeva a nord dell'emisfero. Per questo motivo sono partita a 20 anni e sono venuta in Italia. Credo che la vita (essere) .... una continua ricerca e che l'uomo (vivere) .... per la sete di sapere. Sono cresciuta da sola con mia madre. Mio padre era alcolista e mia madre un giorno gli sparò per legittima difesa, aveva minacciato di ucciderci. Quando succede una disgrazia credo che (essere) .... normale che gli altri (incuriosirsi) .... e (parlarne) .... E così è stato. Anch'io di questa storia ho parlato finché non c'era più nulla da dire. Pensavo che (essere) .... un modo perché finalmente tutte le chiacchiere in proposito (cessare) .... Ma ancora oggi a distanza di tanti anni, quando ritorno al paese la gente continua a parlarmene come se (succedere) .... ieri.
Non credo di essere l'unica persona alla quale (accadere) .... una tragedia di questa portata. E benché negli ultimi 15 anni (incontrare) .... molte difficoltà che mi hanno toccata profondamente come quella vecchia storia, se non di più, ho sempre cercato di essere e rimanere una persona sana, fedele a se stessa e agli altri.

Unità 4

3 Parole composte

Ecco alcune parole tratte dai testi che avete letto nelle attività precedenti. Che cosa hanno in comune secondo voi?

portafogli | passaparola | malerba | fine contratto

Si tratta di parole composte, formate cioè da due parole indipendenti: ***verbo + sostantivo*** *oppure* ***sostantivo + sostantivo.*** Abbinate le parole date formando una parola composta.

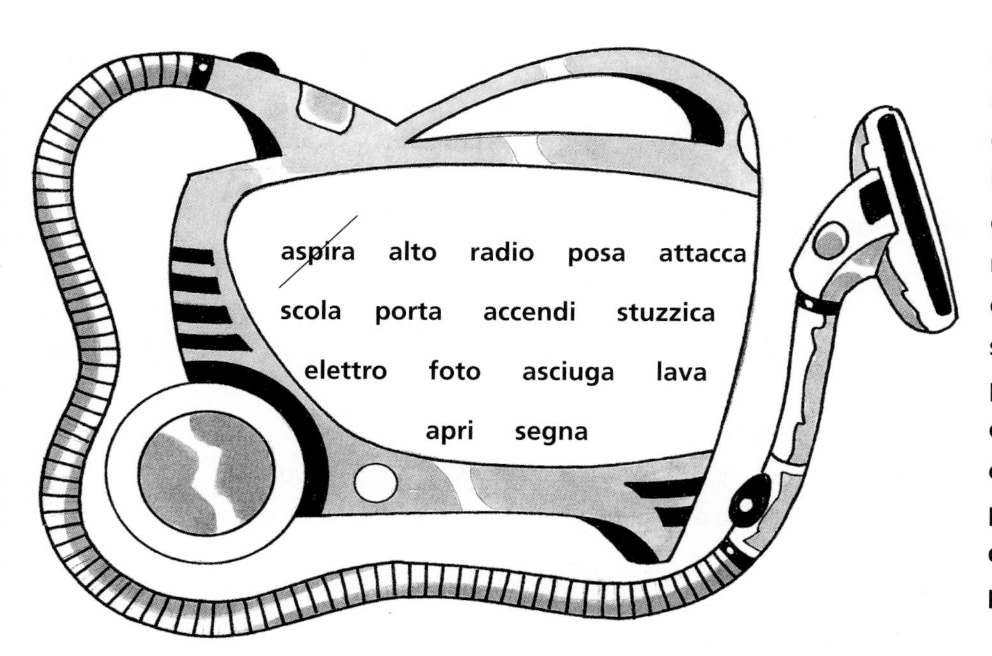

polvere ....aspirapolvere....
scatole ....
sigari ....
denti ....
libro ....
grafia ....
mano ....
cenere ....
stoviglie ....
pasta ....
chiavi ....
copia ....
panni ....
domestico ....
parlante ....

4 **Ora tocca a voi!**

Formate due squadre. Ogni squadra trova 10 parole composte e le descrive usando i pronomi relativi. Vince la squadra che ne indovina di più e che fornisce una descrizione corretta della parola da indovinare.

Esempio: cavatappi

È uno strumento con con cui di solito si aprono le bottiglie.

E

1 1.18 **Prendiamo appunti**

Ascoltate più volte l'intervista alla dottoressa Elisabetta Rossi, responsabile del Centro Linguistico dell'Università di Trento. A partire dal secondo ascolto, prendete appunti e poi lavorate a coppie e confrontatevi. Dopo ogni ascolto successivo, formate nuove coppie.

2 **Un centro di servizi**

Lavorate individualmente: scrivete un resoconto sul Centro linguistico con le informazioni che siete riusciti a raccogliere.

3 1.19 **Mettiamo a fuoco**

Ascoltate di nuovo e completate le frasi tratte dall'intervista.

1. Siamo al Centro Linguistico dell'Università di Trento a colloquio con la dottoressa Rossi, direttrice del centro linguistico, ... com'è nato il Centro Linguistico.
2. L'Università di Trento, ... soprattutto alla prestigiosa facoltà di Sociologia.
3. Quali crede che possano essere i motivi .... l'Università di Trento.

Grammatica attiva

Il pronome relativo

A chi o cosa si riferiscono le seguenti parole delle frasi che avete appena completato?

alla quale   la cui fama   per i quali

In Caffè Italia 2 abbiamo già incontrato due pronomi relativi di uso molto frequente, quali sono? .... e ....

Ora abbiamo trovato **alla quale**, *che può essere sostituito da* .... *e* **per i quali** *che può essere sostituito da* ....

La struttura formata da articolo determinativo + **cui**, *come nell'esempio: la cui fama, indica* ....

Esercizio 1: *Completate con il pronome relativo cui + preposizione, poi trasformate le frasi sostituendo cui con il/la quale, i/le quali.*

1. È una persona .... si può sempre contare.
2. Roberto non vede più i colleghi .... si trovava spesso la sera dopo il lavoro.
3. Mi ricordo di tante notti .... stavo sveglia fino alle tre del mattino ad aspettarlo.

Esercizio 2: *Completate con il/la cui, i/le cui.*

1. Ieri ho visto la signora Rossi .... figlio è andato a vivere in Giappone.
2. Ali lavora in un'azienda .... affari non stanno andando molto bene.

Percorsi

LA TAVOLA ROTONDA

A. *Quali sono i principali problemi di integrazione in un paese straniero? Cosa si può fare per combattere il razzismo e favorire non solo l'integrazione, ma la solidarietà e la convivenza pacifica tra le persone?*
In piccoli gruppi: cercate una o più risposte a queste domande.

B. **Scrivere un testo argomentativo**
Esprimete in forma scritta la vostra opinione in risposta alle domande formulate al punto A. Lavorate individualmente e seguite le linee guida.

1. Fate una lista con tutte le idee e tutte le informazioni che vi vengono in mente.
2. Organizzate ora tutte le idee e le informazioni secondo una scaletta. Potete seguire il modello qui accanto.
3. Passate alla stesura del testo. Dovete scrivere dalle 120 alle 140 parole.

Introduzione
- ...
Svolgimento
-primo argomento e possibile controargomento
- ....
Sintesi e conclusioni personali
- ...

C. **Autocorrezione**
Quando avete finito di scrivere fate una breve pausa, poi riprendete il testo con occhio critico e cercate di migliorare le parti che vi sembrano poco chiare o sbagliate.

D. **Correzione a coppie**
A coppie: scambiatevi i testi che avete scritto e correggeteli. Poi confrontatevi.

Italia ON LINE

Il Trentino-Alto Adige è una regione a Statuto Speciale con due Province Autonome, Bolzano e Trento. In Alto Adige vige il bilinguismo legalmente riconosciuto di italiano e tedesco.
Trento è una città conosciuta soprattutto per le sue montagne (le Dolomiti sono solo a pochi chilometri) e la facoltà di Sociologia dell'università. Trento oggi è anche una città multiculturale, non solo per la forte presenza di studenti e docenti provenienti da tutte le parti del mondo, ma anche per i tanti cittadini stranieri che vivono e lavorano in questa città.
Per approfondire la conoscenza del Trentino-Alto Adige:
www.regione.taa.it
www.globalgeografia.com/italia/trentino-alto_adige.htm

Per conoscere due associazioni trentine che si occupano di integrazione dei cittadini stranieri, fate una ricerca su Internet a partire da queste due parole chiave:
Millevoci: *un'associazione che si occupa degli alunni stranieri nelle scuole.*
Il gioco degli specchi: *un'iniziativa culturale che propone eventi e manifestazioni sulla cultura migrante.*
Raccogliete tutte le informazioni che potete.
Poi parlatene con i compagni in classe.

Intervallo 2

A. 🎧 2.2 **Accenti regionali.** *Ascoltate più volte l'intervista. La prima volta annotate qual è l'argomento principale di cui tratta. Poi completate la tabella che riassume le informazioni. Infine ascoltate ancora e cercate di individuare la provenienza della persona che parla. Quali caratteristiche della sua pronuncia riconoscete?*

Argomento: ....

Destinazione: ....
Provenienza: ....
Scuola frequentata: ....
Anno di emigrazione: ....
Motivazione: ....
Primo impiego: ....
Secondo impiego: ....
Anni di servizio: ....
Bilancio: ....

B. 🎧 2.3 **Un'esperienza emozionante.** *Ascoltate e ricostruite il racconto dei F.L.A.G. scegliendo l'alternativa giusta. Poi scambiate le vostre impressioni. Avete mai provato emozioni simili alle loro? Raccontate.*

1. Il nome F.L.A.G. è un ☐ sinonimo ☐ acronimo ☐ antonimo dei nomi degli elementi del gruppo.
2. Arezzo Wave è stata un'esperienza veramente ☐ insopportabile ☐ incancellabile ☐ memorabile
3. Luigi dice: "Non è poi matematico che uscendo da Arezzo Wave diventi qualcuno", vuole dire che:
   ☐ è certo che diventi una persona rispettabile.
   ☐ non è sicuro che diventi famoso.
   ☐ diventi una persona qualunque.

www.flagelettropop.it

I componenti del gruppo in una loro locandina, da sinistra:
Gianluca Cotica, basso
Fabio Quintozzi, chitarra elettrica
Luigi Gattafoni, voce e chitarra
Andrea Morichetti, batteria.
I F.L.A.G. hanno hanno rappresentato le Marche all'Arezzo Wave Love Festival 2006.

Una canzone in rima

In gruppi di 4 o 5: scrivete una canzone che abbia come tema una delle 4 parole proposte, cercando di utilizzare le rime. Sotto a ogni parola trovate delle proposte per creare delle rime, ma potete cercarne altre.

All'ombra dell'ultimo sole
s'era assopito un pescatore
aveva un solco lungo il viso
come una specie di sorriso
[*da Il pescatore di* Fabrizio De André]

la notte
- mezzanotte
- buonanotte
- canotte
- contadinotte
- metronotte
- pagnotte
- ...

l'amore
- rumore
- buonumore
- disamore
- malumore
- tremore
- timore
- ...

la natura
- imbottitura
- bravura
- abbronzatura
- acconciatura
- viticoltura
- avventura
- tortura
- ...

il mare
- amare
- calmare
- chiamare
- fermare
- profumare
- tornare
- ...

Unità 5

Sì, viaggiare

a Amerigo Vespucci

b Orfeo

c I Vichinghi

A

1 Grandi viaggiatori

Osservate le immagini: che cosa sapete dei personaggi raffigurati? Poi leggete le descrizioni e abbinate.

☐ Quando approdarono sul continente americano certamente non pensavano che un giorno sarebbero stati ritenuti gli scopritori dell'America, assai prima di Cristoforo Colombo, e che accademici di due continenti si sarebbero occupati così intensamente delle loro imprese marinare.

☐ Credeva che bastasse un po' di cera per incollare le piume sul telaio e costruirsi due ali artificiali, realizzando così il sogno di volare. Si sbagliò, cadde e divenne un mito.

☐ Grazie al suo libro di memorie ebbe la certezza che la sua vita e i suoi viaggi in Oriente non erano stati solo un'esperienza privata ma un viaggio condiviso con molti altri uomini che ne avrebbero conosciuto le imprese nei secoli a venire.

☐ Nessuno può dire con certezza perché, oramai sulla via del ritorno con la sua amata al seguito, improvvisamente si voltò, forse per accertarsi che lei lo seguisse ancora, che fosse ancora lì. Così facendo, però, violò il patto che si era impegnato a rispettare e la perse per sempre.

☐ Navigatore italiano, nato a Firenze nel 1454, verrà per sempre ricordato come l'uomo che ispirò il nome successivamente attribuito al continente americano. Dopo gli studi guidati da Michelangelo, iniziò a lavorare per le banche fiorentine che nel 1492 lo inviarono in Spagna dove si sarebbe occupato di rifornire le navi in partenza per il nuovo mondo. Fu il primo a capire che i due nuovi mondi erano separati dall'Asia. Compilò resoconti dettagliati, descrivendo la cultura degli indigeni, la loro dieta e le loro credenze religiose.

(d) Icaro

(e) Cristoforo Colombo

(f) Marco Polo

(g) I Fenici

☐ Salpò da Palos per compiere, dopo una sosta alle isole Canarie, il salto che lo avrebbe portato alla conquista del nuovo continente. Il 12 ottobre 1492, l'equipaggio partito a bordo di tre caravelle, toccò terra in un'isola a nord est di Cuba nominata San Salvador, oggi identificata con Guanahani nelle Bahamas, generando un equivoco tra i più noti nella storia.

☐ Nell'anno mille a.C. i migliori mercanti, commercianti, colonizzatori e navigatori di tutta l'area mediterranea erano senza alcun dubbio gli appartenenti a un popolo del Medioriente, noto anche per l'invenzione di un nuovo alfabeto, composto da 22 caratteri ed utilizzato successivamente dal greco e dal latino.

2 Conoscete qualche altro viaggiatore famoso?

A coppie: parlatene e scrivete una breve descrizione dei viaggi del personaggio scelto. Poi riferite alla classe senza dire il nome del viaggiatore. Vince chi indovina per primo.

3 E voi?

Intervistatevi reciprocamente in coppia, seguendo le domande guida. Prendete appunti, poi riferite alla classe.

- Il primo viaggio senza genitori, dove e con chi?
- L'ultimo?
- Un posto dove sognate ancora di andare e perché?
- Il viaggio più pazzo che avete fatto?
- Il compagno di viaggio ideale?
- Con chi non partireste mai?
- Con chi invece partireste subito e per dove?
- Cosa non manca mai nella vostra valigia?
- Un viaggio nel tempo. Dove andreste?
- La prossima partenza. Dove andate e con chi?

B

1 In volo

A coppie: leggete l'articolo e scrivete un titolo e un occhiello (sottotitolo) adatti.

(Spazio per titolo e occhiello)

La cittadina di Charleroi, in Belgio, è abbastanza insignificante e compare in pochi itinerari turistici, benché in passato sia stata il cuore nazionale dell'industria del ferro e del carbone. Dopo che le miniere sono state chiuse oramai da anni, il loro tramonto ha portato con sé povertà, abbandono e disoccupazione. Bruxelles è ad appena mezz'ora di strada ma sembra che siano davvero pochi i motivi per venire qui. Eppure da poco tempo in qua la situazione di questa cittadina è completamente mutata, grazie al piccolo aeroporto cittadino che è stato ribattezzato Bruxelles Sud Charleroi e che è diventato il nuovo centro di smistamento di due delle più attive linee aeree low cost. Quattro anni fa vi passavano 200 mila passeggeri l'anno, ora siamo quasi a due milioni. Charleroi serve infatti 16 destinazioni, dal Mediterraneo all'Europa dell'Est ed è già certo che da questa primavera se ne aggiungeranno altre cinque. Tutto ciò si è tradotto in 500 nuovi posti di lavoro e altri se ne prevedono non appena l'anno prossimo aprirà il nuovo terminal. Gli esperti di collegamenti aerei possono ben sostenere che Charleroi sia diventata un crocevia internazionale e di conseguenza si sia trasformata in un centro trainante per tutta la regione.

Per le città prescelte dalle linee a basso costo o no frills, senza fronzoli, come si usa dire, in effetti i benefici oltrepassano il perimetro dell'aerostazione in senso stretto, perché gli investitori spesso si accodano subito alle scelte delle linee aeree. Si prenda il caso della spenta città di Katowice.

Alla fine degli anni '90 questo centro posto nel Sud della Polonia, che nell'era sovietica aveva vissuto di acciaierie, pareva destinato al totale declino post-industriale. Allora nessuno poteva immaginare che invece grazie al vettore aereo locale, Central Wings, e al suo concorrente ungherese, Wizzair, Katowice avrebbe conosciuto un vero boom con 1 milione di passeggeri nell'ultimo anno che sono transitati dal suo aeroporto, facendo segnare una crescita del 44% rispetto al 2004. Poiché tutto fa pensare che lo sviluppo conoscerà un incremento ancora maggiore nei prossimi anni, alcuni investitori ungheresi hanno realizzato un nuovo centro commerciale in città, ed esistono già piani che porteranno presto al raddoppio dell'aerostazione.

Si potrebbe continuare con molte altre città e regioni, da Pisa a Praga, da Carcassonne a Tallin, da Bratislava a Francoforte. Il boom delle nuove rotte aeree servite dai vettori a basso costo sta sovvertendo la geografia dei traffici aerei paneuropei e dimostra come la presenza o meno di una città o regione su questa nuova carta dell'Europa possa decidere del suo futuro sviluppo. Il fenomeno ha conosciuto una tale crescita che il presidente di Ryanair, il più grande dei circa 40 vettori low cost che sono nati negli anni '90, può affermare, senza timore di apparire esagerato, che le linee a basso costo ridisegneranno nei prossimi anni la nuova Europa.

[da *L'Espresso*, 16 marzo 2006]

2 Le parole del viaggio

A coppie: cercate nell'articolo tutte le parole e le espressioni relative al viaggio e aggiungetene di vostre. Poi preparate 5 domande sul viaggio da fare ai compagni.

3 Mettiamo a fuoco

Prima completate le frasi e poi ritrovatele nell'articolo in B1 e verificate. Infine lavorate sulla tabella di grammatica.

1. Tutto fa pensare che lo sviluppo .... un incremento ancora maggiore nei prossimi anni.
2. Dimostra come la presenza o meno di una città o regione su questa nuova carta dell'Europa .... decidere del suo futuro sviluppo.
3. Gli esperti possono ben sostenere che Charleroi .... un crocevia internazionale.
4. Tutto ciò si è tradotto in 500 nuovi posti di lavoro e altri se ne prevedono non appena .... il nuovo terminal.
5. Sembra che .... davvero pochi i motivi per venire qui.
6. Può affermare, senza timore di apparire esagerato, che le linee a basso costo .... nei prossimi anni la nuova Europa.

Grammatica attiva

Concordanza dei tempi

Associate ogni termine alla sua definizione poi completate le tabelle.

Anteriorità — Contemporaneità — Posteriorità

a. .... L'azione della frase principale e quella della frase secondaria si collocano **nello stesso momento** o periodo di tempo.

b. .... L'azione della frase secondaria si colloca in un momento o in un periodo di tempo che viene **dopo** quello della frase principale.

c. .... L'azione della frase secondaria si colloca in un momento o in un periodo di tempo che viene **prima** di quello della frase principale.

Indicativo

Sono certo che Paolo ...

Anteriorità:

ha mangiato (azione conclusa)

mangiava (azione in corso di svolgimento)

Contemporaneità:

.... / sta mangiando

Posteriorità:

.... / domani mangia con noi.

Congiuntivo

Crediamo che Paolo ...

Anteriorità:

abbia mangiato (azione conclusa)

mangiasse (azione in corso di svolgimento)

Contemporaneità:

.... / stia mangiando

Posteriorità:

.... /domani mangerà con noi.

Unità 5

Esercizio 1: *Coniugate i verbi secondo le regole della concordanza dei tempi. Poi scrivete come finisce la storia.*

Allora, senti questa sull'ultimo viaggio in aereo che avrei dovuto fare il mese scorso. Intanto devi sapere che, prima di partire, in ufficio (lavorare/noi) .... come matti perché (dovere) .... terminare quel progetto per l'Olanda, che poi è la ragione del mio viaggio ad Amsterdam per la presentazione. Insomma arrivo all'aereoporto mentre il check in (stare) .... per chiudere e, nonostante la signorina dietro il bancone mi (guardare) .... severamente e un po' scocciata, riesco comunque a sbrigare la faccenda. Quindi mi dirigo al controllo viaggiatori perché mi pare che l'altoparlante (chiamato) .... già .... i passeggeri all'imbarco e in ogni caso so che il volo (decollare) .... tra non più di venti minuti. Allora senti: una coda che non finisce più! E così (andarsene) .... dieci minuti. Insomma arriva il mio turno e, pensa te, chi non ti vedo addetta al controllo con il metal detector? Sì, proprio la hostess di prima che mi (guardare) .... storto. Insomma mi prende una sensazione strana e zac: l'altoparlante comincia a gracchiare e dice molto educatamente che il volo (partire) .... già .... puntualissimo per ragioni di rotte internazionali e che non (potere) .... aspettare eventuali ritardatari.

A questo punto ....

....

....

....

....

4 Mille modi per partire

Collegate ogni frase della prima colonna al significato corrispondente dell'espressione con il verbo partire. Poi scrivete un breve testo (max 50 parole) che contenga tre volte il verbo partire.

1. ☐ Ma non è possibile, la macchina non parte.
2. ☐ Appena Alice beve un po' di vino, parte subito.
3. ☐ L'orologio è caduto ed è partito.
4. ☐ Guarda che ti è partito il bottone.
5. ☐ Ti ricordi Cesare? Quando progettavamo qualcosa lui partiva sempre in quarta.
6. ☐ Il dolore parte dalla mano e arriva su fino alla spalla.

a. reagiva con grande entusiasmo
b. perde il controllo di sé
c. comincia da
d. si è rotto
e. non si mette in moto
f. si è staccato / hai perso

5 Ora tocca a voi!

A coppie: scegliete un mezzo di trasporto, elencate i suoi vantaggi e i suoi svantaggi, poi discutetene con un'altra coppia.

C

1 Un viaggio può cambiare la vita

Non sempre si viaggia per fare le vacanze o riposarsi o magari fare il turista, spesso un viaggio ha un senso più profondo ed intimo, ci può cambiare la vita. Scrivete la vostra risposta spontanea a questa affermazione. Poi confrontatevi con i compagni.

....

....

....

....

....

....

....

....

....

....

....

....

....

2 2.4 Un italiano in Alaska

Ascoltate il brano tratto dalla trasmissione "Linea 24" del 23/03/06 in cui Roberto Ghidoni racconta una corsa che è anche la sua vita e scegliete la risposta che vi sembra corretta.

1. Roberto Ghidoni è	☐ un maratoneta	☐ un corridore	☐ un podista
2. Ha percorso 1800 km	☐ in bicicletta	☐ a piedi	☐ con la slitta
3. Lo chiamano	☐ lupo alaskiano	☐ alce italiana	☐ volpe bresciana
4. Il suo record è di	☐ 162 km al giorno	☐ 150 km al giorno	☐ 80 km al giorno
5. Le alci sono animali	☐ timidi	☐ pericolosi	☐ tranquilli
6. Roberto si allena	☐ di sera	☐ la notte	☐ la mattina presto
7. Partecipa alla gara	☐ per motivi economici	☐ per divertimento	☐ per purificarsi

3 2.4 Che cosa dice?

Ascoltate di nuovo l'intervista e prendete appunti su questi temi. Per ognuno scrivete che cosa ha chiesto l'intervistatore e che cosa ha risposto Roberto Ghidoni.

	Ha chiesto...	Ha risposto...
Lupo che corre	....	....
	....	....
Dormire	....	....
	....	....
Pensieri	....	....
	....	....
Animali	....	....
	....	....
Un film	....	....
	....	....

D

1 2.5 Una vacanza full immersion

A coppie: prima di ascoltare il dialogo fate delle ipotesi per rispondere alla domanda 1. Poi ascoltate e rispondete alla domanda 2.

1. Che cosa significa l'espressione vacanza *full immersion*?
2. Che tipo di viaggio descrive Francesca? Ha fatto il viaggio che descrive?

2 2.5 Chi trova più esempi?

A coppie: ora leggete il dialogo e completate con le preposizioni. Poi ascoltate, verificate e cercate di fare un esempio alternativo per ogni preposizione. Vince la coppia che trova più esempi.

- Ciao Francesca, come va?
- Bene, bene, ho appena fatto un viaggio fantastico, una vacanza .... approfondimento...
- Le tue conoscenze .... cinese?
- È stato un viaggio *full immersion* ma non .... mondo cinese, un viaggio che ho assaporato fino .... fondo.
- Dai dimmi, dove sei stata?
- Pensa .... parole che ho detto prima, *full immersion*, vacanza .... approfondire, fino .... fondo...
- E allora?
- Ma queste parole .... che cosa ti fanno pensare?
- Mah, non so... un corso .... inglese piuttosto che .... spagnolo, un viaggio archeologico, boh. Dai, non tenermi così .... filo...
- Allora sei pronto?
- Mamma mia come te la tiri!
- Pietro, pensa, sono stata .... un sottomarino!
- Nooo... ma dai!
- Sì sì, è vero.Tempo fa avevo letto un articolo .... "Venerdì .... Repubblica", ... cui si parlava .... turismo subacqueo. Il giornalista diceva che era possibile prenotare una vacanza insolita dentro un sommergibile chiamato "Phoenix 1000".
- E poi?
- E poi niente... Sono andata .... Internet, ho digitato *Phoenix* e ho trovato tutto quello che mi serviva, sono andata .... un'agenzia e ho prenotato il volo .... la Florida.
- Tu? Non mi sarei mai aspettato che tu facessi una cosa .... genere! Immagino che avrai speso un capitale!
- Anch'io credevo che sarebbe costato tantissimo, invece... comunque guarda, una cosa così bisogna farla .... vita, almeno una volta.
- Ma come sono fatti questi sottomarini?
- Se devo essere sincera, io pensavo che fossero spartani, tipo quelli militari che abbiamo sempre visto .... film...
- Immagino allora che sarai stata .... una suite come una principessa...
- Beh, non proprio. Avevo una camera doppia .... ogni genere di comfort, come dice la pubblicità. C'erano dei salotti con schermi enormi, non ti sembrava .... essere .... fondo .... mare perché la pressione interna era costante come .... superficie. Quindi niente problemi .... le orecchie, ecc.
- Grande!
- Poi c'erano delle vetrate panoramiche enormi. Ho visto un galeone .... Settecento, poi una barriera corallina che neanche .... film, dei pesci bellissimi .... dei colori incredibili...
- Insomma un sogno. E io qui .... lavorare.
- Anch'io. Ma Pietro ci hai creduto? Dove li trovo io 3000 dollari .... spendere .... 2 settimane? In ogni caso, aspetterei che si abbassino i prezzi e poi ci andrei insieme .... te.

3 Ora tocca a voi!

Progettate con un compagno un viaggio insolito presentandolo poi alla classe.

4 Mettiamo a fuoco

Nel dialogo D2 compaiono alcuni esempi di concordanza all'indicativo e al congiuntivo con la frase principale al passato, fate una lista. Aggiungete altri esempi di questo tipo presi dai testi A1 e B1.

Contemporaneità: ....

....

....

Posteriorità: ....

....

....

Anteriorità: ....

....

....

Grammatica attiva

Completate la tabella.

Indicativo	**Congiuntivo**	**Condizionale**
Mi rendevo conto che Paolo... (Mi sono reso conto/ Mi resi conto / Mi ero reso conto)	Credevo che Paolo... (Ho creduto / Credetti / Avevo creduto)	Vorrei che Paolo (Avrei voluto)
Anteriorità:	Anteriorità:	Anteriorità: avesse mangiato
Contemporaneità: .... / stava mangiando.	Contemporaneità:	Contemporaneità e posteriorità: ....
Posteriorità: avrebbe mangiato	Posteriorità: avrebbe mangiato	

Esercizio 1: *Walking safari. Coniugate i verbi all'indicativo o al congiuntivo.*

Passi corti e silenziosi nella savana zambiana. Era un po' come se non si (volere) .... far rumore sulla ghiaia. L'aria della savana in estate era secca come una cialda appena sfornata. Non c'era verso. Cric, crac, croc. Non se ne veniva a capo. Temevo che prima o poi (finire) .... in bocca ad una leonessa, anzi ne ero sicuro che (andare) .... così. O, nel migliore dei casi, pensavo che anche le farfalle e le zanzare (scappare) .... Si faceva un bel baccano benché (camminare) .... con la massima attenzione. Phil Berry, uno dei più celebri naturalisti e ranger d'Africa, ci aveva concesso il piacere di accompagnarci nel nostro walking safari, per esplorare la savana non più seduti comodamente sulle Land Rover e le Toyota, ma a piedi, esposti a tutti i rischi del caso. Phil si muoveva senza che un solo rumore (giungere) .... alle nostre orecchie. Anzi ti sibilava ordini ed informazioni che ti (arrivare) .... assieme al richiamo di un uccello o al ronzio di un insetto. Io invece facevo del mio meglio affinché tutti gli animali sul nostro cammino (potere) .... percepire con chiarezza che un bipede umano (cercare) .... di farsi notare per la sua goffaggine cittadina. [Adattato da *"Donna"*, 11 marzo 2006]

Esercizio 2: *Un viaggio infernale. Coniugate i verbi all'indicativo o al congiuntivo.*

Giunsi una mattina alla stazione di D. Era una stazione grande e affollata, difficile orientarsi. I tabelloni erano spenti per un guasto elettronico, l'orario murale era in via di sostituzione, l'ufficio informazioni chiuso e i pochi ferrovieri si dileguavano non appena (cercare) .... di avvicinarli. Perciò (mettersi) .... a leggere le indicazioni sui vagoni dei treni, ma ogni carrozza portava una destinazione diversa, la prima Basilea, la seconda Foggia, la terza Innsbruck, così immaginai che al fischio del capostazione il treno (contorcersi) .... come un verme e ogni carrozza (schizzare) .... in direzioni diverse, lasciando lì da sola la carrozza ristorante, che non (portare) .... scritta altra destinazione se non se stessa. In quel momento nella marea di gente che (avanzare) .... a spintoni e valigiate, notai un uomo blazeruto, elegantissimo, con una valigetta nella destra e un computeruzzo nella sinistra. Si dirigeva deciso e spavaldo verso il binario 8. Dal suo portamento dedussi che (andare) .... nella capitale. Non fui deluso. [...] Nel vagone successivo trovai peccatori di diversa specie. C'era infatti un gelo spaventoso dovuto alla rottura dell'impianto di riscaldamento... Passai di corsa nel vagone successivo, ma mi mancò il fiato perché (avvolgere — passivo) .... da una vampata ardente. Mi dissero che qui (saltare) .... l'impianto di condizionamento... Anche da questo vagone scappai, ma nel seguente incontrai il girone dei Valigiati, qui i peccatori erano per la metà giapponesi e per la metà di nazionalità varia, ma ognuno portava valige grandi come letti matrimoniali che (spostarsi) .... a ogni curva schiacciando bambini. Scavalcandole riuscii ad arrivare ad un altro vagone, lì c'erano i Prenotati il cui supplizio (consistere) .... nell'avere tutti, a due a due, a tre a tre, lo stesso numero di posto, così che (dovere) .... litigare in piedi per tutto il tragitto, mentre un controllore impassibile (dare) .... la colpa al computer.

[da *L'ultima lacrima* di Stefano Benni, © Feltrinelli 1994]

Avete indovinato? Si tratta di una breve parodia di una celebre opera della letteratura italiana. Sapreste dire quale?

....

5 Ora tocca a voi!

A coppie: elencate e descrivete 10 tipi di disagio che si possono subire durante un viaggio.

E

1 Spettabile ditta...

A coppie: leggete la lettera e dite qual è il messaggio principale che contiene. Di che tipo di lettera si tratta, secondo voi?

Genova, 11 maggio

Spett.le ditta
NAVIGATUR

È con grande disappunto che intendo segnalarVi con la presente un fatto verificatosi recentemente e che Vi riguarda in prima persona.
Il 3 maggio ero di ritorno a Genova da un convegno in Sicilia, a Palermo, con il traghetto delle 22:36. Avevo prenotato un mese prima una cabina singola in II classe per un costo di circa 150 euro. Dal momento che avevo un paio di giorni liberi, avevo pensato di ritornare a Genova via nave, godendomi la minicrociera e rilassandomi un po'. Arrivato nella mia cuccetta sulla nave, ho visto un piccolo insetto e l'ho schiacciato. Poi, stanco morto, mi sono addormentato. Ero ignaro di essere finito in un nido di pulci e zecche. Sono stato letteralmente divorato e riempito di punture in tutto il corpo. Il mattino, con un'ora di ritardo, la nave è arrivata a Genova e sono sceso senza sospettare cosa fosse successo.
Il mattino seguente ho avvertito un po' di prurito, ma non ci ho fatto caso. Nel pomeriggio il prurito si è fatto più insistente e la sera mi sono accorto di avere otto bolle rosse. Arrivato a casa, ho visto che avevo tutte le braccia e il collo ridotti in condizioni pietose. Subito sono andato al pronto soccorso, lì sono stato curato con del cortisone e degli antistaminici. Il dolore e il prurito sono passati lentamente.
Ciò che non mi è ancora passato è il sentimento di indignazione per quanto accaduto. Ho provveduto ad informare dell'accaduto la polizia portuale. In passato ho avuto modo di viaggiare varie volte su traghetti in diversi paesi del mondo cosiddetti "sottosviluppati", anche tra capre e galline, ma non mi è mai successo nulla del genere. Mi riservo di adire le vie legali.
Distinti saluti [Lettera firmata]

Unità 5

2 La struttura di una lettera di reclamo

A coppie: leggete ancora la lettera e sottolineate le parti in cui si esprime con più enfasi il disappunto e la protesta. Poi scegliete a piacere un motivo di reclamo per un viaggio e scrivete una lettera di protesta. Ricordate anche le espressioni che avete trovato nell'unità 10 di Caffè Italia 2.

F

1 La fauna

A coppie: sapete dove si possono trovare questi animali in Italia? Quali sono gli animali selvatici che vivono nel vostro paese? Quali tra questi animali sono in via di estinzione?

il lupo

il camoscio

il cavaliere d'Italia

la volpe

2 Il Parco Nazionale d'Abruzzo

Leggete il testo e sottolineate tutti i nomi di animali che trovate. Poi completate la tabella con le informazioni sul parco.

I numeri del parco	Periodi adatti alla visita	Informazioni pratiche

Il Parco Nazionale d'Abruzzo fu istituito nel 1923. È compreso per la maggior parte (3/4 circa) nella provincia dell'Aquila in Abruzzo. Il territorio del Parco Nazionale d'Abruzzo è costituito principalmente da un insieme di catene montuose la cui altezza varia dai 900 ai 2.200 metri sul livello del mare. È il più antico parco degli Appennini e ha giocato un ruolo importante nella conservazione di alcune tra le specie faunistiche italiane più importanti come il lupo, il camoscio d'Abruzzo e l'orso bruno marsicano. Boschi di faggio coprono circa due terzi della superficie. A quote superiori, nelle pietraie, crescono i pini mugo, altrimenti assai poco diffusi negli Appennini. Altra fauna caratteristica del parco è costituita dal cervo, dal capriolo, dal cinghiale e dal picchio di Lilford.

La principale attrattiva del parco è rappresentata dall'orso bruno marsicano che, peraltro, non è facile da incontrare. Durante la giornata infatti gli orsi restano nascosti nel fitto del bosco e si cibano di bacche ed altri prodotti della natura. Fino a qualche anno fa era una specie in via di estinzione. Attualmente nel parco ne esistono un centinaio di esemplari. Nel parco sono presenti almeno 40 lupi, ma non sono visibili facilmente. Altrettanto difficili da vedere sono il gatto selvatico, la lontra, la martora, la faina, il tasso e la puzzola. Molto più facile invece vedere la volpe, la lepre, la talpa, il riccio e la donnola; abbastanza frequenti il ghiro e lo scoiattolo. Facilmente ammirabili da ogni angolo del parco, i rappresentanti della fauna alata: l'aquila reale, l'astore, la poiana, il gufo reale e l'allocco. Il rapace più noto e più raro di questo parco è probabilmente il grifone, che recentemente ha ripreso ad abitare in quest'area.

Ogni anno il Parco Nazionale d'Abruzzo viene visitato da circa due milioni di turisti provenienti sia dalla penisola che da numerosi paesi stranieri. La visita al Parco Nazionale d'Abruzzo, è sempre un'occasione che offre grandi emozioni e che consente di misurarsi con se stessi e una natura di rara bellezza. Grazie ad un clima non eccessivamente rigido è possibile visitare il Parco in ogni stagione. Si consiglia, però, di escludere i periodi festivi perché particolarmente affollati; è preferibile scegliere la primavera e l'inizio dell'estate, quando la natura si risveglia con ricche fioriture e canti di uccelli oppure l'autunno, quando le foreste si rivestono di vividi e caldi colori. In questi periodi, oltre alla tranquillità, si può contare su un'assistenza più accurata da parte dell'Ente Parco.

È opportuno prenotare con un certo anticipo la visita, consultando i Centri Visita del Parco per l'uso dei rifugi, delle aree di campeggio e per informazioni specifiche sull'ambiente naturale e sulle speciali attività ecoturistiche, naturalistiche e di educazione alla natura organizzate dall'Ente Parco.

Qualunque sia il periodo scelto per trascorrere una vacanza al Parco, occorre un equipaggiamento per media e alta montagna, oltre a una macchina fotografica, un binocolo, una mappa dell'area protetta e un paio di scarpe adatte a lunghe passeggiate. Se si desidera andare in comitiva o in gruppi superiori a venti persone, è preferibile prenotarsi tramite gli uffici preposti (Centro Internazionale, Centro Lupo e Ufficio di Zona di Pescasseroli), anche per godere di una migliore assistenza.

L'ingresso al Parco è libero e gratuito.

3 Ora tocca a voi!

A coppie: scegliete un parco famoso che conoscete, prendete appunti per descriverlo. Poi riferite alla classe.

UN VIAGGIO PER TUTTI

A. *In gruppi di tre/quattro persone: il vostro insegnante attribuirà ad ogni componente del gruppo un diverso ruolo di viaggiatore. Cercate poi i compagni degli altri gruppi che hanno ricevuto lo stesso ruolo, sedetevi insieme a loro e passate all'attività B.*

B. *Leggete insieme la descrizione del vostro profilo che trovate in appendice a pagina 171 e fate una lista degli argomenti che potreste usare per convincere gli amici del gruppo di partenza a fare con voi una vacanza che soddisfi i requisiti del vostro profilo di viaggiatore.*

C. *Ritornate ora nel gruppo di partenza e discutete con i compagni che hanno un diverso profilo di viaggiatore cercando una soluzione di viaggio che vada bene per tutti.*

D. *Dopo aver trovato il viaggio ideale per tutto il gruppo scrivete un resoconto della vacanza fatta insieme.*

Italia ON LINE

Immaginate di aver fatto un'esperienza di viaggio assolutamente straordinaria. A casa scrivetene il resoconto e poi presentatelo alla classe. Forse troverete ispirazione visitando questi o altri siti Internet dedicati al viaggio:

L'uomo che volava: www.angelodarrigo.com
Viaggi alternativi: www.viaggiavventurenelmondo.it
Sito ufficiale del parco nazionale d'Abruzzo: www.parcoabruzzo.it

A che gioco giochiamo?

Carte da gioco napoletane

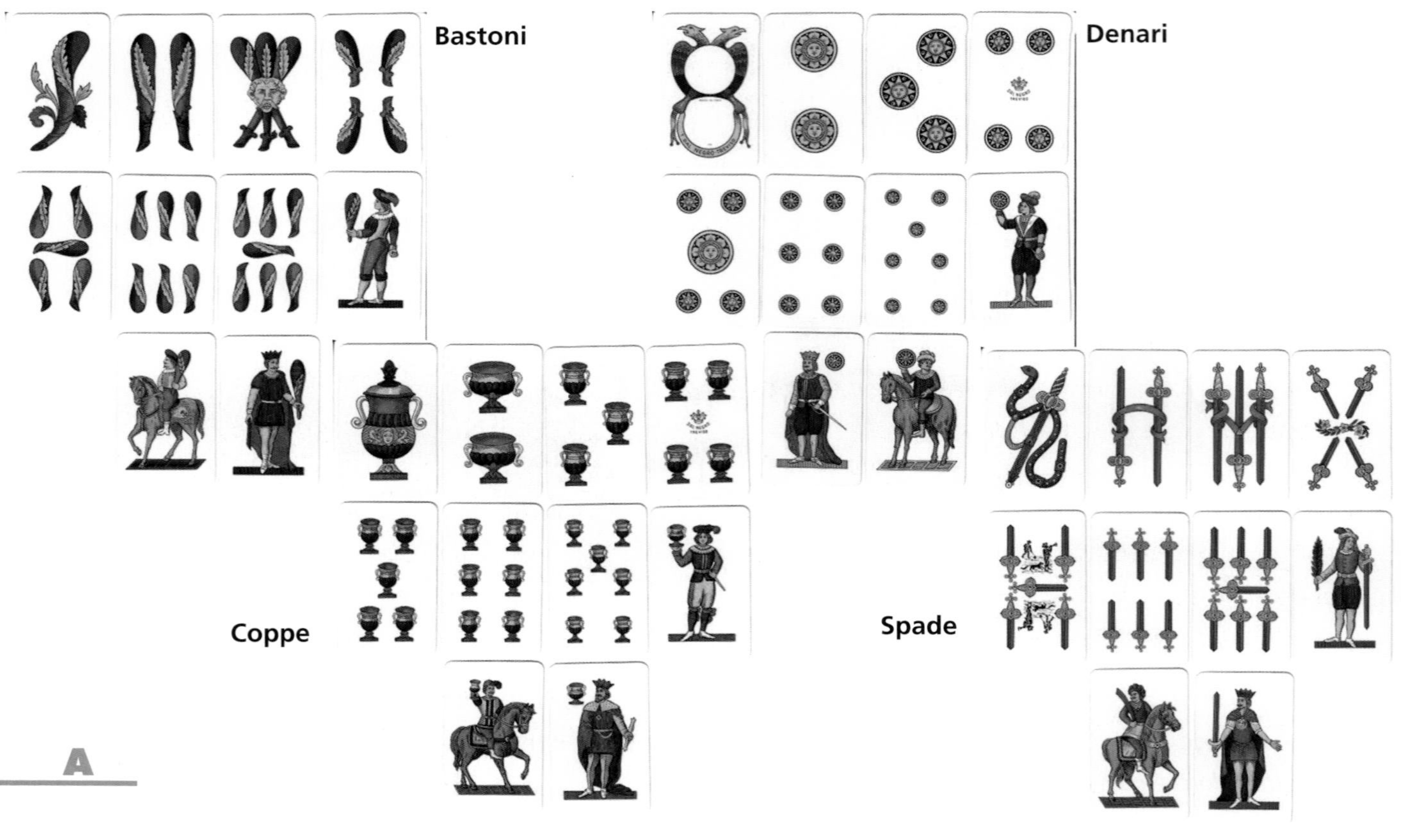

A

1 Giochi di carte

A coppie: leggete il testo. Poi scegliete se sono vere o no le affermazioni a pagina 77.

Se dite a qualcuno "Facciamo un giro a carte", è chiaro di cosa state parlando e tutti capiscono che avete voglia di giocare seduti attorno a un tavolo. In Italia le carte fanno parte di una secolare tradizione di gioco. Fin dal 1200 mercanti, soldati e avventurieri le hanno portate con sé da viaggi e imprese in luoghi lontani: inizialmente erano un passatempo stravagante di nobili e ricchi, poi le carte si sono diffuse in tutte le classi sociali. Spesso sono state proibite per lungo tempo, come del resto molti altri giochi, ma si sa che il proibito ha un suo fascino particolare e nessun divieto ha mai impedito ad alcuno di imparare a giocare a *scopa* o a *tressette*, a *sette e mezzo* o a *zecchinetta*.
Le carte da gioco sono divise in semi e in base a questi e al modo in cui sono raffigurati si differenziano tra loro. In occidente la serie di semi più antica è quella *mediterranea*, in particolare italiana e spagnola. *Coppe, denari, bastoni* e *spade* sono i quattro semi tradizionali, raffigurati con simboli propri dell'epoca tardo-medievale. Secondo alcuni, i semi si riferiscono agli ordini sociali classici dell'epoca medievale: *coppe* per il clero, *denari* per i mercanti, *spade* per i nobili, *bastoni* per i contadini. Secondo altri, invece, il riferimento è alle quattro stagioni. Da questa serie si sviluppano i semi delle carte francesi: le *coppe* si trasformano in *cuori*, i *denari* in *quadri*, i *bastoni* in *fiori* (trifogli) e le *spade* in *picche*.
I mazzi di carte oggi più diffusi nel mondo sono quelli anglofrancesi di 54 carte (con 2 *jolly* o *joker*).
Un'altra particolarità delle carte sono le figure: inizialmente sono disegni a figura intera. Soltanto dopo molto tempo diventano doppie, leggibili da una parte e dall'altra. Ogni figura ha una sigla, nei mazzi anglosassoni le sigle delle figure sono le seguenti:
A (*Ace* = Asso) **K** (*King* = re) **Q** (*Queen* = regina) **J** (*Jack* = fante)

	Vero	Falso
1. Dire "facciamo un giro a carte" è un invito a farsi leggere il futuro con le carte.	☐	☐
2. In Italia si praticano giochi di carte da tempi remoti.	☐	☐
3. Si suppone che il gioco delle carte sia stato inventato dai mercanti.	☐	☐
4. Le carte da gioco erano un passatempo usuale di nobili e ricchi.	☐	☐
5. Nei periodi in cui giocare a carte era proibito, il gioco era ancora più attraente.	☐	☐
6. Nel mondo occidentale la serie di semi più antica è quella adriatica, in particolare italiana e spagnola.	☐	☐
7. Alcuni ritengono che *coppe*, *denari*, *bastoni* e *spade* rappresentino le quattro stagioni.	☐	☐
8. I simboli delle carte anglofrancesi si sono sviluppati a partire da quelli delle carte più antiche.	☐	☐

2 Confronti culturali

A coppie: raccogliete informazioni seguendo le domande guida. Poi riferite alla classe ciò che avete scoperto.

- È diffusa l'abitudine di giocare a carte nel vostro paese?
- Quali sono i giochi di carte più conosciuti? Chi li gioca?
- Conoscete le abitudini di altri paesi, oltre al vostro?
- E voi? Giocate volentieri a carte? Con chi?

3 Espressioni idiomatiche e altre frasi tipiche

Abbinate a ogni espressione la sua definizione. Poi distinguete fra le espressioni idiomatiche e le frasi tipiche del gioco delle carte.

1. ☐ imbrogliare le carte	a. cambiare le regole o le condizioni generali senza preavviso
2. ☐ leggere o fare le carte a qualcuno	b. esporre sinceramente il proprio pensiero o le informazioni che si hanno
3. ☐ fare una partita a carte	c. non nascondere nulla
4. ☐ cambiare una carta	d. fare l'ultimo tentativo
5. ☐ mettere le carte in tavola	e. mescolare le carte e distribuirle ai giocatori
6. ☐ cambiare le carte in tavola	f. giocare a carte
7. ☐ giocare a carte scoperte	g. prendere una carta dal mazzo e sostituirla a una che abbiamo in mano
8. ☐ avere delle buone carte	h. predire il futuro a qualcuno interpretando le carte
9. ☐ giocare l'ultima carta	i. creare confusione nelle carte, alterare, travisare qualcosa
10. ☐ dare le carte	l. avere buone possibilità, opportunità

Frasi tipiche del gioco delle carte:	Espressioni idiomatiche:
....	....
....	....
....	....
....	....
....	....
....	....

Unità 6

B

1 Se tu fossi un re, che cosa faresti?

A coppie: secondo voi che cosa risponderebbe un bambino a questa domanda? Annotate le vostre idee e poi mettetele a confronto.

....

....

....

....

....

....

....

....

....

....

2 La parola ai bambini

A coppie: leggete questo testo che rappresenta una sintesi di ciò che hanno scritto alcuni bambini della Scuola Elementare Statale P. Martini di Roma e completate l'elenco dei loro propositi a pagina 79.

Se fossi un re costruirei una gran piazza con il mercato e con molte statue, dove si parla solo quando sulle porte c'è un cartello di color verde con scritto "parlate" e, quando bisogna stare zitti, c'è un cartello di color rosso con scritto "shh".
Se fossi un re, non governerei da tiranno, anzi. Non farei bruciare incenso sotto la mia statua, come facevano alcuni imperatori romani e non terrei tutti i soldi per me ma , in groppa a un cavallo bianco, li distribuirei mentre fanno una parata in mio onore.
Mica farei ammazzare la gente perché è di un'altra religione, io invece darei al popolo la possibilità di scegliere. Farei smettere le guerre e farei togliere dalla circolazione i negozi e la gente che possiede armi.
Se io fossi un re, farei pagare le tasse ai ricchi e i soldi delle tasse andrebbero ai più poveri e bisognosi tramite un'agenzia completamente gratis. Riguardo a me, mi trasferirei in un palazzo bellissimo di quattro piani (un piano per ogni componente della famiglia) più una cantina grande, asciutta e luminosa, con un giardino segreto, una piscina rotonda, tanti alberi da frutto, palme e, per il cane, una stanza dove può fare tutto quello che vuole. In questa casa ci metterei anche un piccolo museo. Insomma, mi farei una casa degna di un re. Ringrazierei ogni giorno il popolo per avermi eletto re.
Io, se fossi un re, avrei un esercito ma non attaccherei gli altri paesi, infatti i soldati mi servirebbero solo per difendermi dai nemici. Inventerei utensili per permettere all'uomo di faticare di meno e sui libri magari scriverei la verità delle mie epiche gesta; non come alcuni re che scrivono bugie dicendo di aver conquistato grandi paesi e fatto gigantesche opere di bontà quando non riescono a conquistare nemmeno un formicaio e uccidono il popolo perché è contrario al re.
Beh! Io avrei finito. Secondo me governerei bene. Voi che ne pensate?

[testo adattato da: http://utenti.romascuola.net/martini]

I propositi dei bambini:

Far costruire una gran piazza, dove si parla solo se il cartello sulle porte indica "parlate".
Non governare da tiranno. Non far bruciare incenso sotto la propria statua.

....

....

....

....

....

....

3 Congiunzioni e avverbi

Leggete di nuovo il testo in B2 e associate ogni espressione sottolineata a quella di significato corrispondente riportata qui di seguito. Poi cercate nel dizionario altri esempi di uso di queste espressioni.

1. non ....
2. al contrario ....
3. piuttosto ....
4. forse ....
5. in breve ....
6. in realtà ....

4 2.6 Approfondimento

Parlando con gli italiani avrete avuto senz'altro occasione di notare che la parola "magari" può avere diversi significati. Ascoltate ora queste frasi. Poi abbinate a ognuna l'espressione che meglio si adatta al significato specifico di "magari".

1. ☐ • Ti piacerebbe venire con me in Cina quest'estate?
   • Eh, magari!
2. ☐ Magari ci fosse stato Internet ai miei tempi!
3. ☐ • Prenoto anche per te?
   • Eh, magari... grazie.
4. ☐ Se non ti ha chiamato stasera, magari ti chiama domani.
5. ☐ • Sai che Roberto si sta laureando?
   • Magari! Non riesco ancora a crederci.

a. Volesse il cielo
b. se non ti dispiace... / se puoi...
c. forse
d. Sarebbe bello
e. Ah, se

Unità 6

5 E se tu fossi un politico che cosa faresti?

A coppie: rispondete alla domanda, prendendo qualche appunto. Poi confrontatevi con altre coppie e infine fate una sintesi delle idee migliori. Utilizzate le congiunzioni e gli avverbi trovati in B3.

....

....

....

....

....

....

....

C

1 La Settimana Enigmistica

A coppie: conoscete questa pubblicazione? L'avete mai sfogliata? Scambiatevi le vostre informazioni. Poi confrontatele con quelle degli altri compagni.

2 2.7 Il passatempo di Grazia

Ascoltate Grazia che ci parla del suo passatempo preferito e rispondete alla domande. Poi confrontate le vostre risposte con quelle dei compagni.

1. Come ha conosciuto "La Settimana Enigmistica" Grazia?
2. Dove si trova lo slogan "la rivista che vanta innumerevoli tentativi d'imitazione"?
3. Quando è stato pubblicato il primo numero? Dove?
4. In quale giorno della settimana è possibile trovarla in edicola?
5. Chi era Pietro Bartezzaghi?
6. Quali sono i motivi, secondo Grazia, per cui si dovrebbe comprare "La Settimana Enigmistica"?

3 2.8 Il famoso tempo libero

Ascoltate le interviste e compilate la tabella con le informazioni relative alle diverse preferenze sul tempo libero.

	Ozio	Giochi di società	Sport	Altro
Dario, 49 anni				
Patrizia, 38 anni				
Luca, 7 anni				

4 Il cruciaggettivo

Completate lo schema incrociato con gli aggettivi adatti in ogni frase. Scrivete l'aggettivo al posto giusto: prima o dopo il nome, a seconda dei casi. Poi riflettete con i compagni sulle regole che riguardano la posizione dell'aggettivo in italiano.

1. È noto che i primi romanzi polizieschi della Mondadori avevano una .... copertina .... !
2. La Carboneria è senz'altro la più famosa fra le .... società .... del Risorgimento.
3. Non vado volentieri in quel ristorante perché c'è .... rumore ....
4. Il sito di Slangopedia è nato qualche tempo fa da un'inchiesta de L'Espresso sul .... linguaggio ....
5. I più grandi ricordano senz'altro il simpatico mago Zurlì, con la mantella e la sua .... calzamaglia ....
6. La lingua italiana deriva dal .... dialetto .... attraverso un processo di rielaborazione letteraria.

Unità 6

5 Confrontiamoci

A coppie: fate una lista dei giochi e dei passatempi nominati fin qui. Poi fate un confronto con le tendenze del vostro paese. Quali giochi e passatempi avete in comune con gli italiani?

1 L'isola deserta e la coperta

Conoscete il gioco dell'isola deserta? A coppie: ricostruite le singole frasi e leggetele. Poi scegliete l'ipotesi che preferite.

Se vado	su un'isola deserta,	porto	una coperta.	Lo faccio sicuramente.
Se andrò		porterò		Lo farò sicuramente.
Se andassi		porterei		Non è così probabile. Forse.
Se fossi andato		avrei portato		Non sono andato, non l'ho fatto.
Se ci fosse	l'isola deserta	avrei portato		Siccome non c'è l'isola, non lo faccio.

2 Mettiamo a fuoco

A coppie: considerate le frasi in D1 da un punto di vista grammaticale e completate la tabella.

Grammatica attiva

Il periodo ipotetico

Per fare ipotesi o porre delle condizioni e dire quali sono le conseguenze delle stesse si usa il periodo ipotetico, cioè una struttura composta da due frasi:

- la frase che esprime l'ipotesi o la condizione, introdotta dalla congiunzione ....
- e la frase che esprime la conseguenza.

Nell'analisi grammaticale, si distinguono **tre tipi di periodo ipotetico** *relativamente al loro grado di probabilità. Considerate ora le frasi in D1 da questo punto di vista e riscrivetele sotto alla definizione corrispondente.*

Nel periodo ipotetico della realtà *la frase che esprime l'ipotesi o la condizione si riferisce a qualcosa che si può realizzare con altissima probabilità.*

....

....

Nel periodo ipotetico della possibilità *la frase che esprime l'ipotesi o la condizione si riferisce a qualcosa che può realizzarsi ma non è del tutto sicuro.*

....

....

Nel periodo ipotetico della irrealtà *la frase che esprime l'ipotesi o la condizione si riferisce a qualcosa che riteniamo non realizzabile. Ci sono due ragioni principali per ritenere un evento non realizzabile:*

1) contrasta con la nostra conoscenza della realtà: Se avessi le ali, volerei su un'isola deserta.

2) l'uso del tempo passato rende chiaro che l'ipotesi è ormai impossibile:

....

Riflettete anche sulla frase seguente e provate a sostituire l'imperfetto con i tempi del periodo ipotetico della irrealtà: Se **andavo** *su un'isola deserta* **portavo** *una coperta. Troppo tardi!*

....

Questa forma viene usata nell'italiano colloquiale.

3 E ora andiamo finalmente sull'isola deserta!

Se vi dicessero che dovete stare una settimana su un'isola deserta che cosa vi portereste? Scegliete uno dei tre oggetti raffigurati, scrivetelo su un foglietto e aggiungete altre 3 cose che vi potrebbero servire per rendere il vostro soggiorno più piacevole. Consegnate i vostri foglietti all'insegnante che li mischierà. Ognuno di voi, poi, ne pesca uno. Formate delle coppie e inventate un dialogo che contenga gli oggetti nominati sui foglietti.

Se dovessi stare una settimana su un'isola deserta mi porterei...

Un lettore mp3

Un'annata della Settimana Enigmistica

Una playstation

Esercizio: *Abbinate le frasi delle due colonne per ricostruire il periodo ipotetico. Ci sono più soluzioni possibili.*

1. ☐ Adesso me ne andrei a dormire
2. ☐ Se avessi cinque magie a disposizione
3. ☐ Se solo si potesse fermare il tempo
4. ☐ Se me lo dicevi prima
5. ☐ Se sai riparare il computer
6. ☐ Che vita sarebbe
7. ☐ Se mio figlio avesse studiato di più
8. ☐ Se non avessi così fretta
9. ☐ Se avessi un assegno in bianco

a. avrei solo l'imbarazzo della scelta.
b. se non dovessi finire il lavoro per domani.
c. se non ci fosse la Nutella!
d. passavo io a prenderti.
e. a quest'ora sarebbe stato promosso.
f. vorrei stare qui con te per sempre.
g. sai quante cose farei...
h. mi fermerei per un caffè.
i. puoi darmi una mano.

E

1 Ricostruiamo il testo

Il gioco delle iniziali: si prende un personaggio famoso e se ne racconta la storia usando solamente parole che iniziano con la stessa iniziale del suo nome. Dividetevi in 4 gruppi: ogni gruppo riscrive un paragrafo inserendo gli elementi necessari a formare delle frasi (verbi, preposizioni, articoli, ecc.).

M come Marilyn Monroe

Madre malata mentale, mandata manicomio. Minorenne, maritò meritevole marine. Misure modella, musetto mite, morbide movenze, maniaca make-up, magnifici merletti.

Molteplici mariti, madre mancata, moglie mediocre; musa marito Miller. Matrimoni mai meravigliosi. Munifico mestiere: microfoni, monitor, movies, mass-media, MGM. Mise molte maschere: miope meditante meritare miliardario.

Merito metropolitana mostrò maschi maliziose mutandine: marito molla. Malinconica miliardaria, macchine, maschi muscolosi, materassi molleggiati, morbida moquette, musiche melodiose. Malelingue mormoravano malignamente mancasse moralità.

Megapresidente? Mafia? Malavitosi? Mescolò Martini medicine micidiali? Mah! Maledizione, meriterebbe morte migliore! Molti mesti misero, mettono, metteranno mughetti, margherite, mimose monumentale marmo memoriale: mai morirà memoria moltitudine.

|adattato da *Povero Pinocchio*, a cura di Umberto Eco, © Comix 1995, pag. 36-37|

Unità 6

2 Trova l'intruso!

Trovate l'intruso. Poi scrivete una frase che lo contenga. Aiutatevi con un dizionario.

matto: folle • assennato • pazzo .... Gianni è un ragazzo **assennato**, farà la scelta giusta.
mentale: psichico • fisico • intellettivo ....
meritevole: stimato • lodevole • indegno ....
mite: buono • mansueto • crudele ....

Il gioco continua a pagina 84...

Continua: trovate l'intruso...

morbido: tenero • dolce • molle ....
magnifico: bellissimo • splendido • modesto ....
molteplice: numeroso • unico • svariato ....
mediocre: limitato • eccellente • medio ....
meraviglioso: stupendo • orrendo • straordinario ....
molto: parecchio • notevole • poco ....
munifico: avaro • generoso • prodigo ....
malizioso: sospettoso • ingannevole • benigno ....
malinconico: sereno • triste • infelice ....
muscoloso: forzuto • debole • atletico ....
molleggiato: sciolto • elastico • duro ....
melodioso: musicale • sgradevole • armonioso ....
maniacale: morboso • naturale • ossessionante ....
moderno: odierno • recente • antico ....
micidiale: mortale • leggero • letale ....
monumentale: grandissimo • colossale • misero ....

3 Ora tocca a voi!

A coppie: con l'aiuto di un dizionario, cercate almeno 3 parole per ognuno di questi personaggi usando l'iniziale dei loro nomi. Vince la coppia che finisce per prima.

Celentano **Pinocchio** **Giotto**

F

1 Il gioco dell'oca linguistico

A gruppi di 4: seguendo le istruzioni create il gioco dell'oca sulla lingua italiana. Preparate 42 domande, come negli esempi.

Coniuga il verbo essere al congiuntivo.
Qual è il contrario di molto?
Di' un'espressione idiomatica con la parola carte.

Materiale occorrente: un foglio bianco in formato A3, pennarelli, piccoli oggetti da usare come segnaposto, due dadi.
Descrizione: su un cartellone è disegnato un percorso a spirale diviso in 63 caselle.
13 caselle sono occupate dall'oca e disposte una ogni 4-5 caselle normali. Il giocatore che capita su una di queste raddoppia il valore ottenuto dai dadi avanzando più velocemente: l'oca porta fortuna.
8 caselle presentano degli "ostacoli" al percorso. Qui ci si ferma per uno o più giri, si paga una penalità o si retrocede di una, due o più caselle, dipende dall'indicazione della casella.
Come si gioca: dopo aver tirato i dadi per stabilire il turno di partenza, i giocatori muniti di segnaposto avanzano secondo il punteggio indicato dalla somma dei due dadi tirati. Vince chi arriva per primo alla casella numero 63 terminando il percorso.

2 A che cosa volete giocare?

A coppie: scegliete tre giochi che conoscete e preparatevi a spiegare agli altri le regole del gioco.

lego
puzzle
memory
acqua, fuoco, fuochino
monopoli
gioco delle pulci
corsa coi sacchi

shangai/mikado
battaglia navale
tria/filetto
dama
scacchi
non t'arrabbiare
risiko

tabù
scarabeo
domino
caccia al tesoro
nomi, città, cose, animali, fiumi, nazioni
sudoku
trivial pursuit

Promemoria per illustrare i giochi:

Nome del gioco: ....
Obiettivo del gioco: ....
Regole del gioco: ....
Numero dei giocatori: ....
Materiale occorrente: ....

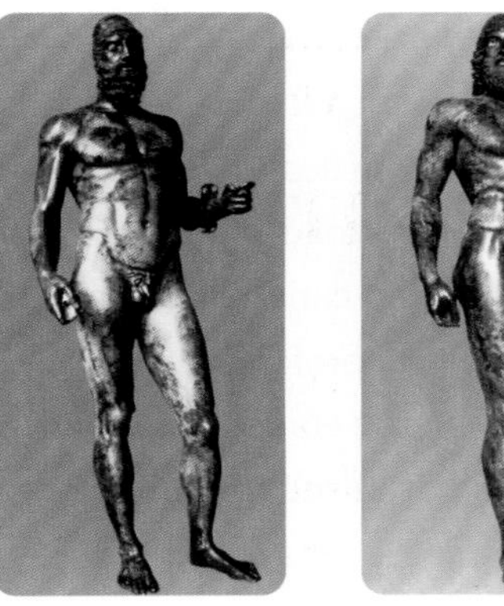

1 I bronzi di Riace: atleti guerrieri o dèi?

A coppie: scambiatevi le informazioni che avete su queste due statue. Se non le conoscete osservate le immagini e fate delle ipotesi sui personaggi che rappresentano.

Unità 6

2 Approfondiamo

Leggete le seguenti informazioni sui bronzi. Poi leggete anche il testo a pagina 86 e associate ogni paragrafo alle righe del testo con le informazioni corrispondenti.

1. Anfiarao, il bronzo B, rappresenta il guerriero vecchio, costretto a partire per la guerra pur sapendo di andare incontro alla morte.
   Righe: ....

2. Dalle ipotesi avanzate, si tratterebbe di opere realizzate ad Atene attorno al 430-460 a.C., successivamente destinate a Roma. La nave che le trasportava probabilmente affondò. Secoli di esposizione all'acqua salata avevano iniziato a danneggiarne il bronzo. Dopo il ritrovamento è iniziata una delicata e complessa opera di restauro. **Righe:** ....

3. In origine i bronzi dovevano essere molto espressivi e "vivi" grazie all'uso di pietre colorate, del rame e dell'argento. Tideo, il bronzo A, rappresenta il guerriero giovane e feroce, capace di compiere l'azione più spietata. **Righe:** ....

4. Il ritrovamento dei bronzi di Riace fu un evento eccezionale, in quanto sono arrivati ai giorni nostri solo pochissimi esemplari di statue greche originali. Il restauro venne effettuato a Firenze presso uno dei laboratori più specializzati del mondo. **Righe:** ....

1 Il bronzo A, detto anche "il giovane", potrebbe rappresentare Tideo, un feroce eroe proveniente dall'Etolia, figlio del dio Ares (o del re Eneo) e protetto di Atena. Il bronzo B, detto "il vecchio", raffigurerebbe invece Anfiarao, un profeta guerriero. Le due sculture furono ritrovate nel mar Ionio, a 300 metri dalle coste di Riace in provincia di Reggio Calabria, nel 1972. L'eccezionalità del ritrovamento fu subito chiara, date le poche statue originali che ci sono giunte dall'antica Grecia. Furono trasportate a Firenze dove fu curato il restauro presso l'Opificio delle Pietre Dure, uno dei più specializzati laboratori di restauro del mondo. Nel 1980 furono esposte in una mostra, che ebbe un successo eccezionale, e quindi trasportate nel museo archeologico di Reggio Calabria dove sono tuttora esposte. In base alle perizie scientifiche si fa risalire la statua A al 460 a.C., in periodo severo; mentre al periodo classico e, più precisamente al 430 circa a.C., viene datata la statua B.

20 I bronzi di Riace furono con probabilità realizzati ad Atene e da lì furono rimossi per essere portati a Roma, forse destinati alla casa di qualche ricco patrizio. Ma il battello che li trasportava dovette affondare e il prezioso carico finì sommerso dalla sabbia a circa 8 metri di profondità.

Le statue erano piene di terra, che, impregnata da secoli di salsedine, stava corrodendo il bronzo dall'interno. La terra fu estratta facendola passare dai fori che si trovavano nei piedi delle statue.

30 Analizzando la terra, si è scoperto che quella del bronzo B proveniva dall'Atene di 2500 anni fa, mentre quella del bronzo A apparteneva alla pianura dove sorgeva la città di Argo, più o meno nello stesso periodo. La provenienza geografica e la tecnica usata fanno pensare che l'autore del "giovane" fosse Agelada, uno scultore di Argo che, a metà del V secolo a. C., lavorava nel santuario greco di Delfi e nel Peloponneso. Infatti Tideo assomiglia moltissimo alle decorazioni del tempio di Zeus a Olimpia. Quanto al "vecchio", i risultati dell'analisi hanno confermato l'ipotesi dell'archeologo greco Geòrghios Dontàs: a scolpirlo fu Alcamene, nato sull'isola di Lemno, che pare avesse ricevuto la cittadinanza ateniese per i suoi meriti d'artista.

45 Le statue erano abbellite da elementi cromatici: il rosso del rame evidenziava i capezzoli e le labbra e gli occhi erano pietre colorate, i denti d'argento. Quest'ultimo particolare, finora unico esempio nella statuaria classica enfatizza bene l'espressione di Tideo, che non è affatto sorridente come sembra. Il suo è invece un ghigno satanico e bestiale, simbolo della ferocia del guerriero capace di fermarsi a divorare il cervello del nemico tebano Melanippo: un orrendo atto di antropofagia che costò all'eroe l'immortalità promessagli da Atena. Un'altra tragica vicenda sembra emergere dall'espressione angosciata del bronzo B Anfiarao, il guerriero-profeta, che tradito dalla moglie Erifile, era stato costretto a partire per la guerra pur conoscendo la tragica conclusione della spedizione e la propria morte.

Ma come hanno fatto i due bronzi superstiti ad arrivare nel mare della Calabria? All'inizio si ipotizzò che i due bronzi fossero stati gettati in mare dall'equipaggio di una nave in difficoltà per il mare grosso, ma nelle campagne di rilevamento successive si ritrovò un pezzo di chiglia appartenuta a una nave romana di età imperiale. Si notò inoltre che le due statue erano state ritrovate vicine e affiancate, cosa impossibile anche se fossero state gettate in mare contemporaneamente. Il ritrovamento sembra invece tipico di uno scafo di una nave naufragata, disfatta nei secoli a causa delle forti correnti e dell'acqua marina.

(adattato da: Riccardo Tonani, in *Focus*, n. 71 - Settembre 1998)

3 Mettiamo a fuoco

A coppie: il testo che avete appena letto contiene le stesse informazioni di base di quello a pagina 85. Eppure risulta molto "più difficile". Analizzatelo meglio per capire che cosa lo rende più difficile. Poi parlatene con i compagni e con l'insegnante.

Percorsi

Una serata ludica

A. *A gruppi di 4 o 5: raccogliete idee e proposte per organizzare una serata ludica con tutti i compagni del corso. Seguite le domande guida.*

- Come vi preparate?
- Come sarà la serata? dove? quando? con chi? perché?
- Che tipo di giochi volete proporre?
- Che cosa non dovrà assolutamente mancare?

B. *In classe: confrontate le vostre proposte, scegliete le migliori e organizzate la serata. Buon divertimento!*

C. Il gioco del se fosse...
In classe: fate uscire un compagno e scegliete una persona del gruppo oppure una persona famosa. Poi fate rientrare il compagno che dovrà indovinare chi è la persona che avete scelto, ponendo solo domande scelte fra le seguenti. Ripetete più volte il gioco. Vince chi indovina con il minor numero di domande.

Se fosse un mese, quale sarebbe?
Se fosse un animale, quale sarebbe?
Se fosse un fiore, quale sarebbe?
Se fosse famoso, in quale settore lavorerebbe?
Se fosse uno strumento musicale, quale sarebbe?
Se fosse un colore, quale sarebbe?
Se fosse un'emozione, quale sarebbe?
Se fosse un cibo, quale sarebbe?
Se fosse un mezzo di trasporto, quale sarebbe?
Se fosse una canzone, che tipo di canzone sarebbe?
Se fosse una bevanda, quale sarebbe?
Se fosse un luogo geografico, dove sarebbe?
Se fosse un materiale, quale sarebbe?
Se fosse una parola, quale sarebbe?
Se fosse un oggetto, quale sarebbe?
Se fosse un libro, che tipo di libro sarebbe?

Italia ON LINE

Se volete approfondire le vostre conoscenze sui giochi, visitate questi siti. Prendete appunti per riferire ai compagni in classe.

www.aenigmatica.it
www.ludens.it
www.igiochidielio.it
www.gradaraludens.it

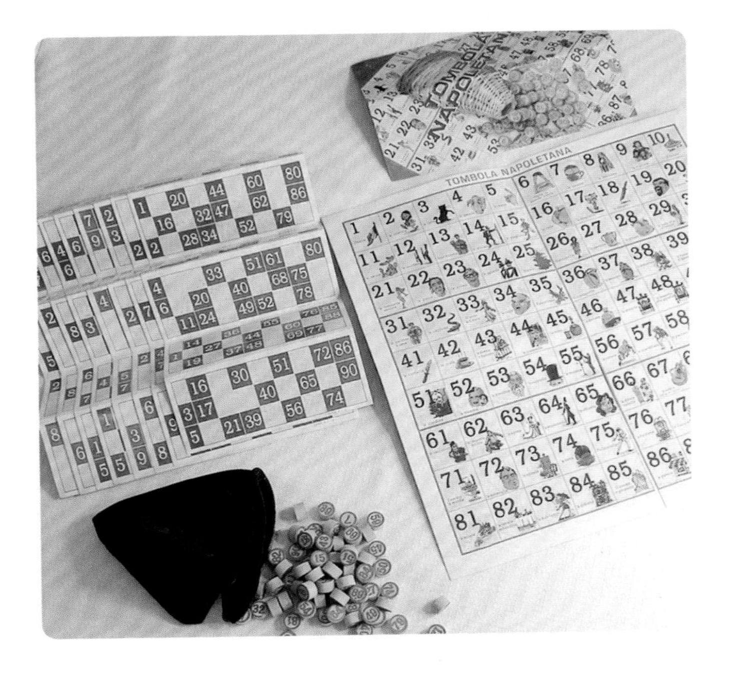

Intervallo 3

A. 2.9 **Accenti regionali.** *Ascoltate più volte l'intervista. La prima volta annotate qual è l'argomento principale di cui tratta. Poi completate il riassunto e rispondete alle domande. Infine ascoltate ancora e cercate di individuare la provenienza della persona che parla. Quali caratteristiche della sua pronuncia riconoscete?*

Argomento: ....

L'intervistato e sua moglie si sono conosciuti ....

....

Si sono poi sposati ....

Il loro matrimonio ....

....

....

Sono partiti per il viaggio di nozze ....

....

In effetti, hanno fatto un viaggio di nozze piuttosto originale ....

....

La moglie parla ....

....

Ascoltate di nuovo l'intervista:

1. Quale espressione idiomatica usa l'intervistato a proposito dell'amore?

....

2. L'intervistato dice "due cuori e una macchina". Sapete, o potete immaginare su quale espressione idiomatica si basi il suo gioco di parole?

....

B. **Sorridiamo.** *Leggete questo brano in cui Beppe Severgnini, noto giornalista e scrittore, tratteggia simpaticamente uno dei tanti aspetti dell'"italianità".*

I treni italiani sono luoghi di confessioni di gruppo e assoluzioni collettive: perfetti, per un paese che si dice cattolico. Ascoltate cosa dice la gente, guardate come gesticola: è una forma di spettacolo. Dite che le due cose - confessionale e palcoscenico - sono incompatibili? Altrove, forse. Non in Italia.
Siamo una nazione dove tutti parlano con tutti. Non è stata la modernità a cambiare la piazza del Sud, ma la piazza del Sud a influenzare la modernità italiana. Provate a seguire le conversazioni in questo treno diretto a Napoli (via Bologna, Firenze e Roma). Sono esibizioni pubbliche, piene di rituali e virtuosismi, confidenze inattese e sorprendenti reticenze. "Uno raggiunge subito una nota di intimità in Italia, e parla di faccende personali": così scriveva Stendhal, e non aveva mai preso un Eurostar.

[da Beppe Severgnini, "Il treno" in *La testa degli italiani*, © Rizzoli 2005, pp. 85-86]

Ora scegliete uno di questi temi e provate a immaginare che cosa può aver scritto lo stesso autore. *Trovate i suoi testi a pagina 174/175.*

Il Ferragosto • Abitudini alimentari • Il semaforo • In auto: l'uso dei fari

Leggete le istruzioni a pagina 171.

Unità 7

Tendenze italiane

A

1 2.10 2.11 2.12 **Tipi e stereotipi**

A coppie: parlate delle caratteristiche tipiche degli italiani, sia positive che negative. Poi ascoltate le registrazioni e confrontate le vostre idee con ciò che avete sentito.

2 **Parole negative**

Queste parole sono tratte da una famosa canzone presentata al Festival di Sanremo del 1996. Provate a spiegarne il significato aiutandovi con un dizionario. Poi confrontatevi con la classe.

parcheggi abusivi: ....
abuso: ....
plasma: ....
donne truccate: ....
motorini truccati: ....
appalti truccati: ....
trapianti truccati: ....
scippare: ....
pinza: ....
pizzo: ....

3 La canzone

Ricostruite il testo. Poi proponete un titolo per la canzone. Trovate il titolo e il testo completo a pagina 175.

Parcheggi abu __ __ __ __, applausi abu __ __ __ __
Villette abu __ __ __ __, abusi sessuali abu __ __ __ __
Tanta voglia di ricominciare abusiva
Appalti truc __ __ __ __, trapianti truc __ __ __ __
Motorini truc __ __ __ __ che scippano donne truc __ __ __ __
Il visagista delle dive è truccatissimo
Papaveri e papi, la donna cannolo, una lacrima sul visto
Italia sì, Italia no, Italia bum, la strage impunita
Puoi dir di sì, puoi dir di no, ma questa è la vi __ __
Prepariamoci un caffè, non rechiamoci al caffè
C'è un commando che ci aspe __ __ __ per assassinarci un po'
Commando sì, commando no, commando omicida
Commando pam commando papapapapam,
Ma se c'è la par __ __ __ __
Il commando non ci sta e allo sta __ __ __ se ne va
Sventolando il bandierone non più il sangue scorrerà
Infetto sì, infetto no, quintali di pla __ __ __
Primario sì, primario dai, primario fantasma
Io fantasma non sarò e al tuo pla __ __ __ dico no
Se dimentichi le pin __ __ fischiettando ti dirò
Ti devo una pinza ce l'ho nella panza
Viva il crogiuolo di pinze, viva il crogiuolo di panze
Quanti pro __ __ __ __ __ irrisolti ma un cuo __ __ grande così
Italia sì, Italia no, Italia gnamme, se famo du spaghi
Italia sob, Italia prot, la terra dei cachi
Una piz __ __ in compagnia, una piz __ __ da solo
Un totale di due pizze e l'Italia è questa qua
Fufafifi fufafifi Italia evviva Italia perfetta
Perepepè nanananai
Una piz __ __ in compagnia, una piz __ __ da solo
In totale molto piz __ __ , ma l'Italia non ci sta
Italia sì, Italia no, Italia sì
Uè Italia no uè uè uè uè uè
Perché la terra dei cachi, è la terra dei cachi, no

4 Le tematiche

Queste sono le tematiche che si affrontano nella canzone. Scrivete per ogni tema le parole del testo.

edilizia: ....

terrorismo: ....

calcio: ....

buona tavola: ....

sanità: ....

criminalità: ....

B

1 La famiglia

Leggete questa breve introduzione al tema e discutete in gruppo.

Se continuiamo il nostro viaggio alla scoperta dei fenomeni che caratterizzano l'Italia, troviamo anche il forte attaccamento alla famiglia. Si dice, infatti, che gli italiani siano "mammoni". Del resto sempre meno giovani lasciano la famiglia d'origine.
Secondo voi quali possono essere i motivi di tale scelta?

2 I giovani

Leggete ciò che dice Alessandro Rosina, professore di demografia all'Università Cattolica di Milano ed esperto di tematiche riguardanti il passaggio alla vita adulta e la formazione della famiglia. Poi ricostruite l'intervista del giornalista Federico Pace abbinando a ogni risposta la domanda che trovate sotto.

In Italia, i destini dei giovani sempre più condizionati dalla famiglia di origine

☐

Sia rispetto alle generazioni precedenti, sia rispetto ai coetanei degli altri paesi, i giovani italiani incontrano maggiori difficoltà nella transizione alla vita adulta. L'Italia soffre di livelli di occupazione giovanile tra i più bassi. C'è una dipendenza maggiore dalla famiglia di origine: il 60 per cento dei giovani italiani con meno di 25 anni dipende dalla famiglia di origine, mentre è la minoranza negli altri paesi europei. Essendo costretti a fare i conti con salari d'ingresso tra i più bassi in Europa e con un sistema sociale che li aiuta troppo poco, l'unico sostegno è quello offerto dal padre e dalla madre. Troppi sono quelli che restano in famiglia. Senza dire che la metà dei giovani che lascia le famiglie, si ritrova poi a dover ritornare a casa dei genitori dopo i primi problemi con il lavoro. Questo è molto frustrante.

☐

I genitori investono molto sui figli, tendono a mantenerli in casa fino a che il lavoro non assume caratteristiche stabili e permette di acquistare una casa e mettere in campo la possibilità della vita coniugale. Inoltre i figli in Italia, una volta sposati e usciti di casa, tendono a vivere molto vicini ai genitori. In nessun altro paese c'è una simile prossimità abitativa. D'altronde i servizi di sostegno alle giovani famiglie sono insufficienti e le famiglie sopperiscono sempre.

☐

Il sistema così come è non può che rivelarsi anche iniquo. Se il sistema sociale è carente e l'aiuto arriva solo dalla famiglia di origine, allora diventa fondamentale "scegliersi" bene la famiglia dove nascere. Chi è fortunato e nasce in una famiglia con tutte le condizioni, avrà un aiuto in tutte le fasi della vita. Chi invece non avrà questo aiuto si troverà in forte difficoltà. Questo sistema può funzionare se in qualche modo tutti hanno una famiglia che li può aiutare senza problemi. Ma così non è. Analizzando, per esempio, la fase formativa, conta molto andare a studiare nelle facoltà giuste. I figli delle famiglie non abbienti vanno all'università sotto casa, mentre i figli di chi può permettersi affitti sempre più alti nelle città, vanno in quelle più qualificate ovunque esse siano. A questo si aggiunge un sistema di borse di studio molto più carente. I giovani italiani sono più svantaggiati rispetto a quelli degli altri paesi, a meno che non abbiano una famiglia di origine che può compensare questo svantaggio. Questo sistema comprime la mobilità sociale e il dinamismo sociale e crea una società più rigida. Senza dire che abbiamo il tasso di anzianità più elevato.

☐

Si deve risvegliare l'attenzione da parte della società verso i giovani. È vero che i giovani sono meno degli anziani e vanno meno a votare, ma non per questo vanno considerati di meno. Il giovane da solo, in un contesto di questo tipo, fa fatica a cambiare il sistema. Qualcuno deve aiutarlo, mettendo in atto degli strumenti adeguati per salvaguardare queste risorse che rappresentano il motore della dinamicità sociale. I giovani che mettono su famiglia realizzano i loro obiettivi e danno vita a una società con un ricambio generazionale più armonioso e una struttura demografica più sostenibile dal punto di vista economico. Un giovane che può impegnarsi in politica è un bene per il paese, che può giovarsi di risorse fresche e dinamiche.

☐

Il forte legame tra genitori e figli e la carenza di politiche sociali creano uno stato di dipendenza dei giovani dalla famiglia, una dipendenza sia di tipo economico ma anche di tipo psicologico. I giovani ventenni/trentenni sanno di dipendere fortemente dai genitori. Grazie a loro trovano lavoro, grazie a loro si laureano e comperano casa. Sapendo che quello che stanno costruendo dipende in gran parte dalla famiglia d'origine, finiscono per sentirsi in debito e, per non andare contro i valori dei genitori, ne adottano il modello. O quantomeno scelgono di non mettersi in aperta ostilità nei confronti delle loro aspettative. Negli altri paesi europei i ragazzi e le ragazze riescono a farcela da soli. Da noi, purtroppo, non è così.

[adattato da *La Repubblica*, 22.05.2006]

Le domande dell'intervista:

1. Quanto dura questo legame con i genitori?
2. Chi ci rimette di più tra i giovani in questo contesto?
3. Mentre in altri paesi europei, per esempio in Francia, i giovani scendono in piazza portando alla ribalta le loro opinioni, in Italia accade raramente. Perché?
4. Quali sono le urgenze?
5. Da noi, più che altrove, si sta creando un divario sempre più esteso tra desideri e realtà vissuta dall'altro. Se guardiamo ai giovani, quali sono le cause?

3 Un po' di lessico

Trovate nell'intervista in B2 le parole che corrispondono ai seguenti significati.

Prima risposta: *è causa di insoddisfazione* ....
Seconda risposta: *la vicinanza* ....
" " *l'aiuto* ....
" " *compensano, provvedono* ....
Terza risposta: *ingiusto* ....
" " *povere, non ricche* ....
" " *i sussidi, gli aiuti finanziari per studiare* ....
" " *insufficiente* ....
Quarta risposta: *difendere* ....
Quinta risposta: *avversione, contrasto* ....

4 Ora tocca a voi!

Com'è la situazione dei giovani nel vostro paese per quanto riguarda il lavoro, lo studio, le possibilità di crearsi una famiglia? Ci sono misure di sostegno da parte dello stato nei confronti dei giovani come auspica il prof. Rosina? Scambiatevi informazioni e opinioni.

5 Mettiamo a fuoco

Rileggete ancora una volta l'intervista e sottolineate le tre forme di gerundio che contiene, oltre all'esempio dato. Poi sostituitele con una frase secondaria esplicita.

1. Essendo costretti a fare i conti con salari d'ingresso tra i più bassi in Europa e con un sistema sociale che li aiuta troppo poco, l'unico sostegno è quello offerto dal padre e dalla madre.
Siccome sono costretti a fare i conti con salari d'ingresso tra i più bassi in Europa e con un sistema sociale che li aiuta troppo poco, l'unico sostegno è quello offerto dal padre e dalla madre.

2. ....

3. ....

4. ....

Grammatica attiva

Il gerundio - forme

Completate con le forme del gerundio.

	Verbi in -are	Verbi in -ere	Verbi in -ire
Presente:	analizz	mett	part ....
Passato:	avendo analizzato	avendo	.... partito/a/i/e

Il gerundio - funzioni

Le forme del gerundio vengono chiamate anche forme implicite perché possono esprimere diversi significati a seconda del contesto. È possibile sostituire le forme implicite del gerundio con frasi introdotte da una congiunzione che ne rende esplicito il significato. Ecco una lista dei possibili significati del gerundio: abbinateli alle congiunzioni che si userebbero nella forma esplicita.

se / a condizione che

anche se / benché / nonostante / sebbene / malgrado

siccome / dato che / poiché

mentre

1. Essendo arrivata in ritardo, Maria ha perso il treno.
   Causale: ....
2. Non incontrando più Marco, forse Lisa riuscirà a dimenticarlo.
   Condizionale: ....
3. Venendo qua in treno ho letto tutto il dossier sui giovani italiani.
   Temporale: ....
4. Pur non essendo d'accordo, mi adeguo alla decisione della maggioranza.
   Concessiva: ....
   Attenzione! In quest'ultimo caso la forma del gerundio è preceduta da ....

C'è un altro significato possibile delle frasi con il gerundio. È quello **modale**. *Spesso si può essere incerti fra l'interpretazione modale, quella temporale e quella condizionale. Osservate gli esempi.*

5. Discutevamo di filosofia passeggiando. ➛ Mentre passeggiavamo, discutevamo di filosofia.
   ➛ Passeggiavamo e in tal modo discutevamo di filosofia.
6. Andando in bicicletta, ci teniamo in forma. ➛ Quando / se andiamo in bicicletta, ci teniamo in forma.
   ➛ Andiamo in bicicletta e così ci teniamo in forma.

Osservate ancora le frasi dalla **1.** *alla* **6.** *I soggetti delle due frasi sono uguali o diversi?*

Unità 7

Esercizio 1: *Trasformate le forme del gerundio in forme esplicite.*

1. Andando al mercato, ho incontrato Giovanni.
   ....
2. Mi rilasso molto ballando.
   ....
3. Essendogli stato rubato il portafogli, non poté pagare il conto.
   ....
4. Ieri sono rimasta a letto tutto il giorno, rilassandomi e riposandomi.
   ....
5. Potendomelo permettere, non andrei più a lavorare.
   ....
6. Pur mangiando poco, continuo ad ingrassare.
   ....

Esercizio 2: *Completate le frasi con il gerundio presente o passato. Attenzione in alcuni casi è necessario anche l'uso dei pronomi.*

1. (vivere) .... per molti anni in Francia, Anna parla perfettamente francese.
2. (incontrare, lui) .... per caso in città, ho capito di essere ancora innamorata di lui.
3. Non (vedere, lei) .... arrivare, mi sono preoccupata e l'ho chiamata sul cellulare.
4. Roberto non ha superato l'esame di anatomia, pur (studiare) .... molto.
5. (sentirsi) .... male per strada, è stata trasportata d'urgenza all'ospedale, ma per fortuna era solo un malore.
6. (ripensare, a questo) .... credo proprio che abbia ragione lui!
7. Giovanna, (tornare) .... dal lavoro, passeresti a comprarmi il pane?
8. Maria non ha potuto partecipare al torneo di tennis, (slogarsi) .... una caviglia.
9. Lisa pensa che noi la troviamo antipatica, (andarsene) .... quel giorno senza salutare.
10. Lavora tutto il giorno, (ascoltare) .... la radio.

Esercizio 3: *A coppie: riscrivete le frasi dell'esercizio 2 rendendo esplicite le forme del gerundio.*

1. ....
....
2. ....
....
3. ....
....
4. ....
....
5. ....
....
6. ....
....
7. ....
....
8. ....
....
9. ....
....
10. ....
....

C

1 Il corpo umano

Sapete dove si trovano queste parti del corpo? Riscrivetele al posto giusto.

pettorali • polso • polpaccio • fianco • bacino • addome • nuca • caviglia

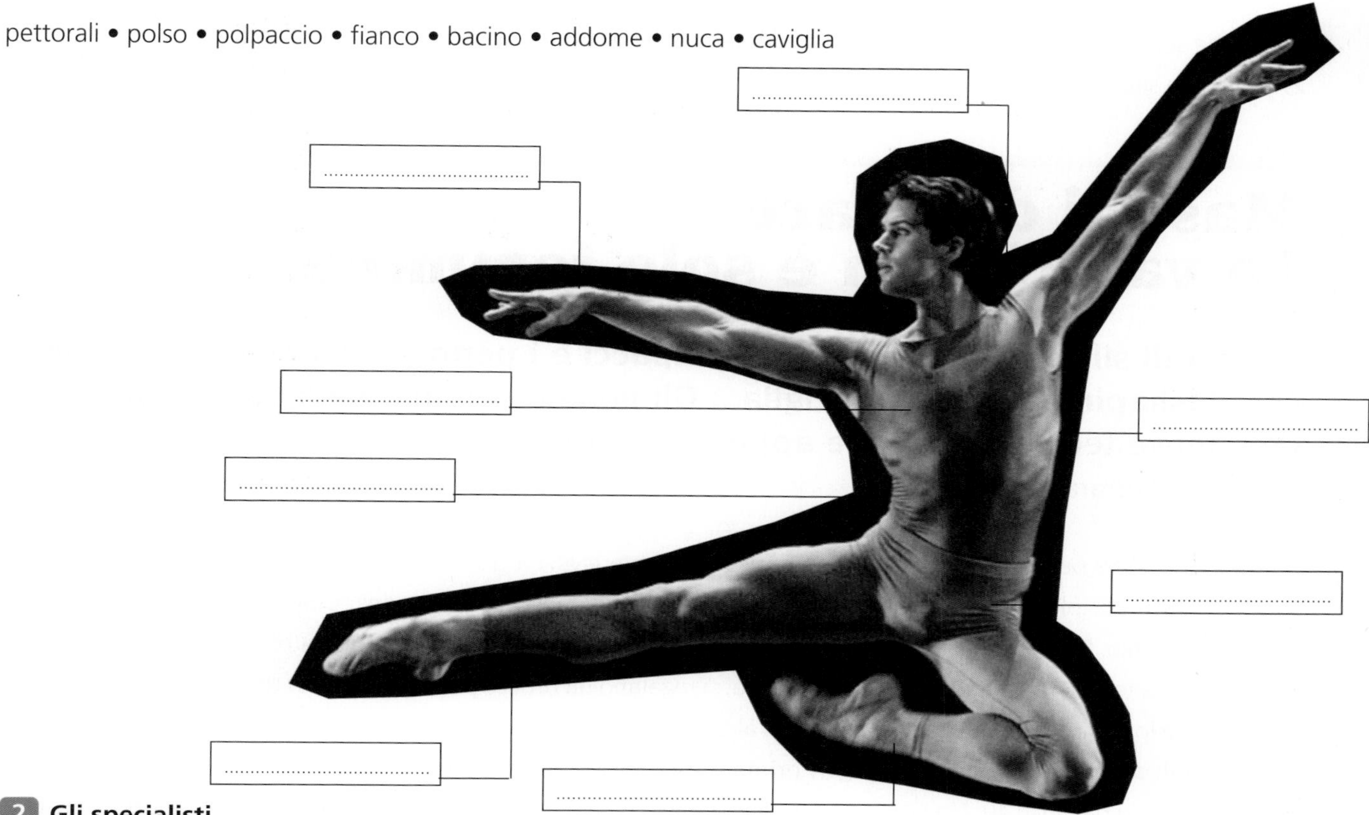

2 Gli specialisti

Quali sono i medici specialisti a cui ci si rivolge quando non ci si sente bene? Scrivete l'articolo davanti ai nomi di professione e abbinate.

1. ☐ se si hanno problemi agli occhi
2. ☐ se si hanno problemi al cuore
3. ☐ se si ha mal di schiena o dolori alle ossa
4. ☐ se si è depressi
5. ☐ se il bambino non sta bene
6. ☐ se si ha un'allergia
7. ☐ se si hanno problemi di udito
8. ☐ se si ha male a un dente
9. ☐ se si hanno problemi tipicamente femminili
10. ☐ se si vuole fare un'ecografia o una radiografia

si consulta...

a. ...... ortopedico
b. ...... otorinolaringoiatra
c. ...... dentista
d. ...... radiologo
e. ...... cardiologo
f. ...... oculista
g. ...... ginecologo
h. ...... psichiatra o ...... psicologo
i. ...... pediatra
l. ...... dermatologo

Che significato ha il suffisso "logo" ? E che cosa significano le parole **tuttologo, politologo, filologo, astrologo***?*

3 Ricostruite il titolo

Queste tre parole compongono il titolo dell'articolo nella pagina seguente, provate a ricostruirlo. Secondo voi, di che cosa parla?

da maschi rifare ....

Unità 7

4 **Che ne dite?**

Leggete l'articolo e rispondete alle domande.

1. Perché secondo la giornalista gli uomini ricorrerebbero al chirurgo plastico?
2. Com'è la situazione a livello mondiale?

Maschi da rifare
La vanità non è solo femmina...

Protesi di silicone o goretex per i polpacci e i pettorali. Liposuzioni ai fianchi. Reshaping delle sopracciglia... Gli uomini si fanno belli dal chirurgo. Con nuove tecniche studiate apposta per loro

di Agnese Ferrara

In Italia fino al 30 per cento dei pazienti di chirurghi plastici e medici estetici è maschio. E gli specialisti raccontano che a motivare soprattutto i loro clienti è lo smarrimento dei trentacinquenni, per la precisione la fascia d'età che va dai 30 ai 40. Ma non sono gli unici a chiedere una mano allo specialista, anche i maschi ancora più giovani, dai 20 ai 30 anni di età, finiscono sotto i ferri. Sono i giovani fissati con la palestra, i più attenti all'aspetto del corpo, che desiderano un ritocco per esaltare pettorali, addome, polpacci e glutei, interventi diversi da quelli che, per il senso comune, dovrebbero essere i più probabili. Anche i cinquantenni, già affermati professionalmente, magari sposati ma a caccia di una seconda chance affettiva, sono tra i maggiori frequentatori delle sale d'attesa dei chirurghi plastici. Per ultimi vengono gli uomini a fine carriera, gli ultra sessantacinquenni ricchi. Questi riscoprono il mondo e, con una buona dose di ironia, si regalano un ritocco per mettersi al centro dell'attenzione, magari prima di partire per le vacanze con moglie e amici. Insomma, dal chirurgo ci vanno un po' tutti e per le ragioni più svariate. Anche perché, spiega il chirurgo plastico Marco Gasparotti, professore all'Università di Roma Tor Vergata: "I problemi in amore, amicizia e famiglia si affrontano meglio con il bisturi". La tendenza è confermata in tutto il mondo e nella classifica dei maschi più rifatti (tra i 35 paesi analizzati dalla American Society of Aesthetic Plastic, ASAPS, l'anno scorso) i primi posti spettano a India, Thailandia, Colombia, Arabia Saudita, Singapore e Brasile. Negli Stati Uniti il ricorso alla chirurgia estetica da parte degli uomini è aumentato del 14 per cento nell'ultimo anno. Tra i paesi europei, i più appassionati al bisturi estetico sembrano essere gli inglesi, tanto che il governo di Tony Blair, di fronte a circa 25.000 operazioni di chirurgia plastica classiche, 275.000 interventi minori (come iniezioni di botulino e laser per le rughe) svolte nell'ultimo anno per un giro d'affari dell'industria chirurgica di 337 milioni di euro, ha deciso in questi giorni di eseguire controlli a tappeto sulle strutture private dove si eseguono tali operazioni per controllare i parametri sanitari di sicurezza.

L'afflusso massiccio di maschi negli studi medici e nelle cliniche estetiche permette agli specialisti di affinare alcune tecniche operatorie studiate per il corpo e il viso degli uomini e di discuterne nei congressi mondiali.

(adattato da L'*Espresso*, 29/04/2004)

5 **Parliamone**

È in voga anche nel vostro paese ricorrere al chirurgo plastico per eliminare i difetti o i segni dell'età? Che cosa ne pensate?

6 Mettiamo a fuoco

Cercate nei testi che avete letto in B2 e C4 le frasi che corrispondono alle seguenti.

1. Inoltre i figli in Italia, dopo che si sono sposati e sono usciti di casa, tendono a vivere molto vicini ai genitori.

   ....

2. I giovani che sono fissati con la palestra, sono quelli che danno più importanza al corpo.

   ....

3. L'afflusso massiccio di maschi negli studi medici e nelle cliniche estetiche permette agli specialisti di affinare alcune tecniche operatorie che sono state studiate per il corpo e il viso degli uomini.

   ....

Grammatica attiva

Usi del participio passato

Considerate le frasi che avete cercato e scegliete l'interpretazione giusta.

Nella prima frase il participio passato sostituisce una frase	☐ **a.** causale	☐ **b.** temporale	☐ **c.** relativa
Nella seconda frase il participio passato sostituisce una frase	☐ **a.** causale	☐ **b.** temporale	☐ **c.** relativa
Nella terza frase il participio passato sostituisce una frase	☐ **a.** causale	☐ **b.** temporale	☐ **c.** relativa

Attenzione: con i verbi transitivi la frase relativa ha valore passivo (vedi Unità 8).

Osservate ancora l'uso del participio passato per sostituire frasi secondarie e provate a trasformare le forme implicite in esplicite usando un connettivo. Che significato hanno?

Offesa per il suo comportamento, cercavo di evitare di incontrarlo. ....

Ristrutturata nel modo adeguato, diventerebbe una bellissima casa. ....

Esercizio: *Trasformate le frasi dalla forma esplicita del verbo a quella implicita o viceversa.*

1. Dopo aver apparecchiato la tavola, andò in cucina a controllare l'arrosto.
2. Pentitasi profondamente per quello che aveva fatto, ha deciso di chiedere scusa a Giorgio.
3. Appena sono arrivata a casa, ho telefonato a mia madre per tranquillizzarla.
4. Dopo che si è trasferito a casa di sua madre, ha smesso di lavorare.
5. Passata la rabbia, uscì a fare due passi e cercò di non pensare più a nulla.

Unità 7

7 L'angolo dei proverbi

A coppie: leggete questi proverbi. Interpretateli e rendete il significato più chiaro usando le forme esplicite.

1. L'appetito vien mangiando. L'appetito viene mentre si mangia
2. Sbagliando s'impara. ....
3. Tra il dire e il fare c'è di mezzo il mare. ....
4. Sposa bagnata, sposa fortunata. ....
5. Detto, fatto. ....
6. Uomo avvisato, mezzo salvato. ....
7. Morto un papa, se ne fa un altro. ....
8. Fare e disfare è tutto un lavorare. ....
9. Fidarsi è bene, non fidarsi è meglio. ....
10. Tentar non nuoce. ....

D

1 Un po' di benessere...

Leggete il testo e rispondete alle domande.

1. In quale regione italiana si trova l'Hotel Bellevue?
2. Per quale ragione si dovrebbe scegliere di trascorrere una vacanza in questo hotel?

www.hotelbellevue.it

Nell'oasi di benessere dell'Hotel Bellevue a Cogne, ai piedi del parco naturale del Gran Paradiso si offrono momenti di relax per...

... abbandonarsi ai getti d'acqua e alle cascate naturali del laghetto alpino.

... concedersi ai benefici dell'enoterapia nella stanza di Re Vittorio, con bagni aromatizzati al vino, al latte e al miele di montagna in un autentico chalet di montagna del XVIII secolo. Non siamo sicuri che Re Vittorio Emanuele II abbia soggiornato in questo antico chalet, ma è probabile che questo ambiente abbia ospitato viandanti in transito verso la Svizzera, la Francia, la Germania, l'Inghilterra e verso l'Italia.

... rigenerarsi nella grotta termale della pietra calda.

... rilassarsi nel corpo e nello spirito con i bagni di fieno.

È noto che gli antichi contadini impegnati nella fienagione solevano passare la notte sul fieno, risvegliandosi all'alba privi di stanchezza e rigenerati nel corpo e nello spirito. Avevano scoperto un'antica pratica terapeutica naturale. Il riscaldamento del fieno è dovuto ad un processo di fermentazione attivato da schizomiceti che trovano il loro habitat ideale in tutti i tipi di fieno, in particolare in quello di alta montagna ricco di foglie, fiori ed erbe officinali. Il fieno di Gimillan è particolarmente adatto alla cura dei dolori articolari, contiene, infatti, erbe officinali.

Oggi proponiamo i bagni di fieno in un autentico fienile antico in abete e ricreiamo il processo di fermentazione facendo passare, attraverso il fieno di Gimillan, una debole corrente di vapore.

Il Gran Paradiso

2 I sostantivi e l'uso dell'articolo

Nel testo in D1 si trovano esempi di sostantivi usati con o senza l'articolo determinativo. Fatene una lista. A coppie: scrivete per ognuno dei seguenti gruppi qualche esempio concreto e decidete se i sostantivi richiedono o meno l'uso dell'articolo determinativo.

- nomi di continenti, nazioni e regioni: ....
- nomi propri: ....
- nomi geografici preceduti dalla preposizione **in**: ....
- nomi di materie prime: ....
- nomi di strade, piazze, palazzi: ....
- nomi di malattie: ....
- nomi di colori: ....
- nomi dei mesi: ....

3 Ora tocca a voi!

A coppie: wellness o benessere sono le "parole magiche" degli ultimi anni in campo turistico. Conoscete altri trattamenti per la cura del corpo? Ne avete mai provato uno?

Redigere un articolo di costume

A. *A coppie: scrivete un articolo di giornale sull'Italia e gli italiani visti dagli stranieri. Seguite le linee guida.*

- Ogni componente della coppia fa una lista con tutte le idee e tutte le informazioni che gli vengono in mente, poi le mostra al compagno.
- Sulla base di ogni lista decidete insieme quali idee e/o informazioni ritenete importanti per l'articolo.
- Organizzate tutte le idee e le informazioni secondo una scaletta.
- Passate alla redazione del testo. Dovete scrivere dalle 120 alle 140 parole.

introduzione

svolgimento

conclusione

B. Autocorrezione

Quando avete terminato la redazione fate una breve pausa. Poi riprendete il testo con occhio critico e cercate di migliorare le parti che vi sembrano poco chiare o sbagliate.

C. Scambio di idee con la classe

In classe: scambiatevi gli articoli e leggete quelli delle altre coppie. Infine discutete insieme e scegliete gli articoli migliori.

Cercate informazioni e curiosità su questa regione ed esponetele alla classe.
Eccovi alcuni indirizzi internet utili:

www.naturaosta.it
www.regione.vda.it
www.mondimedievali.net

La regione della Valle d'Aosta è la più piccola regione italiana. È molto famosa per le sue montagne, le più alte d'Europa: il Monte Bianco, il Cervino, il Monte Rosa, il Gran Paradiso. È nota anche per i suoi castelli. In Val d'Aosta si parla l'italiano e, per la vicinanza con la Francia, anche il francese.

Il massiccio del Monte Bianco

Il simbolo del turismo in Valle d'Aosta è un grande cuore rosso, segno dell'ospitalità, che racchiude tutti gli elementi tipici della regione.

Fatto in Italia

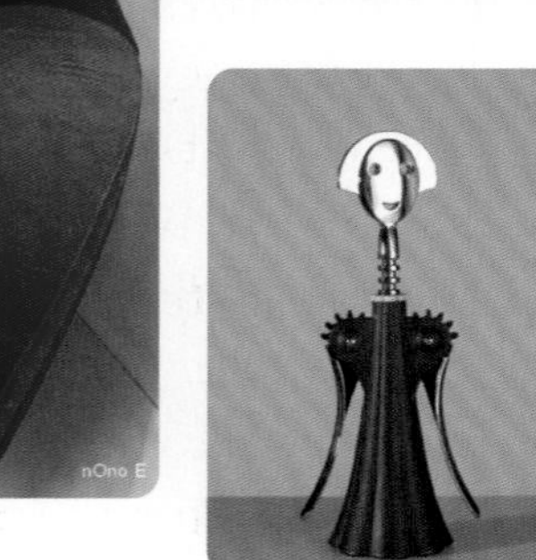

A

1 Made in Italy, ma dove?

Osservate questi prodotti: sapete collocarli nel loro settore produttivo? Fate anche delle ipotesi sulla loro zona di produzione.

Settori produttivi:				
abbigliamento moda e accessori	aerospaziale	arredamento accessori per la casa	veicoli a motore	enogastronomico
....	....	....	....	....
....	....	....	....	....
....	....	....	....	....

Conoscete altri prodotti tipici del made in Italy oltre a quelli raffigurati? Quali?..

....

2 Indovina che cos'è

A coppie: preparate un indovinello su un prodotto. Poi presentatelo alla classe: i compagni dovranno indovinare che cos'è.

È un capo d'abbigliamento femminile, può essere fatto di diversi materiali e può variare nella lunghezza, ma di solito copre le gambe.

B

1 Economia e lavoro

Abbinate i seguenti termini alle loro definizioni.

manifatturiero | manodopera | risorse | beni di consumo | distretto industriale | saldo positivo

1. .... mezzi di cui si dispone e che possono costituire fonte di guadagno o ricchezza.
2. .... area geografica dove si trovano aziende specializzate in un settore produttivo.
3. .... tutto quello che viene acquistato dai consumatori finali.
4. .... cifra positiva di un bilancio che risulta dalla differenza tra avere e dare.
5. .... relativo alla trasformazione di materie prime in prodotti finiti.
6. .... insieme dei lavoratori di una determinata industria o settore industriale.

2 Il made in Italy

Leggete il testo e formulate un titolo per ogni paragrafo.

....:

1 Nello sviluppo economico italiano degli anni '70 e '80 i settori del *made in Italy* hanno avuto un ruolo fondamentale. Con l'espressione *made in Italy*, in senso strettamente economico, si fa riferimento a tutta una serie di attività produttive sia nel settore agroalimentare che in quello dei beni di consumo e della meccanica strumentale (in particolare i macchinari che li producono). Almeno a partire dagli anni '70, queste attività hanno rappresenta-
5 to una rilevante quota dell'occupazione manifatturiera nazionale e sono state caratterizzate anche da una notevole competitività internazionale. Proprio grazie ad esse per decenni è stato generato un consistente volume di esportazioni e saldi positivi all'interscambio commerciale con l'estero. Quindi si può affermare a ragione che su di esse è stato costruito il modello italiano di specializzazione negli scambi internazionali. A questo va aggiunto che, nell'uso linguistico generale, con il termine *made in Italy* ci si riferisce a tutti quei prodotti o ma-
10 nufatti che per stile, forma e gusto personificano il modo di vita italiano, l'*italian way of life* nel mondo.

....:

A tutt'oggi sono stati realizzati molti studi dedicati all'analisi del *made in Italy* in generale e, in particolare, alla tematica della localizzazione geografica delle attività produttive designate da tale espressione. Dall'analisi di quest'ultimo aspetto è stato ricavato il concetto di "distretto industriale", cioè area produttiva situata in un territorio delimitato, caratterizzato da un'elevata densità di piccole e medie imprese specializzate in un unico set-
15 tore produttivo. Tali imprese risultano essere molto radicate nel territorio locale e in rapporto duplice di collaborazione/competizione tra di loro. Un distretto industriale si sviluppa spesso a partire da tradizioni artigianali preesistenti e talvolta secolari mediante un processo di gemmazione, per cui nuove microaziende sono fondate da personale qualificato operante in imprese già presenti sul territorio. Attualmente è stato calcolato che esistono diverse centinaia di distretti industriali sia al Nord che al Centro e al Sud.

....:

20 Negli ultimi anni il *made in Italy* e con esso i distretti industriali che lo caratterizzano sono stati colpiti da una crisi dovuta a molteplici fattori: dallo scarso livello tecnologico alle limitate risorse investite nella ricerca, dalla globalizzazione alla sempre più agguerrita concorrenza dei paesi produttori che dispongono di manodopera a basso costo. Le risposte che sono state date dal sistema produttivo italiano a questa crisi vanno dalla "delocalizzazione" delle produzioni alla ricerca di un livello di qualità superiore, a quello offerto
25 dai paesi a bassi costi di produzione e infine a un maggior coordinamento tra le singole imprese in termini di marketing e ricerca.

3 C'è scritto nel testo?

Trovate quali tra le seguenti affermazioni sono presenti nell'articolo in B2. Poi abbinatele alle righe del testo, scrivendo accanto i numeri delle righe corrispondenti.

1. Con l'espressione *made in Italy* non si fa riferimento a prodotti ad elevato contenuto tecnologico. **Righe** ....
2. Un distretto industriale nasce sulla base di un intervento statale finalizzato alla creazione di strutture industriali in zone sottosviluppate. **Righe** ....
3. Negli ultimi anni il *made in Italy* è stato messo a dura prova dalla concorrenza internazionale ma ha saputo superare ogni difficoltà facendo segnare ritmi di sviluppo notevoli. **Righe** ....
4. Tra i settori di produzione tipici del *made in Italy* vanno inseriti quello aeronautico, tessile, petrolifero e l'industria delle armi. **Righe** ....
5. Due dei fenomeni più significativi che caratterizzano i mutamenti del sistema produttivo italiano e mondiale degli ultimi anni sono la globalizzazione e la delocalizzazione. **Righe** ....
6. Dai molti studi svolti sui distretti industriali italiani sono stati individuati i seguenti punti deboli: scarsa collaborazione tra singole imprese, limitato contenuto tecnologico delle produzioni, riduzione degli investimenti nella ricerca, elevato costo della manodopera. **Righe** ....

4 Famiglie di parole

Completate dove possibile la tabella delle derivazioni.

Grammatica attiva

Suffissi di derivazione

Completate la griglia sfruttando le analogie. Poi completate le affermazioni generali che seguono.

verbo	sostantivo	aggettivo
esportare	esportazione	esportabile
....	produzione	....
delocalizzare	....	delocalizzabile
coordinare	....	....
caratterizzare	....	....
....	costruzione	....
lavorare	....	....

Questi sostantivi derivano dal verbo tramite il suffisso ....

Questi aggettivi derivano dal verbo tramite il suffisso ....

5 Mettiamo a fuoco

Leggete queste frasi, cercate nell'articolo in B2 le frasi di significato corrispondente e scrivetele sotto. Che cosa notate? Parlatene e poi completate la tabella della pagina accanto.

1. Le risposte che il sistema produttivo italiano ha dato a questa crisi.
   ....
2. Hanno calcolato che esistono diverse centinaia di distretti industriali.
   ....
3. Il personale qualificato operante in imprese già presenti sul territorio fonda nuove microaziende.
   ....
4. Negli ultimi anni una fase di crisi dovuta a molteplici fattori ha colpito il *made in Italy*.
   ....

Grammatica attiva

La forma passiva del verbo (1)

Osservate.

Forma attiva:	Forma passiva:
S V O	S V (A)
Mario ha pagato il conto.	Il conto è stato pagato (da Mario).

S = soggetto; V = verbo; O = oggetto;
A = complemento d'agente, cioè chi fa l'azione ma non è soggetto grammaticale.

Fate attenzione ai participi! Completate le frasi e formulate la regola.

Mario ha mangiato gli spaghetti. ➛ Gli spaghetti sono stati mangiat............. da Mario.

Mario ha salutato Luisa. ➛ Luisa è stat............. salutata da Mario.

Mario ha dimenticato le scarpe. ➛ Le scarpe sono state dimenticat............. da Mario.

Nella frase alla forma passiva il participio si accorda con ....

Esercizio: *Trasformate le frasi dalla forma passiva a quella attiva rispettando i tempi verbali.*

1. La produzione fu spostata all'estero dal proprietario dell'azienda.
   ....
2. Che sia stato accusato di quel delitto da sua sorella, questo lo trovo davvero grave.
   ....
3. I nostri prodotti saranno commercializzati in tutto il mondo da una multinazionale americana.
   ....
4. Se fosse stata portata subito in ospedale, avrebbe potuto essere operata dal Prof. Bonvicini.
   ....
5. Il Piemonte è stato investito da un'ondata di maltempo.
   ....
6. Era stato costretto dalle circostanze ad agire in quel modo.
   ....
7. Le merci sono state collocate nel container dagli operai addetti agli spostamenti.
   ....

C

1 2.13 **Chi cerca, trova**

Ascoltate che cosa dice Giulia e rispondete alle domande.

- Dove si trova Giulia in questo momento?
- Che cosa ha fatto finora?
- Che cosa desidera tanto?
- Perché passa tanto tempo su Internet?
- Che cosa ha fatto finora per perseguire il suo obiettivo?
- Che cosa intende fare prossimamente?

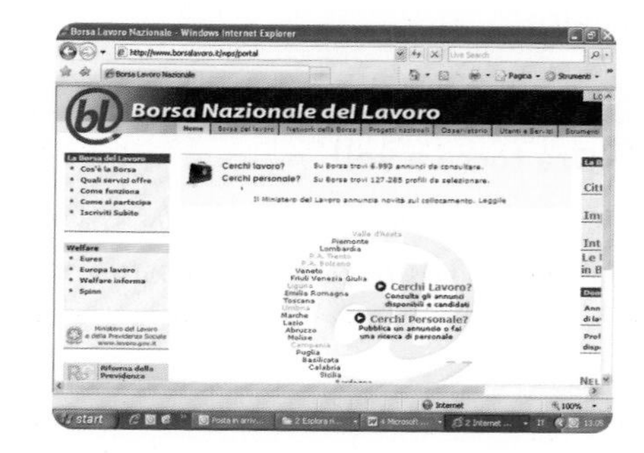

www.borsalavoro.it
È un servizio internet per l'incontro domanda-offerta di lavoro promosso dal Ministero del Lavoro e dalle Regioni.

2 Zone di produzione

A coppie: osservate bene la cartina e la legenda dei colori. Poi descrivete le varie zone di produzione di alcuni settori dell'industria italiana. Aiutatevi con le domande guida.

- Quali macroregioni italiane, Nord-Est, Nord-Ovest, Centro, Sud, Isole, presentano una maggiore densità di distretti?
- Che tipo di prodotti prevale in ogni macroregione?
- Che ipotesi potete fare sulle ragioni di questa distribuzione?
- Per ogni settore conoscete qualche azienda produttrice? In caso non conosciate nessuna azienda, potete fare una ricerca all'indirizzo internet: www.made-in-italy.net

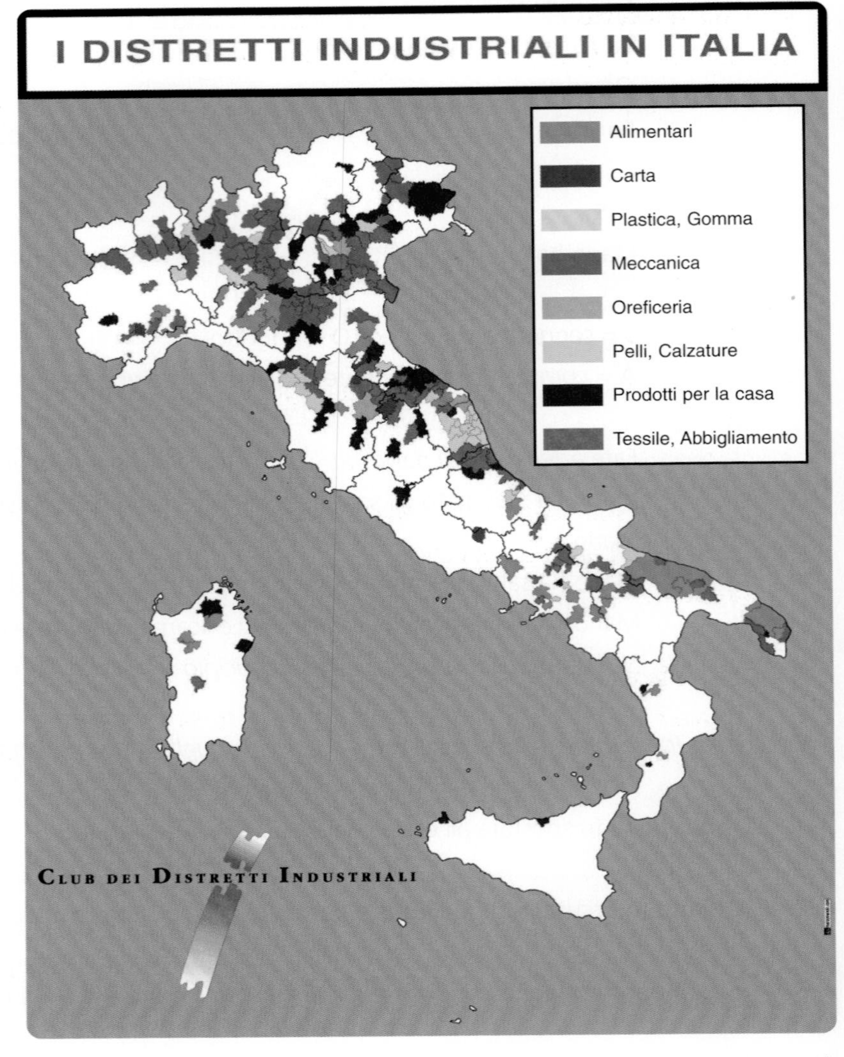

[Tratto da: www.clubdistretti.it]

3 Vocabolario

Con l'aiuto di un dizionario, scegliete tre settori tra quelli elencati e cercate almeno 10 prodotti tipici per ognuno.

Settore	Prodotti
Alimentare:	
Meccanico:	
Oreficeria:	
Calzaturiero:	
Prodotti per la casa:	
Tessile/abbigliamento:	

4 2.13 Ora tocca a voi!

A coppie: ascoltate di nuovo l'intervista a Giulia e, tenendo conto della sua formazione e delle sue esperienze, scrivetele una e-mail con il vostro parere e i vostri consigli per aiutarla a trovare un'occupazione adeguata al suo rientro in Italia.

D

1 Qual è il settore?

Secondo voi, quale fra le seguenti parole indica il settore produttivo a cui appartengono gli oggetti della foto?

orafo | oreficeria | aurifero | aureo

orefice | indoratura | dorato

2 Famiglia di parole

A coppie: cercate una definizione adatta a ognuna delle parole in D1. Aiutatevi con il dizionario.

3 2.14 Parole d'oro!

A coppie: ascoltate queste frasi, poi abbinate le espressioni nella tabella alle loro definizioni. Infine scrivete un breve dialogo fra una persona che cerca lavoro e una che le dà consigli, utilizzando alcune di queste espressioni a vostra scelta.

- Maria è fantastica, ha proprio un cuore d'oro!
- Eh, caro mio, ma nella vita non è mica sempre tutto oro quel che luccica!
- Non puoi prendere sempre tutto quello che ti raccontano per oro colato!
- Senti, caro il mio figliolo, io e tuo padre facciamo fatica ad arrivare alla fine del mese, ricordati che non nuotiamo nell'oro.
- Con questi affitti, mi sono comprata un piccolo monolocale, l'ho pagato a peso d'oro.
- No, mi dispiace, è finita! Non ti voglio più, neppure per tutto l'oro del mondo.
- Sì, conosco Franco molto bene, vale proprio tanto oro quanto pesa.
- Grazie per quello che mi dici, sono proprio parole d'oro!

Espressioni idiomatiche

1. avere un cuore d'oro	☐ a. l'apparenza inganna
2. vale tanto oro quanto pesa	☐ b. credere a tutto, essere ingenuo
3. pagare/vendere a peso d'oro	☐ c. parole di estrema saggezza
4. nuotare nell'oro	☐ d. ad un prezzo molto elevato
5. parole d'oro	☐ e. in nessun caso
6. neppure per tutto l'oro del mondo	☐ f. essere molto buoni e generosi
7. prendere tutto per oro colato	☐ g. essere ricchissimi
8. non è tutto oro quel che luccica	☐ h. essere una brava persona

Persona che cerca lavoro:

....

....

....

....

Persona che dà consigli:

....

....

....

....

Unità 8

4 Trovate le intruse!

A coppie: leggete il testo e osservate le foto in queste due pagine. Trovate le due foto che non sono direttamente collegate ai contenuti del testo. Poi scrivete una didascalia per ogni foto e confrontate con le informazioni a pagina 175.

Forse non tutti sanno che l'Italia è il più grande paese trasformatore di metalli preziosi in articoli di oreficeria e gioielleria. I manufatti, non solo vengono utilizzati nel mercato italiano ma vengono esportati ovunque. Il prodotto italiano si distingue sulle vetrine di tutto il mondo rispetto al prodotto estero per la qualità delle finiture e il disegno. Le aree geografiche in cui il settore orafo si è maggiormente sviluppato sono Arezzo e Vicenza per l'oreficeria e Valenza Po, in provincia di Alessandria (in Piemonte), per quanto concerne la gioielleria.

L'oreficeria aretina trova le sue origini nell'artigianato etrusco che, specialmente nel periodo tra la metà del VII secolo e la fine del VI secolo a.C., vide la fioritura di numerose botteghe orafe. Alcune tecniche di lavorazione vennero tramandate di generazione in generazione per secoli e sono giunte fino ai giorni nostri. Oggi Arezzo conta più di 1.500 marchi di aziende orafe con circa 11.000 addetti. Ricca del suo passato è diventata punto di contatto tra l'antico e il moderno con mostre di oreficeria antica e rassegne culturali proiettate nel futuro dell'arte orafa mondiale. L'orientamento prevalente è verso prodotti di lavorazione industriale rivolti alla fascia medio-bassa del mercato.

Vicenza, polo orafo di tradizioni secolari, può essere suddivisa in due sub-aree: Vicenza e dintorni, con caratteristiche relativamente più artigianali, e Bassano, in cui si è andata affermando la produzione industriale di oreficeria in cui viene impiegata insieme alla manualità dell'orafo la più avanzata tecnologia meccanica e di automazione.

Valenza Po, situata in Piemonte tra il Po e le col-

a ....

b ....

c ....

line del Monferrato, a circa 100 km di distanza da Genova, Milano e Torino, dà il nome a uno dei distretti più noti e importanti nel settore della
40 gioielleria. Conosciuta per l'artigianato orafo agli inizi del secolo scorso, era nota già prima per le acque aurifere del Po che, ancora fino a qualche decennio fa, venivano setacciate da alcuni irriducibili cercatori. Prima del 1914 esi-
45 stevano più di 40 imprese, ma il vero boom si è verificato nel dopoguerra: nel 1945, venivano registrate più di 300 aziende. Il settore orafo comprende oggi 1.300 unità produttive con 7.000 addetti. Ogni anno nel distretto vengono lavora-
50 te circa 30 tonnellate d'oro e l'80% delle pietre preziose importate in Italia. La produzione viene per la metà esportata, soprattutto in Germania, in Giappone e negli Stati Uniti.
La forza lavoro specializzata nelle produzioni ora-
55 fe è quasi tutta locale, con una forte presenza femminile. I punti di forza del distretto sono un vasto patrimonio di conoscenze tecniche e professionali, maturate in oltre 150 anni di tradizioni orafe artigianali che vengono trasmesse e assimilate di-
60 rettamente; rapporti stretti fra le imprese; rapidità di aggiornamento nel far fronte al mutare delle richieste del mercato. Proprio a Valenza ha sede una delle più prestigiose scuole qualificanti del settore: l'Istituto d'arte "Benvenuto Cellini" che
65 viene frequentato da studenti provenienti da tutta Italia e dall'estero.

[Adattato da http://www.ciaoalessandria.it]

d ....

e ....

f ....

Unità 8

5 Approfondiamo

Leggete di nuovo il testo e completate con i dati corrispondenti.

Collocazione geografica delle aree del settore dell'oreficeria: ....
Particolarità del distretto di Arezzo: ....
Caratteristiche del distretto di Vicenza: ....
Peculiarità del distretto di Valenza Po: ....

6 Ora tocca a voi!

A coppie: usate gli appunti della tabella in D5 per scrivere un breve riassunto del testo appena letto.

7 Derivazioni: chi fa che cosa?

Mediante il suffisso ***-tore*** *si indicano sia l'agente che compie una certa operazione che il nome di apparecchi scientifici e tecnici. Completate seguendo l'esempio.*

trasformare ➛ trasformatore
calcolare ➛ ....
ricercare ➛ ....
registrare ➛ ....
importare ➛ ....
investire ➛ ....
produrre ➛ ....
operare ➛ ....

8 Mettiamo a fuoco

A coppie: leggete queste frasi, cercate nel testo in D4 le frasi corrispondenti e scrivetele sotto. Che cosa notate? Parlatene e poi completate la tabella.

1. Si tramandarono di generazione in generazione alcune tecniche di lavorazione.
....
....
2. L'insieme delle aziende lavora ogni anno circa 30 tonnellate d'oro.
....
....
3. Esportano in tutto il mondo i manufatti utilizzati nel mercato italiano.
....
....
4. Alcuni irriducibili cercatori setacciavano, ancora fino a qualche decennio fa, le acque aurifere del Po.
....
....
5. Studenti provenienti da tutto il mondo frequentano l'Istituto d'arte "Benvenuto Cellini".
....
....

Grammatica attiva

La forma passiva (2)

Esiste una seconda forma di passivo che usa come ausiliare il verbo ....
Fate delle ipotesi sulle differenze che ci possono essere fra questa forma e quella con l'ausiliare essere. *Poi cercate nel testo in D4 altre frasi con la forma passiva e scrivetele qui.*
....
....
....
....
....
....

Avete notato che non in tutti i tempi verbali si usa il verbo venire*? Infatti è possibile utilizzarlo solo nei tempi semplici. Attenzione!*

Esercizio: *Combinate i tre gruppi di elementi per ottenere frasi di senso compiuto.*

L'economia italiana	è stato investito	da una fase di crisi tra la fine degli anni '90 e l'inizio del 2000.
I distretti industriali nel loro sviluppo storico	verranno trasferite	da profondi processi di riduzione e ristrutturazione.
Se il *made in Italy*	era stata costretta	dalla politica di svalutazione della lira.
La manodopera a basso costo	fosse stato sostenuto	in misura sempre maggiore all'Est.
In futuro le fasi della lavorazione dell'oro	veniva investita	facendo ricorso a strumenti tecnologicamente avanzati.
Le lavorazioni industriali a minor valore aggiunto	verranno realizzate	ad accettare bassi salari e condizioni di lavoro spesso pesanti.
I risultati di maggiore importanza	sono stati raggiunti	in quei settori che hanno investito in ricerca e marketing.
Il settore tessile in Europa	sono stati favoriti	in modo più efficace, avrebbe sicuramente superato meglio le sfide della globalizzazione.

E

1 2.15 Un'invenzione italiana: la Nutella

Ascoltate più volte l'intervista con un responsabile dell'ufficio marketing e comunicazione della Ferrero su uno dei prodotti italiani più famosi nel mondo. Confrontatevi con un compagno.

2 2.15 Ascolto analitico e morfosintattico

Ascoltate di nuovo e completate le frasi. Potete sfruttare l'attività di ascolto per approfondire la vostra conoscenza dei dettagli linguistici.

1. Secondo Lei che cosa .... quando si parla di Nutella?
2. Cambiano le modalità di consumo, ma al prodotto .... una caratterizzazione unica ed inconfondibile.
3. Certamente Lei non ci rivelerà la ricetta segreta della Nutella, può dirci nondimeno come .... la Nutella?
4. Quali sono i punti salienti della produzione che .... in evidenza?

3 Mettiamo a fuoco

A coppie: formulate una regola per rispondere alla domanda.

In E2 avete trovato frasi che presentano una forma passiva del verbo costruita con l'ausiliare **andare**. Secondo voi, qual è la funzione di questo ausiliare nel passivo?

....

Esercizio 1: *Sostituite nelle seguenti frasi* **andare** *con* **dovere**.

1. Secondo Lei che cosa va / ....deve........ **essere** assolutamente detto quando si parla di Nutella?
2. Cambiano le modalità di consumo, al prodotto va / .... senz'altro **essere** riconosciuta una caratterizzazione unica e inconfondibile.
3. Può dirci nondimeno come va / .... **essere** fatta la Nutella?
4. Quali sono i punti salienti della produzione che vanno / .... **essere** messi in evidenza?
5. Per la produzione di Nutella vanno / .... **essere** utilizzate solo le nocciole della migliore qualità.
6. Quali sono i fattori che vanno / .... **essere** posti in risalto al riguardo?
7. Tra i diversi fattori quello che va / .... **essere** considerato come decisivo è certamente l'idea geniale che ha permesso la nascita di una vera e propria categoria merceologica.

Esercizio 2: *Inserite il passivo del verbo* **andare** *o* **dovere** + **essere** *rispettando i tempi indicati tra parentesi e scegliendo tra i seguenti verbi.*

riconsegnare | timbrare | tritare | indossare | pagare

1. I libri della biblioteca .... (condizionale) dopo un mese dal prestito, ma purtroppo molti non rispettano la scadenza.
2. Per viaggiare in motorino .... (presente) il casco protettivo.
3. Fino a 10 anni fa il biglietto del treno non .... (imperfetto) prima di salire.
4. Forse un giorno in Italia le tasse .... (futuro) da tutti.
5. Per fare il pesto, le foglie di basilico .... (presente) finemente.

Esercizio 3: *Trasformate le seguenti frasi dalla forma attiva a quella passiva.*

1. Romolo e Remo fondarono Roma. ....
2. Hanno ritrovato il portafogli di Massimo nel cassonetto dell'immondizia. ....
3. Nonostante lo avessero ammesso al colloquio, non si è presentato. ....
4. Bisogna compilare il presente modulo in ogni sua parte e consegnarlo entro la data indicata. ....
5. I carabinieri lo avevano catturato, ma era riuscito a scappare di nuovo. ....
6. Penso che Luca abbia venduto la casa. ....

4 Ora tocca a voi!

A coppie: fate un riassunto di ciò che avete appreso dall'intervista in E1 cercando di utilizzare un buon numero di espressioni con la forma passiva. Se volete saperne di più visitate il sito www.nutella.it.

Scrivere un testo espositivo

I vari testi che avete letto si possono collocare nella sfera dei cosiddetti testi espositivi in quanto forniscono e interpretano dei dati.

A. *Lavorate individualmente seguendo le linee guida.*
- Scegliete un prodotto o un settore tipico del vostro paese di origine da presentare.
- Fate una scaletta con tutto quello di cui volete parlare aiutandovi con il modello accanto.
- Organizzate il testo, cioè decidete quello che volete mettere prima o dopo in ordine logico.
- Passate alla stesura del testo. Dovete scrivere dalle 120 alle 140 parole.

- definire l'argomento da esporre
- stabilire la priorità delle informazioni
- dividere le informazioni in blocchi omogenei
- ordinare i blocchi in una sequenza logica

B. Autocorrezione
Quando avete terminato la stesura del testo fate una breve pausa, poi riprendetelo con occhio critico e cercate di migliorare le parti che vi sembrano poco chiare o sbagliate.

C. Correzione a coppie
A coppie: scambiatevi i testi che avete scritto e correggeteli. Poi confrontatevi.

D. In classe
Riferite agli altri che cosa avete appreso dalla lettura del testo del vostro compagno e confrontate le varie tipologie di prodotti.

Italia ON LINE

Una regione italiana: il Piemonte
Cercate tutte le informazioni interessanti sul Piemonte contenute in questi siti:
www.piemonte-online.com
www.piemonte-emozioni.it

Ecco alcuni spunti per la ricerca: nome della regione, storia, prodotti agricoli tipici, personaggi famosi, industria, città e luoghi, curiosità... Poi scrivete dieci domande sul Piemonte e verificate in classe il grado di conoscenza di questa regione da parte di un vostro compagno.

Intervallo 4

A. 2.16 **Accenti regionali.** *Ascoltate più volte l'intervista. La prima volta annotate qual è l'argomento principale di cui tratta. Poi completate la tabella. Infine ascoltate ancora e cercate di individuare la provenienza dei due ragazzi che parlano. Quali caratteristiche della loro pronuncia riconoscete?*

Argomento: ....

	Ragazzo	Ragazza
Nome		
Età		
Descrizione dell'esame		
Studi		
Attualmente, che cosa fa? Come sta?		

B. **Slogan made in Italy.** *Leggete questi slogan pubblicitari tratti da giornali e riviste. Poi collegateli al prodotto giusto. Trovate le soluzioni a pagina 175.*

1. ☐ Più lo mandi giù e più ti tira su!
2. ☐ Una villa, 400 cavalli.
3. ☐ O così o *Pomì*!
4. ☐ Liscia, gassata o *Ferrarelle*!
5. ☐ Madre natura, padre contadino.
6. ☐ Vi voliamo bene!
7. ☐ Metti un tigre nel motore.
8. ☐ Fate l'amore con il sapore.
9. ☐ L'analcolico biondo che fa impazzire il mondo.
10. ☐ Ohhhhh, che odore! Ma la mamma ha un nuovo trucco!
11. ☐ Accendiamo il presente per illuminare il futuro.
12. ☐ Il posto più morbido dove mettere il naso.
13. ☐ È così tenero che si taglia con un grissino.
14. ☐ Il gusto pieno della vita.

a. *Esso,* carburante
b. *Maserati*
c. *Amaro Averna*
d. *Gled*, deodorante per bagno
e. Acqua minerale
f. *Scottex*, fazzoletti di carta
g. La mela del Trentino
h. *Alitalia*
i. Caffè *Lavazza*
l. Yogurt *Müller*
m. *Crodino*, aperitivo
n. *ENEL*, energia elettrica
o. Conserva di pomodoro
p. *Rio mare*, tonno in scatola

In gruppi di 3 o 4: inventate uno slogan pubblicitario per la radio. Vincerà lo slogan più originale.

Leggete le istruzioni a pagina 171.

Lasciate un messaggio per disdire un appuntamento dal dentista. **1**	Dovete consegnare un lavoro entro sera ma vi si è rotto il computer. Scrivete un fax per scusarvi dell'inconveniente e fate una proposta alternativa. **2**	Vi hanno rubato lo zaino. Andate in questura e denunciate il furto facendo la descrizione dettagliata dell'accaduto e del contenuto dello zaino. **3**
Sull'autostrada Roma-Firenze, avete appena fatto una sosta all'autogrill e vi rimettete in macchina per proseguire il viaggio ma la macchina non parte più. Dovete telefonare al soccorso autostradale e spiegare il vostro problema. **4**	Il vostro cellulare non dà più segni di vita. Andate in un negozio di telefonia mobile per risolvere il problema e il commesso vi vuole vendere un cellulare nuovo. Voi non siete tanto d'accordo. Fate il dialogo. **5**	Siete stati invitati ad una festa, ma siete impossibilitati ad andarci. Scrivete un SMS spiegandone i motivi. **6**
Siete al cinema e le persone dietro a voi non smettono di parlare, siete infastiditi. Che cosa dite? **7**	Cercate un appartamento in affitto in una città italiana. Mettete un annuncio sul giornale.  **8**	È estate e volete invitare i vostri amici ad un pic-nic in campagna. Preparate l'invito con le indicazioni per arrivare al posto prescelto. **9**

Mass media

A

1 Dietro le quinte

A coppie: leggete e completate scrivendo il nome del mezzo di comunicazione relativo ad ogni descrizione.

.... : i primi apparecchi erano pieni di valvole, avevano dimensioni cospicue anche per via del tubo catodico che costituiva una delle sue componenti essenziali. Oggi con gli ultrapiatti e quelli al plasma siamo entrati in una dimensione completamente nuova della fruizione visiva.

.... : per captare le sue onde, che si diffondono nello spazio su diverse frequenze, è necessario un apparecchio ricevente che può essere anche di dimensioni ridottissime e può essere portato ovunque. Subito ci cattura la magia dei suoni, delle voci e dei rumori.

.... : sempre in bilico tra intrattenimento e arte, tra consumismo e creatività, tra attività commerciale e impegno di ricerca intellettuale, è forse il mezzo di comunicazione di massa più legato a un luogo specifico, la sala buia con il grande schermo bianco, ad un'atmosfera unica e ricca di significati mitici e ancestrali.

.... : fu il torchio per le uve a suggerire a un geniale tedesco l'idea giusta per sviluppare una tecnica che avrebbe conosciuto notevoli modifiche nel corso dei secoli. È l'unico mezzo di comunicazione di massa che si caratterizza per un'inconfondibile materialità sollecitando anche i sensi dell'odorato e del tatto.

.... : un nodo di nodi, un incrocio di incroci, una rete di reti interconnesse in cui le informazioni, trasformate in bit sulla base di una logica binaria, viaggiano giorno e notte da una parte all'altra del mondo e ci ricordano che tutti siamo legati gli uni agli altri e all'intero universo.

2 Abitudini a confronto

Completate la tabella seguendo le domande guida. Poi muovetevi nella classe per conoscere le abitudini del maggior numero possibile di compagni.

- Quale di questi media usate più frequentemente?
- Quale usate poco e malvolentieri? Perché?

	+++	++	+/-	--	---
radio	☐	☐	☐	☐	☐
cinema	☐	☐	☐	☐	☐
internet	☐	☐	☐	☐	☐
giornali/riviste	☐	☐	☐	☐	☐
televisione	☐	☐	☐	☐	☐

B

1 Dettato incrociato

A coppie: di spalle, uno dei due detta all'altro la prima colonna del testo, poi passa il foglio al compagno scambiandosi il ruolo per la seconda colonna. Infine si confronta il dettato con il testo originale.

Se si considerano i mezzi di comunicazione di massa dal punto vista della loro origine storica si deve certamente riconoscere il primato della stampa che, grazie alla genialità di Gutenberg, prese a diffondersi a partire dal XV secolo. La nuova tecnica conobbe un enorme sviluppo nei secoli successivi riuscendo a raggiungere strati sempre più vasti di popolazione. Non si può però dimenticare il fatto che tale mezzo di comunicazione presuppone sempre la capacità di leggere, collegata alla condizione socio-economica. Se si era analfabeti, come la maggioranza delle persone, almeno fino alla metà dell'Ottocento, si era automaticamente esclusi dalla fruizione dei testi stampati. Ragione per cui i giornali e le riviste, in genere, si svilupparono solo a partire dal '600, rivolgendosi inizialmente a un pubblico piuttosto ristretto.

Diverso il caso della radio: sviluppata tecnicamente nella seconda metà dell'Ottocento, perfezionata nei primi del Novecento, vide la nascita delle prime emittenti negli anni Venti del XX secolo. Nel 1921, infatti, nacque la BBC, tra il 1924 e il 1927 il regime fascista italiano diede vita all'EIAR, Ente Italiano Audizioni Radiofoniche, che a partire dalla caduta del fascismo si sarebbe chiamata RAI (Radio Audizioni Italiane). Questo nuovo mezzo di comunicazione di massa si diffuse notevolmente nell'arco di un ventennio, divenendo una presenza insostituibile nella vita quotidiana di milioni di persone. A differenza della stampa, infatti, la radio non richiedeva abilità intellettuali specifiche quali saper leggere, bastava ascoltare! Anche se si era ignoranti o magari si parlava solo un dialetto locale si potevano comprendere le notizie, ascoltare i programmi musicali, ecc. Non è un caso che durante il ventennio fascista se ne fece un uso sistematico a scopi di propaganda e manipolazione dell'opinione pubblica.

2 Masse e comunicazione

Rileggete il testo in B1 e la sua continuazione qui sotto. Poi indicate se le seguenti affermazioni sono vere o false. Infine confrontatevi con i compagni e stabilite insieme quali sono le informazioni corrette.

	Vero	Falso
1. La stampa fu storicamente il mezzo di comunicazione di massa più importante e decisivo, in quanto precedette la radio e la televisione.	☐	☐
2. In Italia si è fatto un uso strumentale della radio fin dall'inizio, mettendola al servizio del potere politico dominante.	☐	☐
3. Grazie alla stampa, potente fattore di unificazione linguistica, l'italiano divenne lingua popolare usata dalla maggioranza degli italiani.	☐	☐
4. La radio era, ed è tuttora, un mezzo di comunicazione di massa di cui ci si può servire più facilmente rispetto alla stampa.	☐	☐
5. Dopo la nascita della televisione l'influenza della radio si è andata sempre più riducendo anche se si sono introdotte novità importanti, come le radio libere negli anni '70.	☐	☐
6. La radio è un mezzo di comunicazione di massa caratterizzato dalla trasmissione in tempo reale o quasi reale delle informazioni.	☐	☐
7. Se non si possiedono conoscenze culturali sufficientemente ampie, si è automaticamente esclusi dalla fruizione di tutti i mezzi di comunicazione di massa.	☐	☐

A riprova del vasto potere di suggestione di questo mezzo di comunicazione di massa, si può citare la vicenda assai nota del 30 ottobre 1938, quando Orson Wells trasmise in diretta una finta invasione marziana che milioni di americani credettero vera. In Italia non ci si può dimenticare di un dato di fatto storico essenziale: la "questione della lingua". Ancora negli anni venti del Novecento solo una minoranza relativamente ristretta di italiani parlava l'italiano, la stragrande maggioranza si serviva piuttosto degli innumerevoli dialetti, locali o regionali. In tale situazione la radio divenne uno strumento potentissimo di unificazione linguistica, contribuendo al secolare processo di trasformazione dell'italiano da lingua scritta e letteraria a lingua parlata. Insomma: senza la radio niente italiano popolare!

Un apparecchio degli anni '50

Ci si deve ricordare inoltre di un altro elemento importante per la differenziazione tra la stampa e la radio: solo nel secondo caso si è resa possibile la trasmissione delle informazioni in tempo reale o comunque in tempi assai ridotti. Tale caratteristica del mezzo radiofonico la si può rilevare anche nel mezzo televisivo, specialmente nei programmi informativi. Proprio la diffusione della televisione negli anni '60 e '70 sembrò decretare il declino irreversibile della radio grazie al supporto delle immagini. Neppure la nascita delle radio libere in Italia nella seconda metà degli anni '70 pareva poter frenare il declino della radio. In modo del tutto inaspettato, invece, a partire dagli anni '90 si è assistito a un ritorno di fiamma della radio, anche nella versione su Internet, che oggi viene ascoltata in Italia da circa 35 milioni di persone.

Orson Wells

3 **Mettiamo a fuoco**

A coppie: cercate nei testi in B1 e B2 tutte le espressioni che iniziano con la particella **si** *e classificatele in questa tabella di grammatica sotto la categoria corrispondente alla loro funzione.*

Grammatica attiva

Espressioni impersonali

Le espressioni con il **si impersonale** *servono a generalizzare, a esprimere l'azione senza specificare chi la fa:*

Se **si** considerano i mezzi di comunicazione di massa dal punto di vista della loro origine storica...

→ se tutti considerano / se uno considera / se consideriamo...

Attenzione a non confondere il **si impersonale** *con le* **forme riflessive** *del verbo:*

Ragione per cui i giornali e le riviste, in genere, **si** svilupparono solo a partire dal '600...

si impersonale	si riflessivo
....	....
....	....
....	....
....	....
....	....
....	....

Completate le frasi e ricostruite le regole sulle forme del **si impersonale**.

Anche se si era ignoranti o magari si .... solo un dialetto locale si .... comprendere le notizie.

Qual è la differenza fra la prima forma del verbo e la seconda. Da che cosa dipende?

Se si è analfabet.............. , si è automaticamente esclus.............. dalla fruizione dei testi stampati.

Qual è la caratteristica degli aggettivi legati alla forma impersonale?

.... deve ricordare inoltre di un elemento importante per la differenziazione tra la stampa e la radio.

Qual è la funzione grammaticale delle due particelle davanti alla forma del verbo **deve**?

Durante il ventennio fascista .... fece un uso sistematico a scopi di propaganda.

Come si trasforma il **si** *quando incontra la particella* **ne**?

Solo nel secondo caso .... possibile la trasmissione delle informazioni in tempo reale o comunque in tempi assai ridotti.

In alcuni casi la forma impersonale può essere sostituita da una costruzione passiva. Trasformate questa frase dall'impersonale al passivo.

....

....

Esercizio 1: *Completate con le forme corrette del* **si impersonale**.

1. Quando (ascoltare) .... certi programmi radiofonici (lasciare) .... spesso libero corso alla fantasia anche perché non (vedere) .... immagini.
2. Grazie alla radio (potere) .... ricevere notizie aggiornate da tutto il mondo, insomma grazie ad essa (sentirsi) .... aggiornat ..... e partecip ..... di avvenimenti anche assai lontani.
3. Spesso (lasciare) .... la radio accesa e (muoversi) .... liberamente per casa mentre (ascoltare) .... i programmi più diversi.
4. Quando (essere) .... trist ......, (accendere) .... la radio e (sintonizzarsi) .... su programmi musicali, ed ecco che (dimenticarsi) .... almeno per un po' dei propri problemi.
5. La radio, la (potere) .... lasciare accesa anche per ore mentre il giornale, lo (leggere) .... e poi in genere lo (dimenticare) .... da qualche parte.

Esercizio 2: *Completate il testo con le forme impersonali. Fate attenzione ai tempi verbali.*

La radio oggi sta attraversando una nuova primavera. (contare) .... infatti più di 600 emittenti con oltre 36 milioni di ascoltatori ogni giorno. Un mondo dai mille volti! Un tempo (sentire) .... solo voci e (cercare) .... di immaginare chi si celasse dietro a quelle voci, che aspetto avessero i conduttori, i commentatori e gli speaker. Poi Internet e la webcam ce li hanno mostrati in carne e ossa. Non sempre ci hanno guadagnato. Ma il mito della radio resiste. E invece di andare in pensione, con i suoi ottant'anni suonati, la vecchia radio vive una seconda, splendida, giovinezza. A Riva del Garda, dal 2 al 4 giugno, alla terza edizione di RadioIncontri (parlare) .... anche di questo e (festeggiare) ...., tra l'altro, anche il trentesimo anniversario delle radio libere. Occasione unica per esplorare questo universo in trasformazione. "(incontrarsi) .... infatti per parlare non solo di radio, ma sarà la radio stessa a parlare di sé attraverso i suoi protagonisti", dicono Renzo Ceresa e Massimo Cirri, curatori dell'evento.
Qualcuno sostiene che le nuove tecnologie non hanno cambiato l'identità della radio, ma di certo hanno trasformato le modalità di consumo. "Oggi la velocità e l'interattività hanno trasformato la radio in un ultra-media, ormai è come l'aria che (respirare) ...., non (poterne) .... fare a meno", afferma Giancarlo Santalmassi, direttore di Radio24 e già direttore del GR RAI.

4 Ora tocca a voi!

A coppie: scambiatevi informazioni seguendo le domande guida. Poi, a casa, scrivete una breve descrizione di un programma che conoscete bene. Se disponete di una buona connessione Internet potete ascoltare un programma italiano, ad esempio all'indirizzo: www.rai.it

- Quali sono i vostri programmi radiofonici preferiti?
- C'è un programma "cult" nel vostro paese?

5 Facciamo una trasmissione radiofonica

A coppie: inventatevi una trasmissione radiofonica. Potete proporre un vostro argomento oppure scegliere tra i seguenti. Avete 30 minuti di tempo per prepararvi, poi "andrete in onda" per i compagni.

- pezzo teatrale
- fiaba per bambini
- estrazione del Lotto
- intervista con un noto personaggio
- trasmissione su un argomento di costume (i giovani, la moda, ecc.)
- previsioni meteorologiche
- intervallo pubblicitario

C

1 Tele-visioni

A coppie: leggete le informazioni e confrontatele con la situazione delle emittenti televisive nel vostro paese.

Il panorama televisivo italiano è dominato da due gruppi, uno pubblico, la Rai, con tre reti: RAI 1, RAI 2 e RAI 3, l'altro privato, Mediaset, con tre canali: Canale 5, Italia 1 e Rete 4, tanto che in genere si parla di duopolio televisivo. A queste si è aggiunta negli ultimi anni un'altra emittente di proprietà privata che sta progressivamente guadagnando popolarità sul territorio nazionale: La 7.

2 I programmi di prima serata

Con "prima serata" si intende la fascia oraria della programmazione televisiva che va circa dalle 20 alle 22 e 30. A coppie: osservate la programmazione nazionale di questo venerdì sera del mese di ottobre e cercate di farvi un'idea del tipo di programmi. Se ne avete la possibilità fate qualche ricerca su Internet. Poi create il vostro palinsesto ideale per questa fascia oraria e proponetelo alla classe.

RAIUNO 	RAIDUE 	RAITRE 	RETE 4 
SERA			
20,00 **Tg1 Telegiornale** **20,30** Quiz **Affari tuoi** con Flavio Insinna. A cura di Pasquale Romano **21,00** Varietà **Il treno dei desideri** con Antonella Clerici. Regia di Sergio Colabona, scenografia di Gaetano Castelli, costumi di Giovanni Ciacci	**20.00** Cartoni **Warner Show** **20,10** Cartoni **Tom & Jerry** **20,30** **Tg2 20,30** **20,55** Attualità **Tg2 Dieci minuti** con Maurizio Martinelli **21,05** Telefilm **Criminal Minds** (1ªserie) «Questioni in sospeso - La tribù»	**20,00** Sport **Rai Tg Sport** **20,10** Varietà **Blob** **20,30** Soap **Un posto al sole** **21:00** Attualità **Mi manda Raitre** conduce Andrea Vianello, con la collaborazione di Anna Bartolini e Ugo Ruffolo	**20,10** Telefilm **Walker Texas Ranger** con Chuck Norris **21,00** Film **Commissario Cordier: Le onde del passato** con Bruno Madinier, Pierre Mondy

CANALE 5 	ITALIA 1 	LA 7 	MTV 
SERA			
20,00 **Tg5 Telegiornale-Meteo 5** **20,30** Varietà **Striscia la notizia-La voce della turbolenza** un programma di Antonio Ricci, con Ezio Greggio **21.00** Varietà **Paperissima** un programma di Antonio Ricci, con Gerry Scotti, Michelle Hunziker	**20,10** Quiz **Mercante in fiera** **21,05** Film-thriller **Red Dragon** di Brett Ratner (Usa 2002) con Anthony Hopkins, Edward Norton, Ralph Fiennes, Emily Watson **22,00** **Tg com/Meteo**	**20,00** **Tg La 7** **20,30** Attualità **Otto e mezzo** **21,30** Attualità **Le invasioni barbariche**	**20,00** Attualità **Tg Flash** **20,05** Cartoni **Full Metal Panic** **20,30** Telefilm **Lolle** **21,00** Varietà **All Access: Celebrity Wedding Secrets** **22,00** Varietà **Can't Get a Date**

3 Una ricerca su Internet

"Striscia la notizia" e "Blob" sono due programmi della televisione italiana. Fate una ricerca utilizzando Internet. Che cosa hanno in comune, che cosa li differenzia? Prendete appunti e poi parlatene in classe.

4 Confronti

Confrontate i programmi di prima serata in Italia che avete visto in C2 con quelli del vostro paese. Sono di più le analogie o le differenze? Ci sono programmi di uguale formato? Scrivete da 80 a 100 parole.

5 Talk show: televisione pro e contro

Formate due squadre: una elaborerà argomenti a favore della televisione mentre l'altra si concentrerà su tutti gli argomenti contro. Si procederà poi a un dibattito dove l'insegnante farà da moderatore.

D

1 Video ergo sum

Conoscete i reality show? Ci sono anche nel vostro paese? Formate dei gruppi di tre persone. Vi proponiamo tre testi da leggere. Ogni componente del gruppo legge un testo diverso e riferisce agli altri.

Il Grande Fratello

Nel 2000 si è assistito alla nascita di una nuova generazione di format televisivi e un po' tutti ci si è fermati a guardare qualcosa che la televisione non aveva mai mostrato: un appartamento abitato da dieci persone comuni, a volte magari un po' troppo "comuni", disposte a vivere rinchiuse in una specie di casa separata dal resto del mondo e ad essere filmati dalle telecamere 24 ore al giorno. Si sono visti i cosiddetti inquilini "della casa" dormire, lavarsi, mangiare, fumare (molto), baciarsi e scambiarsi gesti più o meno eloquenti d'amore, litigare, piangere e ridere. Si sono sentite parolacce, frasi sgrammaticate, dichiarazioni d'amore, chiacchiere di ogni tipo. Per alcuni si è trattato di uno sviluppo naturale dei programmi televisivi, una specie di democratizzazione della televisione in cui si può diventare star anche senza possedere alcun tipo di formazione né artistica né giornalistica. Per altri, "Il Grande Fratello" ha segnato invece uno dei punti più bassi della televisione spazzatura o trash, non offrendo altro che un contenitore insignificante a basso prezzo per completare i palinsesti televisivi sempre più voraci e costosi.

L'Isola dei Famosi

Non si può negare che il problema abbia ormai assunto dimensioni mondiali. In un solo anno si è rilevata negli USA una fenomenale perdita di ingaggi da parte di attori professionisti della recitazione: un calo di più di tremila ruoli. Ma ciò non dipende da un'improvvisa crisi dell'industria dell'intrattenimento televisivo. Il fenomeno va imputato piuttosto all'esplosione dei reality show, nei quali, come si sa, i ruoli vengono coperti da tanti "signor nessuno". Ma le vie del reality sono davvero infinite e così si è creata una nuova generazione di spettacoli dal vivo, in cui invece che seguire le vicende di anonimi cittadini ci si può trastullare con le liti, le reazioni e i comportamenti di ex personaggi dello spettacolo, più o meno famosi. Nel reality di maggior successo di tale genere in Italia, "L'Isola dei Famosi", si sono visti cantanti, modelle, ragazze della buona società, attori, annunciatrici televisive, ecc. Anche in questo programma si sono viste le situazioni più diverse: crisi di fame per la carenza di cibo e l'incapacità dei presunti famosi a procurarsene da soli, innumerevoli crisi di pianto, nostalgie di casa, litigi furibondi. Ma soprattutto si è vista e si vedrà in futuro molta "carne" considerando che i "naufraghi" reclusi sull'isola vivono in una zona di clima tropicale dove non si indossano abiti ma costumi da bagno. Anche nel caso dell'Isola il programma è tutt'altro che reality, in realtà quello che lo spettatore vede è il risultato di tagli e montaggi ben calcolati dalla redazione, con scelte talvolta davvero discutibili.

La Fattoria

Analizzando con attenzione e occhio critico un'intera edizione del programma, si sarebbe portati a pensare che l'interesse del pubblico non possa durare a lungo. Una volta che si sono seguite le vicissitudini di un gruppo di personaggi del mondo dello spettacolo, più o meno noti o popolari, catapultati in una presunta fattoria medioevale, araba o africana con condizioni di vita apparentemente difficili e conseguenti lotte psicologiche e fisiche, come ci si può interessare ancora al programma? Che bisogno c'è di sorbirsi una nuova serie? E invece i dati auditel confermano che il pubblico sembra divorato da un'inesauribile curiosità. Ogni nuova serie può fregiarsi di dati d'ascolto di tutto rispetto. Nel frattempo è anche chiaro che la maggior parte dei personaggi ex-famosi che si sono riciclati per le diverse serie del programma, dopo una fase iniziale di rinnovata popolarità, finiscono regolarmente per ricadere nel dimenticatoio. Non è un po' triste che ci si ricordi di qualcuno non per i suoi meriti artistici, ma per non aver saputo pulire la stalla delle mucche? Oppure è proprio questo quello che piace al pubblico? E cioè vedere i presunti famosi sporchi, stanchi, tristi e magari incattiviti?

2 Mettiamo a fuoco

A coppie: sottolineate tutte le frasi con il **si** *nei tempi composti (passato prossimo, congiuntivo passato, ecc.) che trovate nei tre testi in D1. Osservate gli esempi nella tabella e trasformate anche le altre frasi impersonali usando la struttura personale con il soggetto di 1° persona plurale (noi).*

Grammatica attiva

La costruzione impersonale nei tempi composti

Osservate le frasi e completate le regole.

Personale	**Impersonale**
	L'ausiliare nei tempi composti delle forme impersonali è sempre .... La desinenza del participio è in relazione a caratteristiche del verbo usato nelle forme personali.
Verbi **transitivi** *(=con complemento oggetto), con ausiliare* **avere***:* ... abbiamo studiato **il pubblico** ... abbiamo visto **gli inquilini** ... abbiamo rilevato **una perdita** ... abbiamo sentito **parolacce**	*La desinenza del participio può essere .... e dipende da ....* **Si è studiato** attentamente il pubblico dei reality. **Si sono visti** i cosiddetti inquilini "della casa". **Si è rilevata** negli USA una perdita di ingaggi. **Si sono sentite** parolacce e frasi sgrammaticate.
Verbi **intransitivi** *con ausiliare* **avere***:* ... **abbiamo assistito** alla nascita ... ... ne **abbiamo parlato** ...	*La desinenza del participio è ....* **Si è assistito** alla nascita di una nuova generazione di format televisivi e **se ne è parlato** molto.
Verbi **intransitivi** *con ausiliare* **essere** *e verbi* **riflessivi***:* ... **siamo andati** ... ... **ci siamo fermati**	*La desinenza del participio è sempre -i.* **Si è andati** a vedere la produzione di uno di questi programmi. **Ci si è fermati** a guardare qualcosa che la tv non aveva mai mostrato.

Unità 9

Esercizio 1: *Trasformate le frasi alla forma impersonale.*

1. Se non sei mai stato in un paese straniero non puoi giudicarlo a scatola chiusa.

   ....

2. Dopo che ti sei informato e hai riflettuto sulla questione puoi anche esprimere un'opinione ben fondata.

   ....

3. Chissà come si sente uno quando è stato scelto per partecipare ad un reality show?

   ....

4. Hanno scritto molti articoli sulla televisione "spazzatura" e alcuni sono arrivati al punto di proporre delle regole di controllo.

   ....

Esercizio 2: *Trasformate al passato prossimo.*

1. Ci si trova come ogni sera al solito bar a prendere l'aperitivo.

   ....

2. Anche in questa sfilata di moda si vedono gli abiti più estrosi indossati da stupende modelle.

   ....

3. Si parla sempre molto dei tempi della scuola e dei nostri compagni di classe.

   ....

4. Come ogni anno si torna a casa stanchi e tristi dalle vacanze.

   ....

Esercizio 3: *Completate con la forma impersonale nei modi e nei tempi corretti.*

Dopo che (lavorare) .... tutto il giorno, (guidare) .... magari nel traffico caotico di prima serata infine (giungere) .... all'agognata meta: a casa. (fare) .... una bella doccia rigeneratrice, infine (mangiare) .... qualcosa di buono, (sedersi) .... sul divano e finalmente (rilassarsi) .... davanti al televisore. Ma come? Non appena (premere) .... il pulsante e le immagini cominciano a scorrere, ecco che (venire chiamati) .... al telefono. Allora (alzarsi) ...., (prendere) .... la cornetta malvolentieri e (rispondere) .... Non (fare) .... in tempo a riprendere posizione sul divano che qualcuno dalla cucina o dal balcone, o dal giardino ci chiama, la nostra presenza è assolutamente indispensabile. Uno che deve fare? È ovvio, (andare) .... , (discutere) .... , magari (litigare) .... A questo punto (sentirsi) .... davvero in debito con il destino, ora basta, ora (spegnere) .... il pulsante della realtà e (godersi) .... un bel programma televisivo. Macché, appena (iniziare) .... a fare zapping alla ricerca di qualcosa di guardabile, senza grida e schiamazzi, senza discussioni filosofiche, che una moglie, un figlio, un fratello, a volte addirittura una zia ospite solo per una settimana, si piazza sul divano e con espressione innocente e supplicante chiede di poter vedere un'importantissima trasmissione, una telenovela, un reality, un festival, un varietà, un concerto live. E allora? Ecco, lì sul tavolo del salotto ammicca silenzioso e fedele il libro che (cominciare) .... a leggere qualche settimana fa, sembra quasi che si offra alla nostra attenzione. (Alzarsi) .... , dopo aver ceduto l'arma letale, il telecomando, (prendere) .... il libro, (accomodarsi) .... su una poltrona e, infine, (rientrare) .... nella storia iniziata, i pensieri volano, la fantasia scioglie le sue briglie.

Ah, questa sì che è vita!

E

1 La carta stampata

A coppie: conoscete questi quotidiani e queste riviste? Scambiatevi informazioni seguendo le domande guida. Aiutatevi con gli elementi dati qui di seguito.

quotidiano | settimanale | attualità | cultura | società | divulgazione scientifica | tabloid | sport | politica | specializzato in economia | programmiTV | femminili | automobilismo | turismo | culturale

- Che frequenza di pubblicazione ha?
- Quali argomenti tratta?
- Dove si trova la redazione centrale?

2 Confronti

Leggete questo testo e confrontate con la situazione nel vostro paese. Poi scambiatevi idee e informazioni.

In Italia solo una minoranza della popolazione legge un quotidiano regolarmente. In effetti i due più grandi giornali italiani, **La Repubblica** e il **Corriere della Sera** hanno rispettivamente una tiratura che non supera le 850.000 copie. In compenso non esiste in Italia un quotidiano sensazionalistico come il **Sun** inglese o la **Bild Zeitung** tedesca.

3 2.17 La parola a un giornalista

Ascoltate l'intervista con il giornalista Domenico Diaco del quotidiano "Il Piccolo" di Trieste. Poi rispondete alle domande.

1. Quali sono i diversi modi per diventare giornalista citati dal signor Diaco?
2. Quale fatto di cronaca fu vissuto dal signor Diaco in veste di giornalista e quali furono le sue impressioni?
3. Come si fa un giornale?
4. Che cos'è una notizia?
5. Che cosa ci racconta il signor Diaco sul panorama giornalistico italiano di oggi?

F

1 Descrivere un paesaggio

Osservate la foto. Quante di queste espressioni sono utili per descrivere ciò che vedete? Preparate una descrizione scritta dell'immagine.

propaggine montuosa | scorcio di paesaggio | paesaggio incontaminato | litorale | arroccato

2 Piccola grande Italia: il Molise

Leggete e completate il testo con 4 delle espressioni date in F1. Poi scegliete quale degli aspetti turistici del Molise vi attira maggiormente.

"La più giovane d'Italia" (nata nel 1963), "la più piccola" e "la meno popolata" tra le regioni a statuto ordinario. Tra i tanti aggettivi che caratterizzano la regione Molise ce n'è uno che da solo merita un viaggio: "incontaminata".
Ognuno dei paesi, ... quasi sempre su una qualche collina o ...., ha conosciuto in passato il fenomeno dell'emigrazione. Il Molise è anche uno dei pochi territori italiani non contaminati dal turismo consumistico, insomma un'Italia ancora nascosta e poco conosciuta ai più.
Volendo tracciare una mappa degli itinerari turistici, si può cominciare dalla costa con un .... di appena 38 chilometri da cui, facendo base a Termoli, ci si può imbarcare per fare un'escursione giornaliera alle isole *Tremiti*. Altre mete a portata di mare sono *Montenero di Bisaccia*, *Petacciato e Campomarino*. Per quanti non vogliano allontanarsi dal mare si consiglia una visita al centro storico di Termoli con la sua cattedrale risalente al XIII secolo.
È legato al suo passato di terra dominata e abitata dai Sanniti, l'itinerario museale, particolarmente adatto a tutti coloro che si interessano alle molte testimonianze storiche. Si può iniziare da *Campobasso*, il capoluogo di regione, con una visita al Museo Sannitico, passando poi a *Pietrabbondante* con il suo teatro sannitico, poi a *Baranello* con il suo Museo Civico, per finire ad *Isernia*, seconda provincia della regione, con la visita al Museo Archeologico. Se si vogliono visitare anche i musei legati alla civiltà contadina e artigianale, che caratterizzano in modo così preponderante il Molise, ecco il Museo della *Zampogna a Scapoli*, quello dei ferri taglienti di *Frosolone* oppure il Museo delle Campane ad *Agnone*.
Altrettanto varia risulta l'offerta turistica per chiunque ami la vacanza nella natura e lo sport.
Roccamandolfi riserva agli occhi del visitatore scorci di un .... dove non abita nessuno per chilometri. A *Guardiaregia* e a *Campochiaro* si può prendere parte a qualche escursione trekking nell'Oasi del WWF. Per chiunque ami lo sci, *Campitello Matese* mette a disposizione piste e impianti di risalita. Per chi non indietreggia di fronte ad alcun rischio c'è poi la possibilità di praticare il parapendio a *Frosolone*, *Sepino*, *Castropignano e Casalciprano*. E ancora escursioni in fuoristrada, in mountan bike, escursioni speleologiche e arrampicate di diverso grado di difficoltà. Per non parlare delle feste popolari, della cucina e di molto altro ancora. Insomma in Molise ce n'è per tutti i gusti!

3 Espressioni di quantità indefinita

A coppie: rileggete il testo prestando particolare attenzione alle parole sottolineate. Si tratta di aggettivi, avverbi e pronomi indefiniti. Scrivete una nuova frase per ognuna di queste parole e confrontatevi con i compagni.

Il nostro telegiornale

A. *A gruppi di 3: scrivete la scaletta del vostro telegiornale seguendo l'ordine di successione tematico suggerito. qui.*

Notizie internazionali

Politica interna

Cronaca

Economia

Sport

Previsioni del tempo

B. *Dividetevi i compiti e redigete brevi notizie. Inventate un nome per il vostro telegiornale e una breve sigla musicale.*

C. *Presentate alla classe il vostro telegiornale con la sigla. Leggete le notizie alternandovi.*

D. *A casa scrivete un articolo più dettagliato su una delle notizie del vostro telegiornale.*

Ecco alcuni indirizzi Internet utili. Approfondite il tema che vi interessa di più e riferite ai compagni.

Quotidiani:
www.giornali.it
www.repubblica.it
www.corriere.it
www.gazzetta.it
www.ilsole24ore.com

Settimanali:
http://espresso.repubblica.it
www.donnamoderna.com
www.panorama.it

Radio:
www.radio.rai.it
www.radio24.it

Televisioni:
www.rai.it
www.canale5.mediaset.it
www.rete4.mediaset.it
www.italia1.mediaset.it
www.la7.it

Unità 10

Nero su bianco

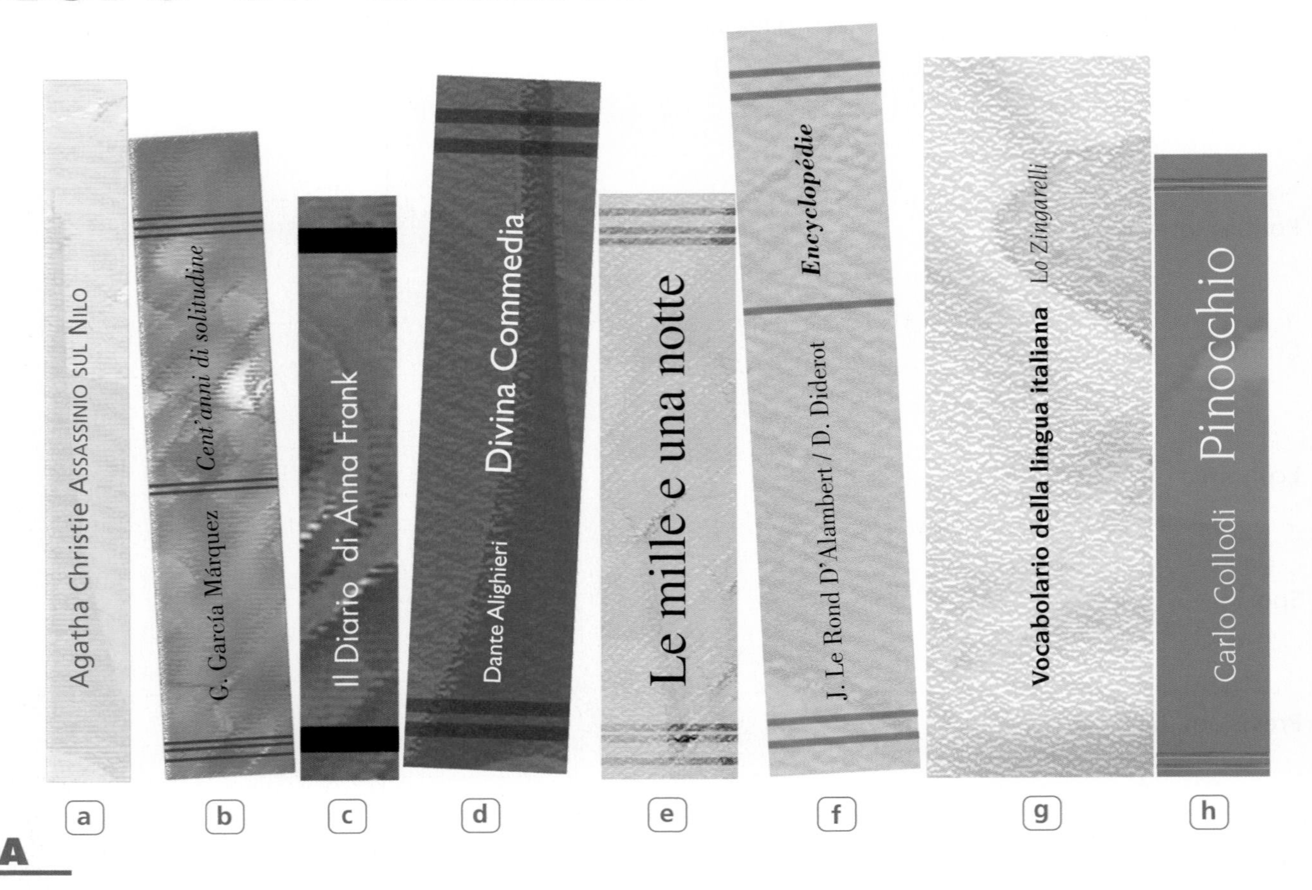

A

1 Un libro per amico

A coppie: abbinate titoli e autori alle descrizioni corrispondenti.

1. ☐ Vi si narrano le vicende di una famiglia e di un villaggio sudamericani nell'arco di un secolo, in un susseguirsi avvincente di figure epiche, tragiche e comiche.
2. ☐ A queste pagine l'autrice consegnò le sue riflessioni di adolescente spaventata ma piena di vita e di speranza, una speranza che purtroppo non avrebbe avuto riscontro nella realtà dei fatti storici.
3. ☐ Fu un'impresa editoriale che fece scalpore e segnò un'intera epoca culturale europea, l'Illuminismo nel XVIII secolo.
4. ☐ Rappresenta un'opera di riferimento per chi voglia informarsi sui significati e sull'evoluzione del lessico italiano e costituisce uno strumento di consultazione assai utile. Certo è un po' voluminoso ma è disponibile anche nella versione digitale su CD-rom.
5. ☐ Dalle sue terzine e dalle sue tre cantiche nacque l'italiano letterario, che divenne lingua comune degli intellettuali. È la descrizione di un viaggio, dove non manca una guida turistica d'eccezione: Virgilio.
6. ☐ Sarà anche un bambino indisciplinato e svogliato ma, visto il successo del suo libro in tutto il mondo, di certo non si può negare che abbia naso e che ne abbia avuto anche il suo autore.
7. ☐ Pieno di storie fantastiche e avvincenti ci trasporta in un'altra dimensione, in un oriente da favola per farci scoprire che in fondo non si parla d'altro che di noi stessi.
8. ☐ Immaginate un fiume grande e bellissimo, vestigia di una millenaria civiltà, aggiungete signori europei ricchi e di buone maniere. Purtroppo l'idillio della crociera viene spezzato da una serie di omicidi inspiegabili. Per fortuna a bordo si trova il celebre investigatore belga Hercule Poirot.

2 Generi letterari

Classificate le opere in A1 secondo i generi suggeriti.

Diario ☐ Giallo ☐ Fiaba ☐ Dizionario ☐

Enciclopedia ☐ Romanzo ☐ Narrativa per bambini ☐ Poesia ☐

3 Parlare di libri

A coppie: preparatevi a parlare dei libri che avete letto recentemente. Fate una lista, classificateli secondo i generi e riassumete in poche parole il contenuto di ognuno. Annotate anche il vostro giudizio: vi sono piaciuti o no? Perché?

4 Ora tocca a voi!

A casa: scrivete una breve presentazione di un libro famoso (da 80 a 100 parole). Poi presentatela alla classe, leggendola senza rivelare né il titolo né l'autore. Tra i compagni vince chi indovina per primo di quale libro state parlando.

5 Approfondimento

Oltre ai generi elencati in A2 ne esistono altri. Eccone alcuni. Abbinate ogni nome alla definizione corrispondente.

la biografia | i tascabili

i romanzi rosa | gli atlanti

i romanzi d'appendice | la sceneggiatura

1. .... : si tratta soprattutto di romanzi che venivano pubblicati a puntate sui giornali e solo in un secondo tempo in un volume unico.
2. .... : libri economici di grande tiratura, solitamente di dimensioni ridotte per essere portati facilmente con sé.
3. .... : narra le vicende di una persona, la storia della sua vita.
4. .... : è il copione di un'opera cinematografica, vi sono descritte anche le scene nelle loro caratteristiche visive e acustiche.
5. .... : si tratta di romanzi, spesso assai lunghi, che narrano complicate storie d'amore, considerati in genere privi di valore letterario.
6. .... : il nome risale al 1595, sono libri molto grandi che raccolgono cartine geografiche oppure tavole illustrate relative a diverse discipline (anatomia, botanica, ecc.).

B

1 2.18 No, il mio libro no!

A coppie: osservate le vignette e rimettete in ordine il dialogo tra Roberto e sua moglie Giovanna. Poi ascoltate e confrontate le vostre ipotesi con la registrazione.

1 R: Giovanna, dov'è il mio libro...? *Sostiene Pereira*, sai, quello di Tabucchi. Per favore aiutami a trovarlo! Ieri stava qui sul tavolo. Anzi l'ho visto non più di due ore fa.

☐ R: Da che pulpito, tu mi accusi di essere possessivo e poi mi rinfacci platealmente di averlo pagato tu e non io? Un bell'esempio di coerenza, non c'è che dire, vergognati! E poi a me interessa il libro, dov'è finito?

☐ G.: (Lei non molla la presa) Lascialo, pazzo, finirai per strapparlo, con quello che mi è costato! (Giovanna dà uno strattone al libro e Roberto perdendo l'equilibrio le cade addosso sul divano. I due scoppiano a ridere)

☐ R.: Libro, che libro? Non mi dire che lo stai leggendo tu! L'ho iniziato per primo io ieri. Oddio, sicuramente mi hai perso il segno e ora? Ridammelo subito! (Cerca di strapparle il libro con forza)

☐ R.: Amore, perdonami!

☐ G.: (Sdraiata comodamente sul divano sta leggendo un libro) Ma come sei possessivo con i libri, "il mio libro", semmai il "nostro" o ancora meglio "il mio" visto che in libreria siamo andati insieme e sono stata io a pagare alla cassa, non ti ricordi mio caro?

☐ G.: Ma caro, smettila, io vorrei leggere. Se continui a gridare non mi posso concentrare, questo libro è davvero avvincente!

2 2.18 Il discorso indiretto

A coppie: ascoltate ancora il dialogo e poi provate a riportarlo nel discorso indiretto.

Roberto chiede a Giovanna dov'è il **suo** libro. **Le** dice di aiutar**lo** a trovarlo. Dice anche che **ieri** stava **lì** sul tavolo e che **l'ha visto** non più di **due ore prima**.

Grammatica attiva

Completate.

Pronomi personali

Discorso diretto	Discorso indiretto
io / tu	....
noi / voi	loro
mio / tuo	....
nostro / vostro	loro
mi / ti	....
ci / vi	gli

Avverbi e locuzioni

Discorso diretto	Discorso indiretto
qui / qua	....
ora / adesso	allora
oggi	quel giorno
ieri	....
domani	....
scorso	precedente, prima
questo	....
fra (un mese)	dopo (un mese)
(un mese) fa	....

Avete notato anche come cambia l'imperativo? Osservate.
Per favore aiutami a trovarlo. ➔ Le dice di aiutarlo a trovarlo.

Esercizio 1: *Riprendete il dialogo in B1 e completate la sua versione nel discorso indiretto.*

Roberto chiede a Giovanna dov'è il .... libro. .... ha detto di aiutar .... a trovarlo. Ha detto anche che il giorno .... stava .... sul tavolo e che .... aveva visto non più di due ore .... Lei gli ha risposto che .... era davvero troppo possessivo con i libri e che semmai il libro era di tutti e due e non apparteneva solo a ...., semmai a .... visto che, tra l'altro, era stata .... a pagare alla cassa, la settimana .... Roberto ha risposto che secondo .... anche Giovanna, sebbene .... rinfacciasse di essere possessivo, non era da meno perché sottolineava che era stata .... a pagarlo. E .... ha domandato di nuovo dove fosse finito il libro. Lei allora, gli ha detto di smetterla perché voleva continuare a leggere il libro così appassionante che aveva tra le mani. Allora Roberto ha sospettato che si trattasse del "...................." libro e ha detto subito che sicuramente .... aveva perso il segno. Poi le ha ordinato di ridar .... subito. Ha anche cercato di strapparglielo con forza dalle mani. Giovanna però non ha mollato la presa e .... ha gridato di lasciare il libro, con quello che .... era costato! Alla fine Roberto è caduto addosso a Giovanna e .... ha chiesto di perdonar ....

Esercizio 2: Conversazione strategica - *Leggete il testo e trasformatelo al discorso indiretto. Attenzione: non cambiate il tempo della frase principale, fate l'esercizio al presente.*

"Nerio, sono Augusto, se senti questo messaggio nella segreteria telefonica del cellulare lasciami un messaggio nella segreteria di casa mia perché adesso vado a fare la sauna e lì il cellulare non funziona. Però quando esco ti chiamo e se trovo il tuo cellulare spento ti lascio un messaggio a casa per dirti se prendo il treno dove mi puoi chiamare dalle otto e trenta alle nove perché dopo cominciano le gallerie, ma posso anche chiamare io la tua segreteria telefonica dicendoti dove sarò in albergo oppure se mi si scarica il cellulare chiamami tu in segreteria a casa che cerco di fare un trasferimento di chiamata, e se non ci riesco ti lascio un numero dove puoi lasciarmi un messaggio dove dici a che ora hai il cellulare acceso così ti chiamo." [da *Bar Sport* 2000, di Stefano Benni © Feltrinelli 1997, pag.123]

Augusto telefona a Nerio e gli dice che se...

Esercizio 3: *Prima completate la telefonata e poi trasformatela in discorso indiretto su un foglio a parte.*

Conversazione truffa

- Gina sei tu?
- ....
- Ciao cara, senti stasera non rientro, sono ancora a Milano, la riunione è stata più lunga del previsto.
- ....
- Che tempo fa a Milano? (imbarazzo) Beh, che tempo vuoi che faccia a Milano...
- ....
- I rumori? Ah, sì, sono nello studio dell'avvocato Gambetta, siamo in una pausa. Te lo saluto, sì. Avvocato (rivolto al barista stupito) mia moglie la saluta.
- ....
- Va bene amore, ci vediamo domattina, ma tu dove sei, in casa?
- ....
- Certo amore che sono a Milano ma insomma ti fidi o no?
- ....
- Un bacio cara. Scusa, cos'è questa musica di sottofondo?
- ....
- Lo stereo della camera da letto?
- ....
- Scusa cara ma noi non abbiamo lo stereo nella camera da letto.
- ....
- Come l'hai comprato stamattina? Guarda cara, non fare la furba che in dieci minuti... in un'ora d'aereo piombo lì e son dolori eh! Va bene, va bene, mi fido, se non ci si fida allora è inutile.
- ....
- Certo che sono a Milano, fidati.
- ....
- Scusa ma di che marca è lo stereo che avresti comprato?

[da *Bar Sport 2000*, di Stefano Benni © Feltrinelli 1997, pag. 124, il testo originale non contiene le battute dell'interlocutrice]

3 Ora tocca a voi!

A coppie: intervistate il compagno sulle sue abitudini di lettura. Prendete appunti seguendo le domande guida, poi riferite a un altro compagno usando il discorso indiretto.

Che cosa legge? ....
Quando? ....
Dove? ....
Perché? ....

C

1 Che romanzo sarà?

Leggete più volte i seguenti brani tratti da un celebre bestseller degli anni Ottanta. Prima lettura: cercate nel testo le parole date. Poi scrivetele accanto alle definizioni corrispondenti. Leggete di nuovo più volte e cercate di capire di quale libro si tratti e chi sia il suo autore. Trovate la risposta a pagina 175.

1. ....: sinonimo di comportarsi
2. ....: intelligenza pronta e viva
3. ....: scaltrezza, furbizia
4. ....: in breve, con poche parole
5. ....: pranzare o cenare

condursi

succintamente

acume

sagacia

desinare

Giunse pertanto Abbone. Si scusò per l'intrusione, rinnovò il suo benvenuto e disse che doveva parlare a Guglielmo in privato di cosa assai grave. Cominciò congratulandosi con lui per l'abilità con cui si era condotto nella storia del cavallo e chiese come mai egli aveva saputo dar notizie tanto sicure di una bestia che non aveva mai vista. Guglielmo gli spiegò succintamente e con distacco la via che aveva seguito e l'Abate molto si rallegrò per il suo acume. Disse che non si sarebbe atteso di meno da un uomo che era stato preceduto da una fama di grande sagacia. Gli disse che aveva ricevuto una lettera dell'Abate di Farfa e che non solo gli parlava della missione affidata a Guglielmo dall'imperatore (della quale avrebbero poi discusso nei giorni seguenti) ma anche gli diceva che in Inghilterra e in Italia il mio maestro era stato inquisitore in alcuni processi, dove si era distinto per la sua perspicacia, non disgiunta da grande umanità [*Guglielmo affermò che anche un inquisitore poteva essere mosso dal diavolo coinvolgendo involontariamente l'Abate in un dotto dibattito teologico a cui mise fine dicendo che a quel punto si occupava di altri delicati problemi e aggiungendo che avrebbe voluto occuparsi della questione che travagliava l'Abate, sempre che egli gliene volesse parlare...*]

Mi parve che l'Abate fosse soddisfatto di poter terminare quella conversazione tornando al suo problema. Prese dunque a raccontare, [...], di un fatto singolare che era accaduto pochi giorni prima [...]. E disse che ne parlava a Guglielmo perché, sapendolo gran conoscitore e dell'animo umano e delle trame del maligno, sperava che potesse dedicare parte del suo tempo prezioso a far luce su un dolorosissimo enigma.

[*Guglielmo disse che lo avrebbe ascoltato con la massima attenzione e avrebbe messo a sua disposizione le sue sia pur scarse capacità di buon grado.*]

L'Abate gli chiese se non voleva unirsi alla comunità per il desinare dopo sesta. Guglielmo disse che aveva appena mangiato, e molto confortevolmente, e che avrebbe preferito vedere subito Ubertino. L'Abate salutò.

Discorso indiretto – Concordanza dei tempi al passato

Nel discorso indiretto valgono le regole della concordanza per il modo indicativo. Riguardate la tabella di grammatica a pagina 71 dell'unità 5. Poi osservate questi esempi che illustrano i tre casi fondamentali in dipendenza da un verbo al passato.

Anteriorità: Spiegò la via che **aveva seguito**. (Spiegò: "La via che ho seguito è questa:...)
Contemporaneità: Disse che **doveva** parlare a Guglielmo. (Disse: "Vi devo parlare.")
Posteriorità: Disse che lo **avrebbe ascoltato**. (Disse: "Vi ascolterò.")

2 Ricostruiamo la sceneggiatura

Leggete di nuovo il testo in C1 e cercate di ricostruire il dialogo per la sceneggiatura del film tratto dal libro. Fate particolare attenzione ai tempi verbali.

Guglielmo: Salute a Voi, esimio abate!

Abbone: Chiedo scusa per l'intrusione. Benvenuto nella nostra abbazia. .... devo parlare .... grave. Ma innanzitutto mi congratulo con .... per l'abilità con cui .... siete condotto nella storia del cavallo. Ma, ditemi, come avete saputo .... che non avete mai visto?

Gugliemo: Ebbene, niente di più facile. La via che ho seguito è questa [...]

Abbone: Mi rallegro del .... acume e certo non .... di meno da un uomo che è .... preceduto da una fama di così grande sagacia. Ho .... una lettera dell'Abate di Farfa in cui si parla non solo della missione affidata .... dall'Imperatore (di cui avremo modo di discutere nei prossimi giorni) ma anche del fatto che siete .... inquisitore in Inghilterra ed in Italia in alcuni processi in cui .... siete .... per la perspicacia non disgiunta da grande umanità.

Guglielmo: Anche un inquisitore può essere mosso dal demonio [...] A questo punto .... occupo di altri delicati problemi e vorrei senz'altro occupar.................... della questione che .... travaglia, sempre che .... ne vogliate parlare.

Abbone: Nei giorni passati è accaduto un fatto singolare di cui .... parlo perché, sapendo .... gran conoscitore e dell'animo umano e delle trame del maligno, spero che possiate dedicare parte del .... tempo prezioso a far luce su un dolorosissimo enigma.

Guglielmo: Vi ascolterò con la massima attenzione e .... di buon grado a .... disposizione le .... pur scarse capacità.

Abbone: Non volete unirvi alla comunità per il desinare?

Guglielmo: Vi ringrazio ma .... appena .... ed in modo assai confortevole. .... vedere subito Umbertino, se non .... dispiace.

Abbone: Certamente, allora a più tardi.

3 Mettiamo a fuoco

Osservate la tabella. Studiate anche gli schemi grammaticali di pagina 188 e seguenti. Poi fate gli esercizi.

Discorso indiretto – Corrispondenze di tempi e modi al passato

Discorso diretto	Discorso indiretto
Indicativo	Indicativo
Imperfetto: "Leggevo"	→ **non cambia:** Ha detto che leggeva.
Passato prossimo: "Ho comprato."	→ trapassato prossimo: Ha detto che aveva comprato.
Passato remoto: "Comprai"	→ trapassato prossimo: Disse che aveva comprato.
Presente indicativo: "Leggo."	→ imperfetto: Ha detto che leggeva.
Futuro: "Leggerò."	→ condizionale composto: Ha detto che avrebbe letto.
Condizionale	Condizionale
Presente: "Leggerei."	→ condizionale composto: Ha detto che avrebbe letto.
Passato (composto): "Avrei letto."	→ **non cambia:** Ha detto che avrebbe letto.
Imperativo: "Smettila!"	→ chiedere di + infinito: Ha chiesto di smetterla. dire che + dovere + infinito: Ha detto che doveva smetterla.
Infinito e gerundio:	non cambiano.

Congiuntivo: *valgono le regole viste nelle unità 4 e 5.*

Esercizio 1: *Trasformate il testo in un dialogo per creare la sceneggiatura di un film tratto dal testo.*

Faceva caldo. Guido sentì il bisogno di un gelato e m'invitò ad accompagnarlo ad un caffè. [...]
Gli dissi sfacciatamente che io di Augusta m'ero innamorato subito alla prima visita in casa Malfenti. [...]
Poi volli spiegare perché non mi ero fatto avanti prima. Forse Guido era meravigliato di avermi visto capitare in quella casa all'ultimo momento per fidanzarmi. Urlai che le signorine Malenti erano abituate ad un grande lusso e che io non potevo sapere se era il caso di addossarmi una cosa simile. [...]
Spaventato Guido balzò in piedi a domandarmi delle spiegazioni. Io continuai a lamentarmi più mitemente senza rispondere. [...] come al solito Guido procedeva per ipotesi. Fra l'altro mi domandò se non si fosse trattato dello stesso dolore prodotto da quella caduta al caffè. L'idea mi parve buona e assentii. Egli mi prese per il braccio e, amorevolmente, mi fece rizzare. Poi con ogni riguardo, sempre appoggiandomi, mi fece scendere la piccola erta. Quando fummo giù, dichiarai che mi sentivo un poco meglio e che credevo che, appoggiato a lui, avrei potuto procedere più spedito. [Italo Svevo, *La coscienza di Zeno* © 1923 Mondadori 1988, pag. 133-138]

Guido: ....

Zeno: ....

Guido: ....

Zeno: ....

Guido: ....

Zeno: ....

Esercizio 2: *Su un foglio, trasformate le parti di discorso diretto del testo nel discorso indiretto.*

Aveva quattro anni quando, guardando il pavimento, disse: "*Pioverà, pioverà molto*". C'era soltanto suo fratello maggiore nella stanza. Lo osservò incuriosito. Fuori splendeva il sole, i meteorologi prevedevano un lungo periodo di siccità. Eppure piovve e molto. "*Come lo sapevi?*" gli chiese quando il temporale cominciò. "*L'ho annusato.*" rispose. Aveva sentito nelle narici l'odore della polvere spazzata sulla strada, il profumo delle foglie e dei petali scossi dall'acquazzone. Per la prima volta nella sua vita aveva fiutato il futuro. Gli accadde ancora, sempre più spesso. Aveva sette anni e se ne stava seduto sulla scogliera vicino alla casa al mare quando l'odore acre del fumo lo investì. Si voltò verso la villa bianca affacciata sulla spiaggia e disse semplicemente: "*Brucerà*". Suo fratello, che non ricordava più il primo episodio, non gli badò ed andò a tuffarsi. Era al largo quando vide le fiamme alte che divoravano il legno e la vita dei loro genitori addormentati. Con il passare del tempo il suo fiuto si affinò: riusciva a percepire anche eventi distanti. Sentì con settimane d'anticipo il profumo della donna della sua vita. Quando la incontrò la riconobbe a pelle, letteralmente. Dopo tre anni di matrimonio si svegliò sentendo sul cuscino l'aroma di un dopobarba che non aveva mai usato e capì che un altro uomo sarebbe venuto a portarsela via.
Suo fratello lo guarda perplesso. "*Ma perché avendo questa facoltà non l'hai mai usata per evitare in tempo i guai?*". Solleva appena le spalle: "*Un metal detector mica sposta gli oggetti, semplicemente sa dove sono, all'occorrenza*". "*E adesso*", gli chiede il fratello "*che cosa fiuti?*". "*Nulla, non fiuto nulla da mesi*". "*Hai perso i tuoi poteri?*". "*No, no*" risponde con un sorriso che appartiene ad un altro momento "*non credo proprio, l'odore del nulla non è mai stato così forte come quando siamo saliti su questo aereo*".

[da: "L'uomo che fiutava il futuro", in *Navi in bottiglia* di Gabriele Romagnoli © Mondadori 2003,pag. 21 e 22]

Esercizio 3: *Risolvete gli anagrammi per trovare chi ha detto queste frasi. Poi trasformatele nel discorso indiretto con il verbo della frase principale al passato come nell'esempio.*

S'i' fosse foco arderei lo mondo.
Disse che se fosse stato fuoco avrebbe arso /bruciato il mondo.

E C C O C
I O G N A I L E R I
CECCO ANGIOLIERI

1. Questo matrimonio non s'ha da fare!
(Alessandro Manzoni, *I Promessi sposi*)
O D N R O R G I O D

2. Nel mezzo del cammin di nostra vita mi ritrovai per una selva oscura...
(La Divina Commedia)
N A T D E
I R E I L A I G H

3. Il 28 agosto 1749, a mezzogiorno, al dodicesimo rintocco della campana, io venni al mondo a Francoforte sul Meno. (*Poesia e verità*)
J. W. T O G E H E

4. Voglio fare il gentiluomo, e non voglio più servir...
(*Don Giovanni*)
E E L R O L P L O

5. Verrà la morte ed avrà i tuoi occhi.
(opera omonima)
E R E C A S E A V P E S

6. Venni, vidi, vinsi.
I U G L I O E C S A R E

7. Vivi ogni giorno della tua vita come se fosse l'ultimo!
A N E S E C

D

1 Poesiodromo

Ricostruite l'ordine delle strofe della poesia "Chi sono?" *di Aldo Palazzeschi.*

☐ Son dunque ... che cosa
Io metto una lente
Davanti al mio cuore
Per farlo vedere alla gente.

☐ Un musico allora?
Nemmeno.
Non c'è che una nota nella tastiera dell'anima
mia: "nostalgia".

☐ Chi sono?
Il saltimbanco dell'anima mia.

☐ Son forse un poeta?
No, certo.
Non scrive che una parola, ben strana,
la penna dell'anima mia: "follia".

☐ Son dunque un pittore?
Neanche.
Non ha che un colore
La tavolozza dell'anima mia:
"malinconia".

[Aldo Palazzeschi, *Poemi*, 1909, citato da "Tutte le poesie" © Mondadori 2002, pag. 367]

2 Un pizzico di poesia

Qual è il tema e la parola chiave di questa poesia? Condividete l'idea del poeta come acrobata della parola? Secondo voi come si può definire un poeta?

3 Analizziamo e approfondiamo

Nella poesia si parla di professioni artistiche e degli strumenti di lavoro che le caratterizzano. A coppie: fate una lista di altre professioni che conoscete e annotate per ciascuna almeno uno strumento di lavoro. Poi fate anche una lista di emozioni che facciano rima con "anima mia".

4 Ora tocca a voi!

A gruppi di 4: Seguendo la struttura di "Chi sono?" *create una nuova poesia.*

Son forse ....?
No certo.
Non ....
.... anima mia:
".."

Son dunque..?
Neanche.
Non ....
.... anima mia:
".."

...., allora?
Nemmeno.
Non ....
.... anima mia:
".."

Son dunque, che cosa?
....
....
....

Chi sono?
.... anima mia

5 La mia poesia

C'è una poesia che ha avuto per voi un particolare significato? Parlatene con un compagno. Scegliete poi insieme un poeta famoso e presentatelo alla classe senza dirne il nome. I compagni devono indovinarlo.

E

1 Cristo si è fermato a Eboli

Nel 1945 venne pubblicato il romanzo-diario di Carlo Levi, Cristo si è fermato a Eboli, *in cui l'autore, torinese di nascita, dottore di professione e pittore per vocazione artistica, descrive il suo soggiorno di confinato politico dal regime fascista in un minuscolo paesino nel profondo Sud dell'Italia. Il libro fu una rivelazione ed ebbe un grandissimo successo. Prima di passare alla lettura di un brano tratto da questo romanzo, osservate l'immagine qui accanto e dite quali emozioni vi suscita.*

Unità 10

2 In quale regione italiana si svolgono i fatti narrati?

A coppie: leggete e confrontate le vostre ipotesi per rispondere alla domanda. Trovate la risposta a pagina 176.

Terra abbandonata

Sono passati molti anni, pieni di guerra, e di quello che si usa chiamare la Storia. Spinto qua e là dalla ventura, non ho potuto finora mantenere la promessa fatta, lasciandoli, ai miei contadini, di tornare tra loro, e non so davvero, se e quando potrò mai mantenerla. Ma, chiuso in una stanza, e in un mondo chiuso, mi è grato riandare con la memoria a quell'altro mondo, serrato nel dolore e negli usi, negato alla Storia e allo Stato, eternamente paziente; a quella mia terra senza conforto e dolcezza, dove il contadino vive, nella miseria e nella lontananza, la sua immobile civiltà, su un suolo arido, nella presenza della morte. - Noi non siamo cristiani, - essi dicono, - Cristo si è fermato a Eboli. Cristiano vuol dire, nel loro linguaggio, uomo: e la frase proverbiale che ho sentito tante volte ripetere, nelle loro bocche non è forse nulla più che l'espressione di uno sconsolato complesso d'inferiorità. [...] Cristo si è fermato davvero a Eboli, dove la strada e il treno abbandonano la costa di Salerno e il mare, e si addentrano nelle desolate terre di Lucania. Cristo non è mai arrivato qui, né vi è arrivato il tempo, né l'anima individuale, né la speranza, né il legame tra le cause e gli effetti, la ragione e la Storia. [...] Nessuno ha toccato questa terra se non come un conquistatore o un nemico o un visitatore incomprensivo. Le stagioni scorrono sulla fatica contadina, oggi come tremila anni prima di Cristo: nessun messaggio umano o divino si è rivolto a questa povertà refrattaria. Parliamo un diverso linguaggio: la nostra lingua qui è incomprensibile. [...] Ma in questa terra oscura, senza peccato e senza redenzione, dove il male non è morale, ma è un dolore terrestre, che sta per sempre nelle cose, Cristo non è disceso. Cristo si è fermato a Eboli.

[da Carlo Levi *Cristo si è fermato ad Eboli*, 1945, © Mondadori 1970, pag. 15-16]

3 Infine Cristo ha oltrepassato Eboli...

Dopo avere letto anche questo secondo testo informativo, fate una lista dei problemi rimasti e dei progressi fatti negli ultimi anni in Basilicata.

Possiamo dire con certezza che la Basilicata che Carlo Levi ci ha narrato non esiste più, anche se la crisi degli ultimi anni mette in evidenza ancora grandi problemi per le genti di Lucania. Superstrade, autostrade, aeroporti e porti hanno certamente contribuito a mettere fine a quel mondo arcaico e mitico di contadini e piccole comunità isolate in una natura poco generosa e ostile. Non solo, le migrazioni interne dal Sud verso il Nord negli anni '60 hanno finito per strappare questo lembo di terra al suo isolamento, per non parlare dei mezzi di comunicazione di massa, primo fra tutti la tivù. Anche l'analfabetismo pare ormai un male del passato. La FIAT ha costruito vicino a Melfi una delle più moderne fabbriche d'auto del mondo. Nella Val d'Agri sono stati trovati o riscoperti imponenti giacimenti di petrolio. Per il periodo 2000-2005, è prevista nella Val D'Agri una produzione annua media di 4,8 milioni di tonnellate di petrolio, con il raddoppio della produzione nazionale e la copertura dell'11% del fabbisogno. La zona costiera ha conosciuto a sua volta un certo sviluppo turistico particolarmente evidente a Maratea. Sono stati restaurati i Sassi di Matera, interi quartieri di abitazioni scavate nella nuda roccia, che si sono in tal modo trasformati in un'ulteriore attrazione per turisti. Eppure la Basilicata, una delle regioni meno abitate d'Italia, conserva ancora il fascino di un passato millenario di solitudine e isolamento.

4 Sostantivi al plurale

Nei due testi precedenti si trovano alcuni sostantivi che presentano un plurale irregolare. Quali sono? Elencateli e poi raggruppateli secondo le analogie tra le loro forme irregolari.

Il romanzo da scrivere

A. *A coppie: completate la lista sulla base delle vostre preferenze.*

Ingredienti per un bestseller
- personaggi semplici
- storia avvincente
- amori impossibili
- linguaggio semplificato
- ....
- ....
- ....

B. *A coppie: ognuno di voi pensa a una parola. Usando entrambe le parole create il titolo del vostro bestseller. Poi scrivete insieme la trama del vostro libro seguendo le domande guida.*
- Che tipo di romanzo è?
- Quando si svolge la storia?
- Dove si svolge?
- Quanti e come sono i protagonisti?
- Che tipo di finale deve avere la storia?

D. *Lavoro individuale a casa: ognuno di voi scrive una delle pagine centrali del vostro nuovo bestseller. Scrivete anche un dialogo tra due o più personaggi della vicenda narrata.*

E. *Nella lezione successiva, le stesse coppie: scambiatevi le pagine che avete scritto, leggetele e suggerite correzioni e miglioramenti. Poi scambiatele con un'altra coppia. Infine, scrivete la recensione del libro di cui avete ricevuto le pagine.*

Italia ON LINE

Cercate di conoscere meglio la Basilicata con l'aiuto di Internet. Visitate questi siti, prendete appunti e poi parlatene in classe.

www.basilicatanet.it
www.sassiweb.it
www.parks.it/regione.basilicata
www.inforegioni.rai.it/basilicata.htm

I Sassi di Matera

Chi ha voglia di approfondire il tema dello scrivere creativo può consultare un manuale online:
www.grottadeipoeti.com/ManualeScritturaCreativa.htm

U1, grammatica:

1 *Osserva le immagini e racconta la storia usando i tempi del passato.*

2 *Completa il racconto, scegliendo la forma corretta fra passato prossimo, imperfetto e trapassato prossimo.*

L'ultimo zoo l' .... (visitare) a Buenos Aires, "el Zoologico" del quartiere Palermo. .... (esserci) una gran ressa attorno alla gabbia di una giraffa che (partorire) .... una piccola. I condor .... (sbattere) le ali dappertutto, troppo grandi e magnifici per qualsiasi reclusione. .... (esserci) una gabbia irrisoria, accanto, e dentro un condor isolato, senza lo spazio per aprire le ali: .... (chiedere) e mi .... (spiegare) che .... (essere) litigioso e non .... (potere) stare con gli altri: una gabbia di punizione. Il gorilla, come dappertutto, ... (essere) seduto appoggiato alle sbarre, indifferente ai lazzi e ai lanci. Ogni tanto per obbedire alla consegna, ... (guardare) fisso contro il pubblico, che per un momento .... (vergognarsi).

[da Adriano Sofri, *Altri Hotel*, © Mondadori 2002, p.4]

3 *Sostituisci le espressioni sottolineate con gli avverbi derivati corrispondenti.*

1. La rivista "L'Espresso" esce <u>una volta alla settimana</u> / ....
2. Mi piace fare colazione <u>con tranquillità</u> / ....
3. Devo rinnovare la tessera della palestra <u>una volta all'anno</u> / ....
4. Bisogna studiare <u>con regolarità</u> / ....
5. Non possiamo risolvere questo problema <u>per telefono</u> / ....

4 *Completa con gli avverbi dati.*

soprattutto | soltanto | molto | anche | notevolmente | ormai | anche | invece

Qualche considerazione merita .... l'italiano dei non italiani. Ci sono in vari punti del mondo stranieri che lo studiano e non si tratta .... di discendenti da immigrati italiani che vogliono recuperare le loro radici, ma .... di chi impara l'italiano per turismo, per lavoro o per interessi culturali. .... importante per noi è la lingua parlata dalle comunità di immigrati presenti .... in gran numero in Italia. Siamo di fronte a un problema sociale di vasta portata, che implica anche l'apprendimento corretto della lingua come strumento di una vera integrazione. È certo che, ... nelle fasi iniziali, l'italiano parlato dagli immigrati non è quello letterario ma presenta, ... , molti tratti derivati dalle varianti regionali dell'italiano parlato. Col passare del tempo, la competenza linguistica può migliorare .... , oppure fossilizzarsi seguendo i percorsi individuali più vari.

U1, autovalutazione:

5 **Vari tipi di italiano.** *Osserva queste frasi e scegli il tipo di linguaggio specialistico a cui appartengono. Ricorda che si tratta di un raggruppamento molto generale.*

politichese   internettese   giuridico   tecnico   giovanile

1. In attuazione dell'articolo 14 della Legge 18, del 1970 [...] ....
2. Digitare il codice e attendere la validazione della carta. ....
3. Per par condicio non possiamo parlare di questo argomento. ....
4. Ehi, Gio'? Dov'è la tua tipa? Ti ha scaricato? ....
5. Aspetta, non spegnere! Devo finire di downloadare un documento. ....

6 **Sai affrontare la lettura di un testo che contiene anche linguaggio specialistico?**

☐ Bene   ☐ Abbastanza bene   ☐ Male

Scegli un settore di cui ti interessi particolarmente. Cerca un testo e prova a leggerlo. Quanto riesci a capire? Scegli la tua valutazione. Naturalmente, è possibile che tu abbia ancora difficoltà nella lettura dei testi specialistici. Osserva questo elenco e individua le maggiori difficoltà che hai incontrato leggendo il testo che avevi scelto. Poi considera i consigli per migliorare e scegli quelli che trovi più adeguati.

Difficoltà:

- Frasi lunghe e complesse
- Molta terminologia specifica e astratta
- Molte forme infinitive (participi, gerundi)
- Uso metaforico della lingua, cioè stile ricco di immagini e similitudini
- Presenza di elementi culturali o tecnici sconosciuti

Qualche consiglio:

- Scrivere accanto a ogni paragrafo ciò che ho capito, anche se poco!
- Scegliere per ogni paragrafo da 3 a 5 termini da cercare in un buon vocabolario monolingue o in un dizionario bilingue del settore.
- Organizzare un quaderno di raccolta di termini e frasi specifiche.
- Continuare a leggere per raccogliere sempre più esempi di frasi e espressioni utili.
- Per le strutture grammaticali, continuare a seguire le lezioni di Caffè Italia 3 (in particolare Unità 7, 8 e 9) che affrontano proprio le strutture tipiche dei testi scritti specialistici.

7 **Sai utilizzare con relativa sicurezza le forme del passato per raccontare una storia?**

☐ Bene   ☐ Abbastanza bene   ☐ Male

Pensa a un giorno in cui hai avuto molti problemi e contrattempi e fanne un resoconto al passato. Scrivi da 120 a 140 parole. Poi scegli la tua valutazione.

8 **Sai utilizzare i connettivi avversativi per scrivere un testo?**

☐ Bene   ☐ Abbastanza bene   ☐ Male

Su un foglio, scrivi alcune frasi o un breve testo utilizzando questi connettivi. Poi scegli la tua valutazione.

ma   anzi   però   mentre   tuttavia   invece

U2, grammatica:

1 *Inserisci le preposizioni semplici o articolate. Poi confronta con l'originale a pagina 26. In alcuni casi ci sono più alternative possibili.*

La prima difficile prova che il nuovo governo, ... capo .... quale era Antonio Salandra, dovette affrontare fu la "settimana rossa" .... giugno 1914. .... questo nome si è soliti designare un moto .... piazza che, ... tutti i caratteri .... improvvisazione e .... spontaneità, provocò profondo sconvolgimento .... una settimana .... paese e si sviluppò principalmente .... le Romagne e le Marche, una zona .... cui l'opposizione repubblicana, anarchica e socialista aveva profonde radici. Si trattò .... una rivoluzione provinciale, guidata .... duci provinciali – i romagnoli Benito Mussolini, Pietro Nenni e l'anarchico Errico Malatesta – animata .... passioni provinciali, che quindi non riuscì .... trasformarsi .... movimento .... protesta .... livello nazionale. .... effetti i grossi centri industriali ed operai .... paese, chiamati .... scendere .... sciopero per solidarietà .... insorti .... Ancona e .... Romagne, risposero solo .... parte .... appello .... *Partito Socialista* e .... *Confederazione generale del lavoro*. Se la "settimana rossa" non poté trasformarsi .... una rivoluzione, ciò non impedì che essa apparisse come un minaccioso sintomo rivoluzionario .... quei conservatori che .... rivoluzione avevano una visione altrettanto approssimativa quanto quella .... molti rivoluzionari .... momento. Tale era Salandra, che ordinò .... inviare .... Romagne 100.000 soldati e tale era anche il re, che riportò una forte impressione .... dichiarazioni antimonarchiche e repubblicane .... insorti. [...] Era questa la situazione interna italiana quando .... luglio 1914 arrivò la notizia .... attentato .... Serajevo e .... ultimatum austriaco .... Serbia.

2 *Completa con i verbi al passato remoto o all'imperfetto.*

I ventitré giorni della città di Alba

(Beppe Fenoglio)

Alba la (prendere) .... in duemila il 10 ottobre e la (perdere) .... in duecento il 2 novembre dell'anno 1944.
Ai primi d'ottobre, il presidio repubblicano, sentendosi mancare il fiato per la stretta che gli (dare) .... i partigiani dalle colline, non (dormire) .... da settimane, tutte le notti quelli (scendere) .... a far bordello con le armi, (essere) .... esauriti gli stessi borghesi che pure non (lasciare) .... più il letto, il presidio (fare) .... dire dai preti ai partigiani che sgomberava, solo che i partigiani gli garantissero l'incolumità dell'esodo. I partigiani (garantire) .... e la mattina del 10 ottobre il presidio (sgomberare) ....
I repubblicani (passare) .... il fiume Tanaro con armi e bagagli, guardando indietro se i partigiani subentranti non li (seguire) .... un po' troppo dappresso, e qualcuno senza parere (fare) .... corsettine avanti ai camerati, in modo che, se da dietro si (sparare) .... un colpo a tradimento, non fosse subito la sua schiena ad incassarlo. Quando poi (essere) .... sull'altra sponda e su questa di loro non (rimanere) .... che polvere ricadente allora si (fermare) .... e (voltare) .... tutti, e in direzione della libera città di Alba (urlare) ....
- Venduti, bastardi e traditori, ritorneremo e v'impiccheremo tutti! [...]

[da *I ventitré giorni della città di Alba* © Einaudi 1975, p. 7]

U2, autovalutazione:

3 Vocabolario.

Nell'Unità 2 hai imparato molte espressioni e parole relative alla **storia.** *Scrivi qui tutte quelle che ricordi.*

....

....

....

....

....

4 Sai collocare un fatto storico nel tempo? Sai formulare una data storica?

☐ Bene ☐ Abbastanza bene ☐ Male

Scrivi 10 frasi usando sia le denominazioni dei secoli che quelle degli anni. Poi scegli la tua valutazione.

....

....

....

....

....

....

....

....

....

5 Sai descrivere un fatto storico recente? ☐ Bene ☐ Abbastanza bene ☐ Male

Racconta un fatto storico accaduto nel tuo paese negli ultimi dieci anni. Puoi farlo oralmente registrando la tua voce, oppure scrivendolo su un foglio. Poi scegli la tua valutazione.

6 Sai utilizzare i connettivi per formulare frasi complesse e brevi testi?

☐ Bene ☐ Abbastanza bene ☐ Male

Osserva questi connettivi, ritrova le frasi che li contengono nei testi dell'Unità 2. Poi classificali secondo le categorie date. Infine scrivi un breve testo che ne contenga il maggior numero possibile. Poi scegli la tua valutazione.

in effetti • quando • dopo che • così • non appena che • cioè • quindi • una volta che

Temporali (*stabiliscono una relazione temporale*):

....

Conclusivi (*stabiliscono una relazione di causa con la frase che precede e introducono la conseguenza*):

....

Dichiarativi (*introducono una spiegazione, un chiarimento*):

....

7 Modi di dire e espressioni idiomatiche. *Scegli l'espressione o il modo di dire dell'Unità 2 che più ti piace e scrivi una frase.*

....

8 È il momento del bilancio: *rivedi ancora una volta tutta l'Unità 2. Immagina di avere una valigia ideale da riempire con ciò che hai imparato: che cosa vuoi assolutamente portare con te di questa unità?*

U3, grammatica:

1 *Completa, scegliendo il modo giusto: indicativo, congiuntivo o infinito.*

1. Passerò in libreria prima di .... (andare) all'università.
2. Credo proprio che tu .... (avere) bisogno di una vacanza, Alice.
3. È l'uomo più interessante che io .... (conoscere).
4. Sandro spera che il professore non gli .... (fare) domande sulla dodecafonia.
5. Bisogna che voi .... (avere) pazienza.
6. Vi telefono per .... (sapere) come state.
7. Anche se Daniele .... (essere) bello, non piace a nessuno.
8. Vorrei trovare una persona che mi .... (volere) bene veramente...
9. La mia amica mi ascolta sempre senza .... (dire) mai una parola.
10. Il professore d'italiano parla lentamente perché tutti lo .... (potere) capire.
11. È vero che tu .... (sapere) molte cose.

2 *Scegli l'alternativa giusta.*

1. Non ti sembra che lei ☐ stia esagerando ☐ stava esagerando ☐ sta esagerando con il lavoro?
2. Cerco una segretaria che ☐ sapeva ☐ abbia saputo ☐ sappia usare bene il computer.
3. Mi dispiace che non ☐ potreste ☐ potevate ☐ possiate venire alla mia festa domani.
4. Lasciamo che ☐ passerà ☐ passi ☐ passa un po' di tempo prima di telefonare.
5. Non sono sicura che il fax ☐ arrivi ☐ arriva ☐ arriverebbe entro oggi.
6. Bisogna che i ragazzi ☐ finiscono ☐ finiscano ☐ finiranno questo lavoro al più presto.
7. È veramente un peccato che non ☐ avrete visto ☐ abbiate visto ☐ avevate visto la Sardegna.
8. Questo è veramente il film più stupido che ☐ vedo ☐ ho mai visto ☐ abbia mai visto.
9. Ti risponderò a qualunque ora tu ☐ chiameresti ☐ abbia chiamato ☐ chiami.

3 *Abbina e ricostruisci le frasi.*

1. ☐ È improbabile che
2. ☐ Per venire da me è meglio che
3. ☐ Bisogna che
4. ☐ Si dice che
5. ☐ Mi auguro che
6. ☐ Sono venuti a trovarci
7. ☐ È un peccato che
8. ☐ Troveremo la chiave
9. ☐ Credo che
10. ☐ Andiamo al cinema
11. ☐ Fate i compiti
12. ☐ Cerchiamo una macchina
13. ☐ Sono molto sorpresa che
14. ☐ Non so assolutamente
15. ☐ Si dovrà trovare qualcuno

a. a condizione che il film sia in lingua originale.
b. dovunque sia.
c. benché abbiano poco tempo.
d. che guardi la bambina mentre lavoro.
e. non abbiate problemi senza la macchina domani.
f. non gli piaccia la musica classica.
g. non ti credano.
h. gli italiani amino discutere di politica.
i. il latte sia finito.
j. ti sbrighi, se no perdiamo l'aereo.
k. Gianni ritorni prima di pranzo.
l. che non costi troppo.
m. prendiate l'autobus.
n. quanto possa costare una Ferrari.
o. prima che la mamma ritorni.

U3, autovalutazione:

4 Vocabolario. *Quali sono le prime cinque parole che ti vengono in mente sulla* ***musica****?*

....

5 Sai parlare dei tuoi interessi musicali? ☐ Bene ☐ Abbastanza bene ☐ Male

Scegli una di queste tracce e rispondi. Puoi farlo oralmente registrando la tua voce per riascoltarti, oppure scrivendo su un foglio. Poi scegli la tua valutazione.

a. *Suoni uno strumento musicale? Quando hai cominciato a suonarlo? Perché? Racconta.*

b. *Se non suoni uno strumento musicale, ti sarebbe piaciuto suonarne uno? Quale? Perché?*

c. *Se tu potessi fare un'intervista ad un musicista, chi sceglieresti? Che cosa chiederesti?*

6 Famiglia di parole. *Ricordi le caratteristiche della famiglia di parole derivate da* ***libero****? Se ti piace studiare le relazioni fra le parole, cerca di costruire altre famiglie. Prova con queste, poi trova altre possibilità.*

7 Sentimenti, paure, opinioni. *Scegli, fra questi verbi che richiedono il congiuntivo, quelli che pensi di usare spesso e quelli che ritieni di non voler usare quasi mai.*

pensare • avere paura • temere • dispiacere • piacere • sperare • essere contento • essere sorpreso • vergognarsi • ritenere • raccomandare • volere • supporre • avere l'impressione • non essere certo • desiderare • chiedere • lasciare • aspettarsi • permettere • preferire • pregare • proibire • credere

8 È il momento del bilancio: *rivedi ancora una volta tutta l'Unità 3. Immagina di avere una valigia ideale da riempire con ciò che hai imparato: che cosa vuoi assolutamente portare con te di questa unità?*

U4, grammatica:

1 *Completa l'articolo con le preposizioni semplici o articolate. In alcuni casi ci sono più alternative possibili.*

Straniero in classe, il problema c'è e la scuola non è ancora pronta

Urgenti i corsi .... alfabetizzazione, manca il mediatore culturale, ... Federica Forte

L'immigrazione .... scuola vista .... insegnanti. Gli atteggiamenti, i problemi, le perplessità, le esperienze raccontate .... voce .... protagonisti sono stati analizzati .... ricercatori .... CNR (Centro Nazionale Ricerche) e raccolti .... un libro, *Marek va a scuola*. Il risultato più evidente è la diffusa sensazione .... disagio .... educatori, che devono affrontare l'ondata, ormai costante, ... studenti stranieri .... aule italiane. Spesso i docenti si trovano impreparati di fronte .... una questione tanto complessa, perché insegnare .... un alunno straniero significa confrontarsi .... la sua cultura, i suoi simboli, la sua storia non certo facile.
Lo studio è durato circa tre anni e ha portato .... luce soprattutto le esigenze .... docenti che chiedono interventi urgenti come l'attivazione .... corsi .... alfabetizzazione e la presenza costante .... mediatore culturale, poiché, come molti affermano, non può ricadere tutto .... insegnanti. Il mediatore culturale è visto come una figura .... riferimento, in grado .... dare informazioni pratiche, concrete ed entrare .... storie .... studenti, ... partire .... situazione socioeconomica e familiare. [Adattato da *La Repubblica, 14/02/2006*]

2 *Completa questo racconto con i tempi del congiuntivo.*

Cara Giovanna,
ti scrivo da Vulcano dove sto passando una vacanza indimenticabile. Vorrei che questa estate non (finire) .... mai. Credo che questa (essere) .... l'isola più bella delle Eolie! Sono qui da sola, ma non mi annoio di certo. Ho conosciuto gente molto simpatica e tra l'altro un architetto di Roma sulla quarantina che ho l'impressione (prendersi) .... una piccola cotta per me, visto che non mi lascia in pace un momento. A me non dispiace, anche se non voglio assolutamente che (farsi) .... illusioni.
Ieri sera siamo andati tutti insieme a mangiare in un locale tipico dove facevano anche musica dal vivo e mi sono divertita moltissimo. Era come se (tornare) .... ai vecchi tempi, quando ero ragazza e passavo le estati al mare in compagnia di amici. Nonostante (trascorrere) .... tutta la giornata in barca sotto un sole rovente e (sentirsi) .... un po' stanca, l'atmosfera, il cibo, la musica e forse anche il vino (!) mi hanno fatto rinascere e ho ballato fino all'alba. È inutile dirti che sentirsi corteggiata fa bene al corpo e allo spirito, soprattutto quando non sei più giovanissima.
Avrei voluto tanto che (venire) .... anche tu! È un vero peccato che tu (preferire) .... andare in montagna con tua madre, ma spero che tu (potere) .... almeno riposarti un po'.
In ogni caso qualora ci (ripensare) .... , c'è un letto e un'amica pronta ad accoglierti.
Un abbraccio, Patrizia

3 **Indovina, indovinello...** *Pensa a un monumento, a un luogo o a un personaggio e, con l'aiuto dei pronomi relativi, prepara una descrizione scritta in forma di indovinello, come nell'esempio. Nella prossima lezione presenterai il tuo indovinello ai compagni.*

È una piazza di una famosa città dell'Italia centrale nella quale ogni anno si tiene una corsa con i cavalli.

U4, autovalutazione:

4 Sai esprimere l'idea che ti sei fatto della società italiana, leggendo i testi dell'Unità 4?

☐ Bene ☐ Abbastanza bene ☐ Male

Scrivi qui le tue impressioni. Poi scegli la tua valutazione.

....

....

....

....

....

5 Vocabolario. *Trova tutte le parole e le espressioni che possano associarsi al termine* **immigrazione**. *Poi fai una lista dei concetti che ti sembrano più importanti.*

immigrazione

....

....

6 Ipotesi e paragoni. *Hai imparato ad utilizzare il connettivo* **come se** *con il verbo al congiuntivo, completa le frasi con la prima idea che ti viene in mente.*

Gli alberi scorrevano via veloci come se ....

È entrata nella stanza urlando e mi ha aggredita come se ....

Abbiamo trascorso una bellissima giornata come se ....

Ho cominciato a parlare senza incertezze come se ....

7 *Oltre a* **come se**, *quali sono altri connettivi che vogliono il verbo al congiuntivo? Rivedi l'Unità 4 e fai un elenco. Poi scrivi due frasi con quelli che ti piacciono di più.*

....

....

8 Vocabolario. *Quante* **parole composte** *conosci? Scrivile qui e poi controlla nell'Unità 4 o sul dizionario.*

....

....

....

....

9 Modi di dire e espressioni idiomatiche. *Scegli l'espressione o il modo di dire dell'Unità 4 che più ti piace e scrivi una frase.*

....

10 È il momento del bilancio: *rivedi ancora una volta tutta l'Unità 4. Immagina di avere una valigia ideale da riempire con ciò che hai imparato: che cosa vuoi assolutamente portare con te di questa unità?*

U5, grammatica:

1 *Scegli la forma corretta del verbo.*

1. Dicono che le sorelle di Paolo ☐ **sono** ☐ **saranno** ☐ **siano** molto carine.
2. Mi dispiace che ☐ **tu avrai** ☐ **hai** ☐ **abbia** problemi al lavoro.
3. Credo che Sonia ☐ **parli** ☐ **parla** ☐ **parlava** benissimo il tedesco.
4. Ho l'impressione che qui ☐ **ci sia** ☐ **c'è** ☐ **è** ancora molto da fare.
5. Spero che mio figlio ☐ **abbia riparato** ☐ **ripari** ☐ **ripara** il computer prima di partire.
6. Sarebbe un peccato se Luca non ☐ **riesca** ☐ **riuscisse** ☐ **riuscirebbe** a superare l'esame della patente.

2 *Completa coniugando i verbi. Scegli il modo giusto fra congiuntivo e indicativo e tieni presente le regole della concordanza dei tempi.*

1. Ormai è fatta! Inutile piangere sul latte versato. Bisognava che tu (cominciare) .... a studiare prima, per riuscire bene in un esame così difficile.
2. Decidemmo di rimandare di un giorno la gita al mare. Infatti, era probabile che l'indomani (fare) .... più caldo.
3. Se vuoi il mio parere, io credo che tu non (dovere) .... uscire con Marisa.
4. Non lo vedevo da qualche giorno. Speravo che sua madre (stare) .... meglio ma non osavo telefonargli per chiedere notizie.
5. Penso che Francesca (partire) .... stasera. Ieri l'ho incontrata in centro e mi ha detto che (fare) .... di tutto per finire il lavoro entro oggi a mezzogiorno.
6. So che i Rossi in questo momento (vivere) .... in Germania ma non so se (abitare) .... proprio a Berlino.
7. Ti ho informato solo affinché tu (sapere) .... come erano andate le cose, non mi aspettavo che tu (arrabbiarsi) .... tanto!
8. Giuseppina crede che sua sorella (partire) .... due giorni fa. Invece lei è rimasta a casa perché non (sentirsi) .... bene.
9. Ho paura che ormai (essere) .... troppo tardi per cambiare la data del volo.
10. Peccato che voi non (venire) .... Abbiamo fatto una bella gita.
11. Finalmente! Ma dove eri finito? Noi tutti temevamo che ti (succedere) .... qualcosa di grave!
12. Dopo la Maturità Carlo era molto incerto. Poi gli accadde di assistere a un'operazione di pronto soccorso e da quel momento seppe con certezza che (studiare).. medicina.

3 *Metti in ordine per ricostruire le frasi. In alcuni casi ci sono più alternative possibili.*

1. clima • ho • tedesco • vent'anni • Non • abituata • sono • anche • se • ci • vissuto • mai • al • mi
....
2. partecipa • discussione. • limita • ascoltare, • lei • si • veramente • alla • Francesca • non • ad
....
3. Non • assolutamente • sport • posso • allo • rinunciare
....
4. sempre • marito • occupo • dei • mio • io • lavora • Mi • bambini,
....
5. essere • così • Non • vergognare • sei • di • timida, • tu • fatta • devi • ti
....

U5, autovalutazione:

4 Vocabolario. *Nell'unità 5 hai imparato molte espressioni e parole relative al* **viaggio***. Scrivi qui tutte quelle che ricordi.*

....

....

....

....

....

5 Sai esprimere le tue preferenze e le tue opinioni sul tema del viaggio?

☐ Bene ☐ Abbastanza bene ☐ Male

Rispondi alle domande guida. Puoi farlo oralmente, registrando la tua voce per riascoltarti, oppure scrivendo su un foglio. Poi scegli la tua valutazione.

- Che cosa rappresenta per te il viaggio?
- Come prepari i tuoi viaggi? Che cosa ti porti?
- Hai mai pensato di mollare tutto e scappare?
- Come dovrebbe essere il tuo paese ideale?

6 Sai scrivere una lettera di reclamo? ☐ Bene ☐ Abbastanza bene ☐ Male

Segui la traccia e scrivi la lettera su un foglio. Devi scrivere da 80 a 100 parole. Poi scegli la tua valutazione.

Traccia: Sei stato in vacanza in Italia e hai alloggiato in un albergo a quattro stelle. Hai avuto molti problemi e hai deciso di scrivere una lettera di reclamo al direttore dell'albergo.

7 Zaino o valigia? *Dopo aver osservato lo zaino e la valigia prova a immaginare e descrivere il profilo dei rispettivi proprietari e la meta del loro viaggio.*

Lo zaino è di ....

....

La valigia è di ....

....

8 È il momento del bilancio: *rivedi ancora una volta tutta l'Unità 5. Immagina di avere una valigia ideale da riempire con ciò che hai imparato: che cosa vuoi assolutamente portare con te di questa unità?*

U6, grammatica:

1 *Inserisci le preposizioni semplici o articolate.*

Le regole per il successo dei giochi in TV
Lo scenografo dà alcuni consigli a studenti di scenografia.

Far giocare il telespettatore .... contemporanea .... concorrente .... quiz e cruciverboni, coinvolgendolo intellettualmente. Es. "Lo sapevo anch'io." "Io l'ho indovinato prima."
Far giocare il telespettatore .... giochi fisici fatti .... altri .... studio coinvolgendolo .... tifoseria, offrendogli il brivido .... fisicità .... difficoltà. Es. "Sarei capace anch'io?" o facendolo ridere .... giochi che ridicolizzano il concorrente.
.... giochi fisici si mette .... dura prova la professionalità .... scenografo che, salvaguardando tutte le norme .... sicurezza .... cui si deve attenere, (norme .... questo caso assai superiori .... quelle .... gare sportive) deve salvare la spettacolarità adottando il punto .... vista .... telespettatore.
Progettare il gioco pensando che la scenografia .... quest'ultimo deve entrare ed uscire .... studio senza danneggiarsi e senza danneggiare il concorrente.
Progettare il gioco .... tempi brevissimi (se un gioco non piace si deve poterlo cambiare .... una settimana .... altra). [adattato da http://www.scenografia.rai.it/giochi.html]

2 *Ricostruisci le frasi abbinando. In alcuni casi ci sono più soluzioni possibili.*

1. ☐ Se Riccardo non avesse tanta fretta
2. ☐ È tutto più facile
3. ☐ Se me lo dicevi prima
4. ☐ Se avessi un milione di euro
5. ☐ Vorrei stare qui con te per sempre
6. ☐ Se non si esagera
7. ☐ Se non ci fosse la Nutella
8. ☐ Se non avessi dovuto consegnare il lavoro oggi

a. non avrei fatto le ore piccole in ufficio.
b. che vita sarebbe?
c. si può fare ginnastica anche a 80 anni.
d. se solo si potesse fermare il tempo!
e. si fermerebbe per un caffè.
f. mi comprerei un sacco di cose inutili.
g. passavo io a prenderti.
h. se sai come fare.

3 *Formula delle frasi con il periodo ipotetico come nell'esempio.*

Prendere l'autobus per andare a lavorare:
Se si rompesse la macchina, prenderei l'autobus per andare a lavorare.

1. Imparare il cinese: ....
2. Chiudere un conto in banca: ....
3. Inserire un annuncio per trovare marito/moglie: ....
4. Staccare il telefono: ....
5. Passare la notte in biblioteca: ....

4 *Trasforma le frasi secondo il modello.*

Non riesco a finire la traduzione. Ieri sono stato in discoteca fino alle 5.
Se non fossi stato in discoteca fino alle 5 avrei finito la traduzione.

1. Roberto ha perso il lavoro. Arrivava sempre in ritardo. ....
2. Gli hanno staccato il telefono. Non ha pagato la bolletta per tre mesi. ....
3. Marina è molto carina. Però è troppo magra. ....
4. La torta è bruciata. Ho dimenticato di spegnere il forno. ....
5. Vorrei fare il giro del mondo. Purtroppo non guadagno abbastanza. ....

U6, autovalutazione:

5 **Vocabolario.** *Nell'Unità 6 hai imparato molte espressioni e parole relative al* ***gioco****. Scrivi qui tutte quelle che ricordi.*

....

....

....

....

6 **Sai parlare della tua attitudine relativamente al gioco?** ☐ Bene ☐ Abbastanza bene ☐ Male
Rispondi alle domande guida. Puoi farlo oralmente, registrando la tua voce per riascoltarti, oppure scrivendo su un foglio. Poi scegli la tua valutazione.

- Ti piace occupare il tuo tempo libero giocando?
- Quali sono i giochi che preferisci?
- Se non sei un tipo che ama molto giocare, che tipo di gioco potresti comunque fare se ti trovassi nella situazione in cui non puoi rifiutare di giocare?
- Secondo te, quale funzione hanno i giochi nella vita dei bambini? E in quella degli adulti?

7 **Sai descrivere il funzionamento di un gioco?** ☐ Bene ☐ Abbastanza bene ☐ Male
Scegli un gioco che conosci bene e scrivi come funziona. Poi scegli la tua valutazione.

....

....

....

8 **Possibile, reale o irreale?** *Rivedi la classificazione dei vari tipi di periodo ipotetico che hai studiato nell'unità 6. Poi pensa a una caratteristica di un luogo o di una persona o a un evento per ognuna delle tre categorie e scrivi la frase corrispondente.*

Reale:

....

....

....

Possibile:

....

....

....

Irreale:

....

....

....

9 **Espressioni e modi di dire con le carte.** *Scegli l'espressione o il modo di dire dell'Unità 6 che più ti piace e scrivi una frase.*

....

10 **È il momento del bilancio:** *rivedi ancora una volta tutta l'Unità 6. Immagina di avere una valigia ideale da riempire con ciò che hai imparato: che cosa vuoi assolutamente portare con te di questa unità?*

U7, grammatica:

1 *Completa mettendo l'articolo determinativo o indeterminativo, se necessario. Quando c'è una preposizione decidi se va semplice o articolata.*

Pochi figli, è colpa degli uomini

MILANO - Desiderano (di) .... figli, ma continuano a rimandare. Fino a ritrovarsi padri (a) .... quarant'anni. (In) .... Italia, ... uomo su due, (a) .... 35 anni non ha ancora fatto .... bambino. E mentre .... orologio biologico femminile batte impietoso, spingendo .... donne ad accelerare .... tempi per realizzare .... loro desiderio (di) .... maternità, ... loro compagni si tirano indietro e scelgono di aspettare. .... situazione lavorativa stabile, ... stipendio più elevato, ma anche .... presa (di) .... responsabilità che, secondo .... studiosi, arriva (in) .... ritardo perché .... uomini tendono a lasciare .... nido (di) .... mamma e papà sempre più vecchi.

È colpa (di) .... uomini se .... coppie fanno sempre più fatica a metter su famiglia: è questa .... conclusione (di) .... ricerca (di) .... università Cattolica di Milano che incrocia .... dati (di) .... indagine Istat del 2003 fatta (su) .... campione (di) .... ventimila famiglie.

Non è .... desiderio quello che manca. A mandare (in) .... tilt .... rapporto fra .... desiderio e .... sua realizzazione sono soprattutto .... fattori economici legati (a) .... precarietà (di) .... lavoro e (a) .... caro vita. Non mancano però anche .... fattori culturali.

.... uomini hanno più .... difficoltà a entrare (in) .... ruolo (di) .... adulti non solo perché .... passaggio è più lungo, ma anche perché si trovano di fronte donne che hanno .... aspettative professionali più alte", commenta .... sociologa Chiara Saraceno. Fare un figlio oggi per .... uomo significa anche doversene occupare". [Adattato da *La Repubblica*, 24 marzo 2006]

2 *Trova le frasi che contengono errori e riscrivile correttamente.*

1. Essendosene andato troppo presto, si perse il meglio della festa.

   ....

2. Ripresasi dal malore, preferì tornare subito a casa a riposarsi.

   ....

3. Non essendo studiato, Anna non riuscì a superare l'esame di maturità.

   ....

4. Dopo iscrittosi all'università, non è riuscita a dare esami e ha preferito andare a lavorare.

   ....

5. Lo scorso inverno andando a sciare, mi sono rotta una gamba.

   ....

6. Arrivando a casa, mi sdraiai subito sul divano prima di preparare la cena.

   ....

3 *Trasforma le frasi rendendole esplicite.*

1. Essendoci grossi problemi nella ricerca del lavoro, i giovani esitano a rendersi indipendenti dal nucleo familiare d'origine.

   ....

2. Pur avendo trovato un lavoro abbastanza sicuro, molti continuano comunque a vivere con i genitori.

   ....

3. Accumulato a poco a poco quanto basta per accendere un mutuo per la casa, fanno il grande passo verso l'indipendenza.

   ....

4. Sono in molti a lasciare la casa dei genitori, solo sposandosi e andando a costituire un nuovo nucleo familiare.

   ....

U7, autovalutazione:

4 Vocabolario. *Nell'Unità 7 si parla di vari argomenti. Definisci una parola chiave per due degli argomenti trattati. Poi associa altre parole che ti sono rimaste in mente.*

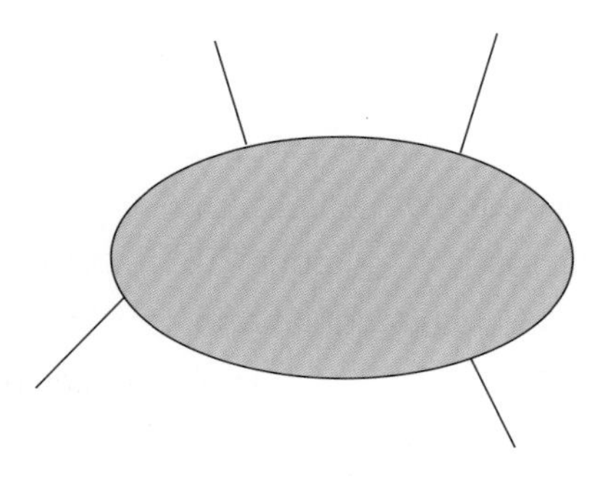

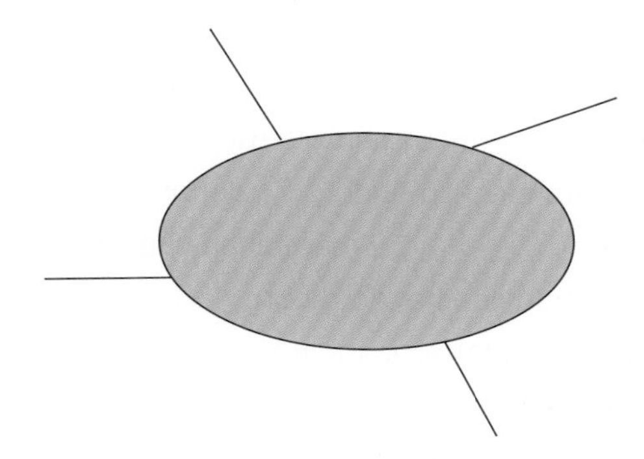

5 Sai riassumere ciò che hai letto a proposito di alcune tendenze della cultura e società italiana?

☐ Bene ☐ Abbastanza bene ☐ Male

Rivedi l'Unità 7 e scrivi su un foglio una sintesi seguendo le linee guida. Scrivi da 120 a 140 parole. Poi scegli la tua valutazione.

- Introduzione al tema
- Lati positivi
- Lati negativi
- Confronto con la situazione nel tuo paese o in altri paesi di tua conoscenza
- Considerazioni finali

6 Medicina delle parti del corpo. *Scrivi qui i vocaboli che ricordi relativi a questo tema.*

....

....

7 Rendere esplicito un discorso. *Fai un elenco dei connettivi che si usano per sostituire le frasi implicite al gerundio e al participio passato e scrivi un esempio per ognuno di essi.*

dopo che: Fatto un elenco delle cose da fare, Gino passò a mettere in pratica i suoi piani. / Dopo che ebbe fatto un elenco, ...

....

....

....

....

....

....

8 Proverbi. *Scegli il proverbio dell'Unità 7 che più ti piace e scrivi su un foglio un breve dialogo che lo contenga.*

9 È il momento del bilancio: *rivedi ancora una volta tutta l'Unità 7. Immagina di avere una valigia ideale da riempire con ciò che hai imparato: che cosa vuoi assolutamente portare con te di questa unità?*

U8, grammatica:

1 *Completa la parte mancante delle parole del testo. Ogni trattino corrisponde a una lettera. Poi confronta con l'originale a pagina 103.*

Nello sviluppo economico italia _ _ degli anni '70 e '80 i set _ _ _ _ del *made in Italy* hanno avu _ _ un ruolo fonda _ _ _ _ _ _ _ _. Con l'espres _ _ _ _ _ *made in Italy*, in senso stretta _ _ _ _ _ economico, si f _ riferimento a tut _ _ una se _ _ _ di attività produt _ _ _ _ sia nel set _ _ _ _ agro-alimentare che in quel _ _ dei be _ _ di consumo e del _ _ meccanica strumen _ _ _ _ (in parti _ _ _ _ _ _ i macchinari che li produ _ _ _ _). Almeno a partire da _ _ _ anni '70, que _ _ _ attività hanno rappre _ _ _ _ _ _ _ _ una rilevante quo _ _ dell'occupazione nazio _ _ _ _ e sono sta _ _ caratterizzate anche d _ una notevole competitività interna _ _ _ _ _ _ _ _ . Proprio grazie ad es _ _ per decenni è sta _ _ generato un consistente volu _ _ di esportazioni e sal _ _ positivi all'interscambio commer _ _ _ _ _ con l'estero. Quindi si può affer _ _ _ _ a ragione che s _ di esse è sta_ _ costruito il modello italia _ _ di specializzazione ne _ _ _ scambi interna _ _ _ _ _ _ _ _. A questo va aggiunto c _ _ nell'uso lingui _ _ _ _ _ _ generale con il ter _ _ _ _ *made in Italy* ci si rife _ _ _ _ _ a tutti quei pro _ _ _ _ _ o manufatti che per stile, for _ _ e gusto personificano il mo _ _ di vita italia _ _ , l'*Italian way of life* nel mon _ _.

2 *Coniuga i verbi alla forma passiva nei tempi verbali corretti. Scegli tra i due ausiliari* **essere** *e/o* **venire**.

Torino nera

Lo scorso venerdì (ritrovare) .... il corpo senza vita di un uomo sulla riva del Po presso il parco del Valentino a Torino. Il cadavere, in avanzato stato di decomposizione, (scoprire) .... da una anziana signora che stava cercando il suo barboncino sfuggitole nel corso di una passeggiata mattutina; evidentemente (attrarre) .... dall'odore del corpo. Dopo (avvisare) .... da un altro passante, sono intervenuti i carabinieri che hanno provveduto ad isolare la zona del ritrovamento. Immediatamente sono scattate le indagini che, come (comunicare) .... nel pomeriggio, in occasione di una conferenza stampa tenutasi presso il locale commissariato, hanno consentito di giungere rapidamente all'identificazione dell'uomo.
Si tratta di G. R., noto imprenditore tessile della zona che (vedere) .... per l'ultima volta due giorni fa presso la sede dell'azienda. Da allora non aveva dato più notizie di sé e una denuncia di scomparsa (presentare) .... dai familiari nella giornata di ieri.
Il signor R. aveva avuto già dei precedenti penali nella sua giovinezza (arrestare/gerundio) .... per detenzione di sostanze stupefacenti (cocaina) all'età di 18 anni. In conseguenza di ciò (mandare/p. remoto) .... dai genitori in un centro di disintossicazione e dopo il ritorno era entrato nell'azienda di famiglia e ne (nominare) .... amministratore delegato in breve tempo. Sembrava insomma che (segnare/cong. trapassato) .... in modo positivo da quella spiacevole esperienza giovanile.
Nella giornata di oggi (effettuare) .... tutti gli accertamenti medico-legali del caso per appurare la causa e l'ora della morte.
La cerimonia funebre, che (officiare) .... dal vescovo Martini, si terrà venerdì prossimo nella chiesa del Cristo Re.

U8, autovalutazione:

3 **Vocabolario.** *Quali sono le parole o le espressioni che ricordi e associ a questo concetto?*

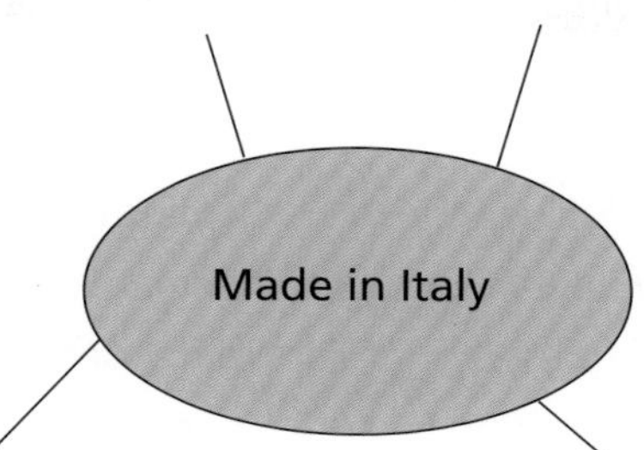

4 **Sai fare una sintesi di tutto quello che hai imparato nell'Unità 8 sul Made in Italy?**

☐ Bene ☐ Abbastanza bene ☐ Male

Rivedi tutta l'Unità 8 e, su un foglio, scrivi un testo nello stile di un articolo di giornale. Scrivi da 120 a 140 parole. Poi scegli la tua valutazione.

5 **L'uso della forma passiva.** *Prepara uno schema su come si forma il passivo in italiano. Fai degli esempi con ognuno dei tre ausiliari* **essere**, **venire** *e* **andare**. *Preparati anche a illustrare le regole di uso e la funzione di queste varianti. Nella prossima lezione confronta la tua spiegazione con quella di un compagno.*

Ricorda: *il passivo è usato soprattutto quando si vuole enfatizzare l'oggetto dell'azione.*

Forma attiva:	Molta gente ha seguito **la partita in TV.**
Forma passiva:	**La partita in TV** è stata seguita da molta gente.

6 **Dal verbo al sostantivo, all'aggettivo.** *Ricordi qualche esempio di* **sostantivi** *e* **aggettivi** *derivati dal* **verbo** *tramite i suffissi* **-zione** *e* **-bile**? *Quali altri suffissi di derivazione delle parole ricordi? Scrivi qualche esempio.*

....

....

7 **Modi di dire e espressioni idiomatiche.** *Scegli l'espressione o il modo di dire dell'Unità 8 che più ti piace e scrivi una frase.*

....

8 **È il momento del bilancio:** *rivedi ancora una volta tutta l'Unità 8. Immagina di avere una valigia ideale da riempire con ciò che hai imparato: che cosa vuoi assolutamente portare con te di questa unità?*

U9, grammatica:

1 *Inserisci le preposizioni semplici o articolate. Poi confronta con l'originale a pagina 117. In alcuni casi ci sono alternative possibili.*

Se si considerano i mezzi .... comunicazione .... massa .... punto .... vista .... loro origine storica si deve certamente riconoscere il primato .... stampa, che, grazie .... genialità .... Gutenberg, prese .... diffondersi .... partire .... XV secolo. La nuova tecnica conobbe un enorme sviluppo .... secoli successivi riuscendo .... raggiungere strati sempre più vasti .... popolazione. Non si può però dimenticare il fatto che tale mezzo .... comunicazione presuppone sempre la capacità .... leggere, ... sua volta collegata .... condizione socio-economica. Se si era analfabeti, come la maggioranza .... persone almeno fino .... metà dell'Ottocento, si era automaticamente esclusi .... fruizione .... testi stampati. Ragione .... cui i giornali e le riviste, ... genere, si svilupparono solo .... partire .... Seicento, rivolgendosi inizialmente .... un pubblico piuttosto ristretto.
Diverso il caso .... radio: sviluppata tecnicamente .... seconda metà .... Ottocento, perfezionata .... primi .... Novecento, vide la nascita .... prime emittenti .... anni Venti .... XX secolo. .... 1921 infatti nacque la BBC, ... il 1924 e il 1927 il regime fascista italiano diede vita .... EIAR, Ente Italiano Audizioni Radiofoniche, che .... partire .... caduta .... fascismo si sarebbe chiamata RAI (Radio Audizioni Italiane). Questo nuovo mezzo .... comunicazione .... massa si diffuse notevolmente .... arco .... un ventennio, divenendo una presenza insostituibile .... vita quotidiana .... milioni .... persone. .... differenza .... stampa, infatti, la radio non richiedeva abilità intellettuali specifiche quali saper leggere, bastava ascoltare! Anche se si era ignoranti o magari si parlava solo un dialetto locale si potevano comprendere le notizie, ascoltare i programmi musicali, ecc. Non è un caso che durante il ventennio fascista se ne fece un uso sistematico .... scopi .... propaganda e manipolazione .... opinione pubblica.

2 *Correggi gli errori nelle forme e nell'uso dell'impersonale.*

1. Si ci dimentica spesso della stupidità di molti programmi televisivi e si finisce per guardarli comunque.
   ....
2. Dopo che si è stati più di un'ora davanti allo schermo televisivo ci si sente come instupidito.
   ....
3. Una volta che si è seguite tutte le istruzioni, si inserisce la spina nella presa, si preme il pulsante e, se non si sono fatti errori, lo schermo si accende.
   ....
4. I libri li si possono mettere in borsa, basta che si ci ricordi poi di dove uno abbia messo la borsa!
   ....
5. Non appena si è arrivato e dopo che si è bevuto qualcosa ci si sente subito più rilassato.
   ....
6. Quel giorno si è mangiati troppo tardi e poi ci si è addormentato sul divano.
   ....

U9, autovalutazione:

3 Vocabolario. *Nell'Unità 9 si trovano molte parole relative a* ***radio, televisione*** *e* ***stampa****. Riprendile e annotale nei tre gruppi. Puoi aggiungerne altre che conosci.*

Radio: ....

Televisione: ....

Stampa: ....

4 Sai descrivere una sequenza di azioni in modo impersonale sia al presente che al passato?

☐ Bene ☐ Abbastanza bene ☐ Male

Osserva le immagini e descrivi ciò che succede usando la struttura impersonale, prima al presente e poi al passato. Poi scegli la tua valutazione.

5 Sai parlare dei mezzi di comunicazione di massa in generale o del tuo paese?

☐ Bene ☐ Abbastanza bene ☐ Male

Fai una panoramica generale dei mezzi di stampa, delle stazioni televisive e di quelle radio più importanti e conosciute. Puoi farlo oralmente, registrando la tua voce per ascoltarti, oppure scrivendolo su un foglio. Poi scegli la tua valutazione.

6 ***L'espressione più difficile.*** *Rivedi tutta l'Unità 9 e scegli l'espressione che trovi più difficile. Poi scrivi una frase.*

....

7 È il momento del bilancio: *rivedi ancora una volta tutta l'Unità 9. Immagina di avere una valigia ideale da riempire con ciò che hai imparato: che cosa vuoi assolutamente portare con te di questa unità?*

U10, grammatica:

1 *Inserisci le preposizioni semplici o articolate. Poi confronta con l'originale a pagina 133.*

Giunse pertanto Abbone. Si scusò .... l'intrusione, rinnovò il suo benvenuto e disse che doveva parlare .... Guglielmo .... privato .... cosa assai grave. Cominciò congratulandosi .... lui .... l'abilità .... cui si era condotto .... storia .... cavallo e chiese come mai egli aveva saputo dar notizie tanto sicure .... una bestia che non aveva mai vista. Guglielmo gli spiegò succintamente e .... distacco la via che aveva seguito e l'Abate molto si rallegrò .... il suo acume. Disse che non si sarebbe atteso .... meno .... un uomo che era stato preceduto .... una fama .... grande sagacia. Gli disse che aveva ricevuto una lettera .... Abate .... Farfa e che non solo gli parlava .... missione affidata .... Guglielmo .... imperatore (.................... quale avrebbero poi discusso .... giorni seguenti) ma anche gli diceva che .... Inghilterra e .... Italia il mio maestro era stato inquisitore .... alcuni processi, dove si era distinto .... la sua perspicacia, non disgiunta .... grande umanità [...]
Mi parve che l'Abate fosse soddisfatto .... poter terminare quella conversazione tornando .... suo problema. Prese dunque .... raccontare .... un fatto singolare che era accaduto pochi giorni prima [...]
E disse che ne parlava .... Guglielmo perché, sapendolo gran conoscitore e .... animo umano e .... trame .... maligno, sperava che potesse dedicare parte .... suo tempo prezioso .... far luce .... un dolorosissimo enigma.

2 *Trasforma dal discorso diretto all'indiretto. Prima al presente e poi al passato.*

- Dove ha imparato l'italiano?
- Mah, ho iniziato a studiarlo al liceo e poi ho frequentato diversi corsi all'università.
- Lei ha una motivazione di tipo professionale, mi pare di aver capito.
- Sì, dopo la laurea in legge sono stato assunto da un'azienda italiana che ha una succursale nel mio paese, assunzione in cui le mie conoscenze linguistiche hanno giocato un ruolo decisivo.
- Mi faccia capire bene, Lei intende approfondire ora il Suo italiano piuttosto in senso culturale o sbaglio?
- Esattamente, vorrei allargare le mie competenze culturali anche perché io e mia moglie pensiamo di trasferirci, prima o poi, in Italia.

SEGRETERIA

a. Il giornalista chiede

....

....

....

b. Il giornalista chiese ....

....

....

U10, autovalutazione:

3 **Vocabolario.** *Nell'unità 10 hai imparato molte espressioni e parole relative al* **mondo dei libri**. *Scrivi tutte quelle che ricordi.*

....

....

....

....

....

....

4 **Sai riferire una conversazione sia al presente che al passato?** ☐ Bene ☐ Abbastanza bene ☐ Male

Pensa a due personaggi famosi di epoche storiche diverse e scrivi qui una conversazione tra loro al discorso diretto. Su un foglio, trasformala al discorso indiretto. Infine scegli la tua valutazione.

....

....

....

....

....

....

....

....

5 **Sai descrivere un libro che hai letto di recente?** ☐ Bene ☐ Abbastanza bene ☐ Male

Descrivi un libro che hai letto negli ultimi tempi. Indica il genere, le dimensioni, la tematica e un tuo giudizio al riguardo. Poi scegli la tua valutazione.

....

....

....

....

....

....

....

....

6 **Parole "difficili".** *Nei testi dell'unità 10 compaiono molte parole "difficili", cioè di uso non comune. Per ampliare le tue conoscenze lessicali, scegli ora 10 parole e leggi le definizioni del loro significato in un vocabolario monolingue.*

7 **È il momento del bilancio:** *rivedi ancora una volta tutta l'Unità 10. Immagina di avere una valigia ideale da riempire con ciò che hai imparato: che cosa vuoi assolutamente portare con te di questa unità?*

Sei giunto alla fine del terzo corso di italiano con Caffè Italia. Complimenti! Prima di fare il test finale, rivedi tutte le unità cercando di identificare i punti che desideri chiarire e fissare meglio.

Test finale: livello B2 (Unità 1-10)

La struttura e la tipologia dei compiti di questo test segue il modello delle prove corrispondenti dell'esame di livello DUE per la *Certificazione dell'Italiano Lingua Straniera dell'Università per Stranieri di Siena* (CILS 2). La quantità di compiti prevista per ogni abilità è tuttavia inferiore all'esame vero e proprio e manca la prova orale. Alle pagine 176 e 177 si trovano i criteri di valutazione e le soluzioni delle parti che non prevedono una produzione libera.

1 Ascolto (punteggio totale 20)

2.19 Ascolto - Prima prova (5 punti): dettato

La prova avrà inizio con l'ascolto di un testo. Dopo il primo ascolto lo stesso testo vi verrà dettato. Vi verrà dettata anche la punteggiatura: virgola, punto, punto e virgola, due punti, punto interrogativo, punto esclamativo.

Leggete e controllate quello che avete scritto. Ascoltate di nuovo il testo e controllate di nuovo.

....

....

....

....

....

2.20 Ascolto - Seconda prova (15 punti: 3 punti per ogni risposta corretta):

Ascoltate questo servizio radiofonico in cui si parla dell'incapacità sempre più diffusa di scrivere a mano. Potete ascoltare il testo due volte.

Ora scegliete per ogni frase la proposta di completamento corretta.

1. **Secondo l'articolo la perdita dell'uso della scrittura a mano è da attribuire**
   - ☐ **a.** al crescente analfabetismo tra i giovani.
   - ☐ **b.** alla diffusione dei nuovi mezzi di comunicazione.
   - ☐ **c.** alla diminuzione dei rapporti interpersonali.
2. **Per Raffaele Simone, docente di linguistica e autore di un libro sull'argomento,**
   - ☐ **a.** molti amano scrivere testi sempre più elaborati.
   - ☐ **b.** si registra una progressiva regressione della scrittura in stampatello, pochi sono in grado di usarla.
   - ☐ **c.** l'uso di una scrittura semplificata come negli sms e nelle chat rispecchia l'incapacità di organizzare pensieri complessi.
3. **La scrittura**
   - ☐ **a.** serve a sviluppare le abilità manuali degli individui.
   - ☐ **b.** è importante per i bambini a scuola per esercitarsi nell'uso di carta e penna.
   - ☐ **c.** aiuta a sviluppare la capacità analitica degli individui nell'organizzazione del pensiero.
4. **Con la perdita della capacità di scrivere**
   - ☐ **a.** si prevede un futuro in cui solo pochi saranno in grado di leggere e scrivere.
   - ☐ **b.** forse in futuro non ci sarà più nessuno in grado di leggere e scrivere.
   - ☐ **c.** in futuro saper scrivere non avrà nessuna importanza nella società.
5. **Secondo alcuni studi americani**
   - ☐ **a.** è importante mantenere un buon livello di competenza alfabetica per lo sviluppo e la competitività di un paese.
   - ☐ **b.** la competitività di un paese può essere garantita anche con una bassa percentuale di persone con un buon livello di competenza alfabetica.
   - ☐ **c.** sono poche le persone negli Stati Uniti con competenze alfabetiche di buon livello.

2 Comprensione della lettura (punteggio totale 20)

Lettura - Prima prova (10 punti - 1 punto per ogni risposta corretta)

Leggete il testo. Poi decidete se le informazioni seguenti sono vere o false.

Come far rinascere la "voglia di studiare" di Walter Passerini

Eppure tutti dicono che siamo entrati nell'era dell'economia della conoscenza. Probabilmente ci siamo entrati senza accorgercene, portando sulle spalle tutti i nostri fardelli. Il principale dei quali è una lenta ma inesorabile caduta della "voglia di studiare".

I parametri per misurarla sono tanti. Tra quelli quantitativi basti il dato che ogni anno perdiamo 100mila ragazzi tra i 14 e i 17 anni, che escono senza titoli dal sistema scolastico e formativo, seguiti da tre 19enni su dieci. Alcuni tra di essi, poi, si accorgono che fuori dal sistema formativo non riescono a spuntare buone posizioni professionali e così decidono di rientrarvi in età più adulta.

In contraddizione potrebbe apparire il dato dei laureati e degli iscritti all'università. Questi in effetti aumentano a vista d'occhio, ma la loro relativamente bassa qualità è sotto gli occhi di tutti. Ovviamente non si può generalizzare: esistono degli ottimi corsi di laurea e degli ottimi laureati, sennò non potremmo parlare di "cervelli in fuga". Ma la qualità media si sta abbassando. Responsabili sono una ancora troppo debole politica di orientamento, che aiuti i giovani a scegliere meglio e a non disperdersi, e una domanda di profili da parte del sistema pubblico e privato che non mortifichi i giovani.

In altri termini, se l'impatto con il mercato del lavoro consiste nell'offerta di posti a basso valore aggiunto e a scarso contenuto formativo, ciò costituisce per i giovani un disincentivo allo studio. Da qui l'inarrestabile disaffezione verso lo studio.

A questo punto non basta nemmeno la spinta alla promozione che proviene dalle famiglie: avere un figlio laureato rischia a volte di non rappresentare più un segno di promozione sociale. Trovarsi in un mercato del lavoro che non valorizza le competenze acquisite rappresenta il peggior segnale di svalutazione dei titoli di studio.

Per non parlare della formazione professionale, ancora Cenerentola del sistema, canale residuale e marginale su cui in Italia non si è ancora puntato a sufficienza, a differenza di ciò che hanno fatto Francia, Germania e Regno Unito.

Guai al paese in cui i giovani e le famiglie pensano che non sia necessario studiare: è questa la vera base del declino e il simbolo della scarsa fiducia nel futuro. Si può dire che per far tornare la voglia di studiare ci vuole il contributo degli insegnanti: la fatica dello studio e la creazione di un clima adeguato sono tra i fattori influenzanti. Ma non si può scaricare sui docenti la responsabilità di tutti.

Avviare da subito una campagna a favore del valore dello studio è il miglior investimento a favore delle future generazioni e della competitività del nostro sistema-Paese.

[Da *Il Sole 24 ore* del 19/04/2006]

	Vero	Falso
1. Secondo l'articolo sono in aumento i giovani che interrompono la scuola senza conseguire un titolo di studio.	☐	☐
2. Sono sempre di più i giovani che preferiscono continuare gli studi dopo aver lavorato qualche anno.	☐	☐
3. Alcuni giovani preferiscono lavorare e studiare contemporaneamente per non sprecare tempo prezioso.	☐	☐
4. Nonostante l'aumento degli iscritti all'università si assiste ad un abbassamento del livello di qualità degli studenti.	☐	☐
5. Per evitare la dispersione bisognerebbe promuovere un sistema di orientamento allo studio che aiuti i giovani nelle loro scelte.	☐	☐

		Vero	Falso
6.	I giovani mostrano scarso interesse per lo studio perché è difficile trovare posti di lavoro adeguati che valorizzino gli studi compiuti.	☐	☐
7.	Gli insegnanti sono i veri responsabili della mancata voglia di studiare dei giovani.	☐	☐
8.	Per le famiglie è sempre molto importante avere un figlio laureato.	☐	☐
9.	La formazione professionale in Italia non viene attualmente molto valorizzata e incentivata.	☐	☐
10.	Il futuro di una società può essere garantito solo se si investe nella formazione e nello studio.	☐	☐

Lettura - Seconda prova (10 punti - 1 punto per ogni risposta corretta)

Vi presentiamo un racconto. Lo abbiamo diviso in 11 parti. Le parti non sono in ordine. Ricostruite il racconto rimettendo in ordine i paragrafi.

[1] a. L'operaio Arturo Massolari faceva il turno della notte, quello che finisce alle sei.

[ ] b. Spesso i due rumori: il suono della sveglia e il passo di lui che entrava si sovrapponevano nella mente di Elide, raggiungendola in fondo al sonno, il sonno compatto della mattina presto che lei cercava di spremere ancora per qualche secondo col viso affondato nel guanciale.

[ ] c. Per rincasare aveva un lungo tragitto, che compiva in bicicletta nella bella stagione, in tram nei mesi piovosi e invernali.

[ ] d. Poi si tirava su dal letto di strappo e già infilava le braccia alla cieca nella vestaglia, coi capelli sugli occhi.

[ ] e. Arrivava a casa tra le sei e tre quarti e le sette, cioè alle volte un po' prima alle volte un po' dopo che suonasse la sveglia della moglie, Elide.

[ ] f. Gli appariva così, in cucina, dove Arturo stava tirando fuori i recipienti vuoti dalla borsa che si portava con sé sul lavoro: il portavivande, il termos, e li posava sull'acquaio.

[ ] g. Alle volte invece era lui che entrava in camera a destarla, con la tazzina del caffè, un minuto prima che la sveglia suonasse; allora tutto era più naturale, la smorfia per uscire dal sonno prendeva una specie di dolcezza pigra, le braccia che s'alzavano per stirarsi, nude, finivano per cingere il collo di lui.

[ ] h. Aveva già acceso il fornello e aveva messo su il caffè.

[ ] i. Ma gli diceva lo stesso: - Che tempo fa?

[ ] l. Arturo aveva indosso il giaccone impermeabile; a sentirselo vicino lei capiva che tempo faceva: se pioveva o faceva nebbia o c'era neve, a seconda di com'era umido e freddo.

[ ] m. S'abbracciavano.

[Adattato da: Italo Calvino, *Gli amori difficili*, © Mondadori 1958]

3 Test di analisi delle strutture di comunicazione (punteggio totale 20)

Strutture - Prima prova (0,5 punti per ogni risposta corretta)

Nel testo mancano gli aggettivi e i pronomi. Completatelo.

Punti:

Caro diario,
sono riuscita a superare la paura di guidare. Dopo quel brutto incidente non ero più riuscita a salire in macchina e a mettermi alla guida. Ieri, però, il bambino di tre anni dei .... vicini di casa è caduto dalle scale e si è rotto il braccio. La babysitter era sola in casa e così .... abbiamo portato insieme all'ospedale. Ho preso la .... macchina che era in garage, perché la .... è ancora dal meccanico, ma non .... ho detto che avevo un po' di paura, ... non poteva certo guidare, visto che era impegnata a tenere il bambino che urlava di dolore.
Quando ho messo in moto la macchina, ... tremavano un po' le gambe, ma poi è andato tutto bene. .... ho portati all'ospedale e lungo il tragitto ho persino canticchiato delle canzoncine per distrarre il bambino. Quando sono tornati a casa i genitori .... ho raccontato tutto e sono corsi all'ospedale a prendere il .... bambino e la babysitter.
Sono proprio contenta che sia andato tutto bene! Alla prossima, Priscilla

Punteggio totale 5. Risultato personale: ___ **/ 5**

Strutture - Seconda prova (0,5 punti per ogni risposta corretta)

Completate il testo con le forme corrette dei verbi.

Punti:

Annamaria (**0**) **è tornata** in Italia dopo un'esistenza trascorsa negli Stati Uniti e ci (**1**) (**raccontare**) .... la sua esperienza:
"(**2**) (**partire**) .... per Roma, la mia città natale, una mattina di settembre di due anni fa dopo che la sera prima (**3**) (**avere**) .... l'ennesima lite furibonda con Peter, il mio ragazzo di allora.
(**4**) (**lasciare**) .... l'Italia negli anni Ottanta, subito dopo la maturità, a 19 anni, e ora dopo quasi vent'anni (**5**) (**ritrovarsi**) .... di nuovo qui, una straniera in patria.
Sinceramente non (**6**) (**immaginare**) .... minimamente che (**7**) (**essere**) .... così difficile riavvicinarsi alle proprie radici, trovare amici, lavoro..."
Non (**8**) (**sorprendere**) .... che ora proprio gli stranieri (**9**) (**diventare**) .... il suo mestiere. Annamaria, infatti, (**10**) (**dirigere**) .... un centro di mediazione culturale nel cuore di Roma.

Punteggio totale 5. Risultato personale: ___ **/ 5**

Strutture – Terza prova (1 punto per ogni risposta corretta, totale 10 punti)
Completate il seguente testo. Dovete inserire negli spazi vuoti la parola che manca. Scegliete una delle proposte di completamento che vengono date per ogni spazio vuoto.

Punti:

Due regole sull'(0) uso dei telefonini *di Piero Ottone.*
Vogliamo aggiornarci sui telefonini? Dobbiamo riconoscere che si tratta di un' (1) .... importante, ma non bisogna credere che coi telefonini sia lecito fare tutto quello che si vuole. Anche questi piccoli arnesi devono essere sottoposti a regole.
La prima regola riguarda le circostanze dell'uso. Ho constatato, con sgomento, che anche persone di buona (2) .... si permettono di (3) .... una conversazione con qualcuno in carne e ossa per rispondere a una (4) .... telefonica. Ebbene: non è permesso. Se l'interlocutore col quale ci troviamo è un familiare, se è un amico che vediamo spesso, si può (5) .... un occhio; ma solo in quei casi, e solo per pochi secondi. Se siamo in un (6) .... di affari, se siamo con un amico che non incontriamo abitualmente, l' (7) .... per parlare al telefonino è tassativamente vietata. Tanto più è vietata se si è in visita. La regola improrogabile, mi sembra, è di (8) .... il telefonino quando si entra in casa.
Seconda regola: è sconveniente parlare al telefonino mentre si cammina per la strada. Bisogna fermarsi, e appartarsi. È ridicolo, e sconveniente, (9) .... mentre si parla al telefonino in mezzo alla folla. E qui credo che il discorso debba essere rivolto soprattutto agli italiani. Esiste un italiano macchietta, (10) .... in tutto il mondo grazie a certi film, che si agita, grida, fa le smorfie. Gli stranieri lo guardano e sorridono...
[Adattato da: *Il Venerdì* di Repubblica, 25/08/2006]

Punteggio totale 10. Risultato personale: ___ / 10

(0)	uso	impiego	utilizzazione	usanza
(1)	inventiva	creazione	invenzione	scoperta
(2)	formazione	educazione	maniere	istruzione
(3)	sospendere	continuare	interrompere	cominciare
(4)	convocazione	richiesta	invito	chiamata
(5)	chiudere	aprire	socchiudere	tappare
(6)	dialogo	colloquio	discorso	conversazione
(7)	arresto	obbligo	interruzione	avvio
(8)	accendere	bloccare	chiudere	spegnere
(9)	gesticolare	arrabbiarsi	gestire	muoversi
(10)	famoso	conosciuto	importante	noto

4 Test di produzione scritta (Punteggio totale 20)

Scritto - Prima prova (10 punti)

Parla dei tuoi progetti futuri (lavoro, studio vacanze). Devi scrivere dalle 120 alle 140 parole.

Scritto - Seconda prova (10 punti)

Un'agenzia viaggi cerca del personale da assumere nei propri uffici a Roma. Hai letto l'annuncio e sei interessato al lavoro. Scrivi al direttore le tue esperienze lavorative. Devi scrivere da 80 a 100 parole.

Soluzioni degli esercizi

Unità 1

U1, H:

1 chiaramente, sicuramente, difficilmente, precisamente, naturalmente, generalmente

2 prima, dentro, qui, mai, tardi, male, poco, raramente

U1, riepilogo - grammatica:

1 (soluzione possibile) Ieri Paolo ha litigato con la sua ragazza. Lei era fuori di sé perché lo aveva visto parlare con la sua ex. Alla fine lei l'ha scaricato ed è andata via. Paolo era molto nervoso e ha cercato di chiamare Gianni ma non riusciva a trovarlo. Alla fine Gianni è arrivato: era stato a lezione e perciò aveva il cellulare spento. Paolo ha raccontato all'amico che cosa era successo.

2 ho visitato, c'era, aveva partorito, sbattevano, c'era, ho chiesto, era, poteva, era, guardava, si vergognava.

3 **1.** settimanalmente, **2.** tranquillamente, **3.** annualmente, **4.** regolarmente, **5.** telefonicamente

4 anche, soltanto, anche, molto, ormai, soprattutto, invece, notevolmente

U1, riepilogo - autovalutazione:

5 **1.** giuridico **2.** tecnico **3.** politichese **4.** giovanile **5.** internettese

Unità 2

U2, D:

1 si sviluppò, si realizzò, furono, fu, organizzò, guidò, capì, fondò, fu, scoppiò, segnò, iniziò, finì

2 feci, bevvero, caddero, lessi, misero, fermò, accendemmo, scrissero, dissi, vinsero. *Gubbio, il Palazzo dei Consoli*

3 nacque, era, iniziò, visse, ebbe, fu, diventò, venne, si iscrisse, prese, decise, condivise, conobbe, sposò, fece, svolse, fuggì, combatté, diedero, fu, ebbe, si chiuse, mise, rimase, venne, si ritirò, morì

4 decise, andò, disse, esisteva, andò, disse, esisteva, andò, esisteva, ritornò, facevano, rispondeva, esisteva, pensarono

U2, E:

1 **1.** Dopo che ebbero finito di fare i compiti accesero subito la televisione **2.** Non appena Mara fu entrata in casa si tolse il cappotto **3.** Una volta che ebbi iniziato a leggere il libro non riuscii più a distaccarmene **4.** Quando i ragazzi ebbero raggiunto l'isola scesero dalla barca **5.** Lasciai la carica di sindaco dopo che ebbi raggiunto il settantesimo anno d'età **6.** Cominciaste a fare confusione non appena l'insegnante ebbe finito di parlare

U2, F:

1 c'era, viveva, morì, aveva, sposò, era, aveva, divenne, doveva, si accorgeva, decise, invitò, voleva, proibì, fece, sognava, era

U2, riepilogo - grammatica:

2 presero, persero, davano, dormivano, scendevano, erano, lasciavano, fece, garantirono, sgomberò, passarono, seguivano, faceva, sparava, furono, rimase, fermarono, voltarono, urlarono

Unità 3

U3, B:

1 **1.** sia, **2.** facciano, **3.** finisca, **4.** abbia, **5.** sia, **6.** sia

U3, C:

1 ci siano, stia, si trasferiscano, cambino, mi sbrighi, convenga

2 (soluzioni possibili) Ti devo dire una cosa prima che mi dimentichi. Fatemi sapere nel caso vogliate passare da Bologna. Tesoro, ti racconto tutto questo affinché tu sia preparata. Vengo con voi a meno che non si faccia tardi. Arriveremo a Udine alle 16.16 ammesso che l'aereo non faccia ritardo. Ti giuro, non riesco a capirlo sebbene parli in italiano. Ti credo anche stavolta purché sia vero.

U3, H:

3 La musica si può: ascoltare, amare, eseguire, comporre, leggere, apprezzare, studiare, fare, suonare. La musica può essere: gregoriana, dodecafonica, da discoteca, da film, medievale, da ballo, operistica, leggera, militare, classica, profana, lirica, liturgica, sacra, barocca, moderna, etnica, elettronica, zigana, popolare, sinfonica

U3, riepilogo - grammatica:

1 **1.** andare, **2.** abbia, **3.** conosca, **4.** faccia, **5.** abbiate, **6.** sapere, **7.** è, **8.** voglia, **9.** dire, **10.** possano, **11.** sai

2 **1.** stia esagerando, **2.** sappia, **3.** possiate, **4.** passi, **5.** arrivi, **6.** finiscano, **7.** abbiate visto, **8.** abbia mai visto, **9.** chiami

3 **1.** k, **2.** m, **3.** j, **4.** h, **5.** e, **6.** c, **7.** f, **8.** b, **9.** i, **10.** a, **11.** o, **12.** l, **13.** g, **14.** n, **15.** d

Unità 4

U4, B:

1 **1.** desse, **2.** stessero, **3.** foste, **4.** ce l'avesse, **5.** dicesse, smettesse, **6.** facesse

2 **1.** capissi, **2.** riuscivano, **3.** fossi, **4.** conoscesse, **5.** avevano mai fatto, **6.** vedeste

U4, C:

1 **1.** si fossero lasciati, fossero, **2.** andassi, **3.** avessimo camminato, **4.** fosse scappato, fossero ritornati, **5.** studiassi, arrivassi, **6.** foste venuti

U4, D:

1 si muovesse, sia, viva, sia, s'incuriosiscano, ne parlino, fosse, cessassero, fosse successo, sia accaduta, abbia incontrato

U4, E:

1 **1.** su cui/sulla quale, **2.** con cui/con i quali, **3.** in cui/nelle quali

2 **1.** il cui, **2.** i cui

U4, riepilogo - grammatica:

1 nella/a, dagli, dalla, dei, dai, del, in, di, fra gli/degli, degli, nelle, a, a, con, alla, di/dei, di, per l', del, sugli, di, di, nelle, degli, a, dalla

2 finisse, sia, si sia preso, si faccia, fossi tornata, avessi trascorso, mi sentissi, fossi venuta, abbia preferito, possa, ripensassi

3 (Soluzione dell'indovinello di esempio) Piazza del Campo a Siena

U4, riepilogo - autovalutazione:

6 (soluzione possibile) Gli alberi scorrevano via veloci come se *avessero le ali*. È entrata nella stanza urlando e mi ha aggredita come se *volesse uccidermi*. Abbiamo trascorso una bellissima giornata come se *fossimo in vacanza*. Ho cominciato a parlare senza incertezze come se *io fossi un esperto*.

Unità 5

U5, B:

1 stavamo lavorando/lavoravamo, dovevamo, sta, guardi, abbia chiamato, decollerà, se ne sono andati, aveva guardato, è partito, poteva.

U5, D:

1 si volesse, sarei finito, sarebbe andata, sarebbero scappate, camminassimo, giungesse, arrivavano, potessero, cercava

2 cercavi, mi misi, si sarebbe contorto, sarebbe schizzata, portava, avanzava, andava, venni avvolto, era saltato, si spostavano, consisteva, dovevano, dava

U5, riepilogo - grammatica:

1 **1.** siano, **2.** abbia, **3.** parli, **4.** ci sia, **5.** abbia riparato, **6.** riuscisse

2 **1.** avessi cominciato, **2.** avrebbe fatto, **3.** debba, **4.** stesse, **5.** parta, avrebbe fatto, **6.** vivono, abitino, **7.** sapessi, ti arrabbiassi/ti saresti arrabbiato, **8.** sia partita, si sentiva/si sente, **9.** sia, **10.** siate venuti, **11.** fosse successo, **12.** avrebbe studiato

3 **1.** Non mi sono mai abituata al clima tedesco anche se ci ho vissuto vent'anni. **2.** Francesca non si limita ad ascoltare, lei partecipa veramente alla discussione. / Francesca si limita ad ascoltare, lei non partecipa veramente alla discussione. **3.** Non posso assolutamente rinunciare allo sport. **4.** Mi occupo io dei bambini, mio marito lavora sempre. **5.** Non ti devi vergognare di essere timida, tu sei fatta così.

Unità 6

U6, D:

1 **1.** b, **2.** g, **3.** f, **4.** d, **5.** i, **6**. c, **7.** e, **8.** h, **9.** a

U6, riepilogo - grammatica:

1 in, al, con, con, da, in, per, della, per, con, Nei, a, dello, di, a, in, a, delle, di, del, di, dallo, in, da, all'

2 **1.** e, **2.** h, **3.** g, **4.** a/b/f, **5.** d, **6.** b/c, **7.** b, **8.** a

3 (soluzione possibile) **1.** Se volessi lavorare nel settore del turismo, imparerei il cinese. **2.** Se dovessi chiudere un conto in banca, chiederei aiuto al mio amico. **3.** Se fossi in lei inserirei un annuncio per trovare marito. **4.** Se avessi fatto le ore piccole in ufficio ora staccherei il telefono per dormire in pace. **5.** Se non avessi l'esame e avessi studiato abbastanza non passerei la notte in biblioteca.

4 **1.** Se non fosse arrivato sempre in ritardo Roberto non avrebbe perso il lavoro. **2.** Se avesse pagato la bolletta non gli avrebbero staccato il telefono. **3.** Se Marina non fosse troppo magra sarebbe molto carina. **4.** Se non avessi dimenticato di spegnere il forno la torta non sarebbe bruciata. **5.** Se guadagnassi abbastanza vorrei fare il giro del mondo.

Unità 7

U7, B:

1 **1.** Quando sono andato al mercato, ho incontrato Giovanni. **2.** Mi rilasso molto quando ballo. **3.** Poiché gli venne rubato il portafogli, non poté pagare il conto. **4.** Ieri sono rimasta a letto tutto il giorno a rilassarmi e (a) riposarmi. **5.** Se potessi permettermelo, non andrei più a lavorare. **6.** Anche se mangio poco, continuo ad ingrassare.

2 **1.** avendo vissuto, **2.** avendolo incontrato/incontrandolo, **3.** avendola vista/vedendola, **4.** avendo studiato, **5.** essendosi sentita, **6.** ripensandoci, **7.** tornando, **8.** essendosi slogata, **9.** essendosene andata, **10**. ascoltando

3 (soluzione possibile) **1.** Poiché/Siccome ha vissuto per molti anni in Francia, ... **2.** Quando l'ho incontrato per caso in città, ... **3.** Siccome non l'avevo vista arrivare, ... **4.** Roberto non ha superato l'esame di anatomia anche se ha studiato molto. **5.** Poiché/Siccome si è sentita male per strada, ... **6.** Se ci ripenso, ... **7.** Giovanna, quando torni dal lavoro, ... **8.** Maria non ha potuto partecipare al torneo di tennis perché si è slogata una caviglia. **9.** Lisa pensa che noi la troviamo antipatica, poiché quel giorno se n'è andata senza salutare nessuno. **10**. Lavora tutto il giorno mentre ascolta la musica.

U7, C:

1 **1.** Dopo che aveva apparecchiato la tavola, andò in cucina a controllare l'arrosto. **2**. Dopo essersi pentita profondamente per quello che aveva fatto, ha deciso di chiedere scusa a Giorgio.

3. Arrivata a casa, ho telefonato a mia madre per tranquillizzarla. **4.**Trasferitosi a casa di sua madre, ha smesso di lavorare. **5.** Dopo che gli/le era passata la rabbia, uscì a fare due passi e cercò di non pensare più a nulla.

U7, riepilogo - grammatica:

1 dei, a, in, un, a, un, l', le, i, il, di, i, una, uno, una, di, gli, in, gli, il, di, degli, le, la, della, dell', i, di un', su un, di, il, in, il, il, la, i, alla, del, al, gli, - , nel, di, il, - , la, un

2 **3.** Non avendo studiato, Anna non riuscì a superare l'esame di maturità. **4.** Dopo essersi iscritta all'università, non è riuscita a dare esami e ha preferito andare a lavorare. **6.** Essendo arrivato/a a casa, mi sdraiai subito sul divano prima di preparare la cena.

3 **1.** *Siccome/Poiché/dato che ci sono* grossi problemi nella ricerca del lavoro, ... **2.** *Anche quando hanno trovato* un lavoro abbastanza sicuro, ... **3.** *Dopo che hanno accumulato* a poco a poco quanto basta per accendere un mutuo per la casa, ... **4.** ... , solo *quando si sposano e vanno* a costituire un nuovo nucleo familiare.

Unità 8

U8, B:

1 **1.** Il proprietario dell'azienda spostò la produzione all'estero. **2.**Che sua sorella l'abbia accusato di quel delitto, lo trovo davvero grave. **3.**Una multinazionale americana commercializzerà in tutto il mondo i nostri prodotti. **4.** Se l'avessero portata subito in ospedale, il Prof. Bonvicini l'avrebbe potuta operare. **5.** Un'ondata di maltempo ha investito il Piemonte. **6.** Le circostanze lo avevano costretto ad agire in quel modo. **7.** Gli operai addetti agli spostamenti hanno collocato le merci nel container.

U8, E:

1 **1.** deve, **2.** deve, **3.** deve, **4.** devono, **5.** devono, **6.** devono, **7.** deve

2 **1.** dovrebbero essere riconsegnati/andrebbero riconsegnati, **2.** deve essere indossato/va indossato, **3.** doveva essere timbrato/andava timbrato, **4.** dovranno essere pagate/andranno pagate, **5.** vanno tritate/debbono essere tritate

3 **1.** Roma fu fondata da Romolo e Remo. **2.** Il portafogli di Massimo è stato ritrovato nel cassonetto delle immondizie. **3.** Nonostante fosse stato ammesso al colloquio,... **4.** Il modulo deve essere compilato in ogni sua parte e... **5.** Era stato catturato dai carabinieri, ma... **6.** Penso che la casa sia stata venduta da Luca.

U8, riepilogo - grammatica:

2 è stato ritrovato, è stato scoperto, era stato attratto, essere stati avvisati, è stato comunicato**,** è/era stato visto, è/era stata presentata, essendo stato arrestato**,** fu mandato/venne mandato**,** era stato nominato**,** fosse stato segnato**,** verranno effettuati**,** verrà officiata

Unità 9

U9, B:

1 **1.** si ascoltano, si lascia, si vedono, **2.** si possono, ci si sente aggiornati e partecipi, **3.** si lascia, ci si muove, si ascoltano, **4.** si è tristi, si accende, ci si sintonizza, ci si dimentica, **5.** si può, si legge, si dimentica

2 si contano, si sentivano, si cercava, si parla, si festeggia, ci si incontra, si respira, se ne può

U9, D:

1 **1.** Se non si è mai stati in un paese straniero non si può giudicarlo/lo si può giudicare a scatola chiusa. **2.** Dopo che ci si è informati e si è riflettuto sulla questione si può anche esprimere un'opinione ben fondata. **3.** Chissà come ci si sente quando si è stati scelti per partecipare ad un reality show? **4.** Si sono scritti molti articoli sulla televisione spazzatura e si è arrivati al punto di proporre delle regole di controllo.

2 1. Ci si è trovati come ogni sera al solito bar a prendere l'aperitivo. 2. Anche in questa sfilata di moda si sono visti gli abiti più estrosi indossati da stupende modelle. 3. Si è sempre parlato molto dei tempi della scuola e dei nostri compagni di classe. 4. Come ogni anno si è tornati a casa stanchi e tristi dalle vacanze.

3 si è lavorato, si è guidato, si giunge, si fa, si mangia, ci si siede, ci si rilassa, si preme, si viene chiamati, ci si alza, si prende, si risponde, si fa, si va, si discute, si litiga, ci si sente, si spegne, ci si gode, si inizia, si è cominciato, ci si alza, si prende, ci si accomoda, si rientra

U9, riepilogo - grammatica:

2 **1. Ci si** dimentica spesso della stupidità di molti programmi televisivi e si finisce per guardarli comunque. **2.** Dopo che si è stati più di un'ora davanti allo schermo televisivo ci si sente come instupidit**i**. **3.** Una volta che si **sono** seguite tutte le istruzioni, si inserisce la spina nella presa, si preme il pulsante e, se non si sono fatti errori, lo schermo si accende. **4.** I libri si possono mettere in borsa, basta che **ci si** ricordi poi di dove uno abbia messo la borsa! **5.** Non appena si è arrivat**i** e dopo che si è bevuto qualcosa ci si sente subito più rilassat**i**. **6.** Quel giorno si è mangiat**o** troppo tardi e poi ci si è addormentat**i** sul divano.

Unità 10

U10, B:

1 aiutarlo, prima, lì, lo, prima, lui, lui, lei, lei, scorsa, lui, gli, lei, le, suo, gli, ridarglielo, gli, le, le, perdonarlo

2 Augusto telefona a Nerio e gli dice che se sente il suo messaggio nella segreteria telefonica del cellulare, di lasciargli un messaggio nella segreteria di casa sua perché in quel momento va a fare la sauna e lì il cellulare non funziona. Gli dice però che quando esce lo chiama e se trova il suo cellulare spento gli lascia un messaggio a casa per dirgli se prende il treno dove lo può chiamare dalle 8 e trenta alle nove perché dopo cominciano le gallerie, ma gli dice anche che può chiamare lui la sua segreteria telefonica per dirgli dov'è in albergo oppure se gli si scarica il cellulare gli chiede di chiamarlo lui in segreteria a casa che, dice, cerca di fare un trasferimento di chiamata, e se non ci riesce gli lascia un numero dove può lasciargli un messaggio dove gli dice a che ora ha il cellulare acceso così lo chiama.

U10, C:

1 (soluzione possibile) **Guido:** Fa caldo! Ho bisogno di un gelato, accompagnami al caffè.

Zeno: Guido, senti...mi sono innamorato subito d'Augusta, sin da quando l'ho vista la prima volta in casa Malfenti. Non mi sono fatto avanti prima perché...

Guido: Sinceramente mi sono meravigliato di averti visto

capitare in quella casa all'ultimo momento per fidanzarti.
Zeno: Le signorine Malfenti sono abituate ad un grande lusso e io non potevo sapere se era il caso di addossarmi una cosa simile...
Guido: Esigo delle spiegazioni!
Zeno: Ahi, ahi, la mia gamba...
Guido: Non sarà mica lo stesso dolore prodotto da quella caduta al caffè?
Zeno: Sì, dev'essere stata proprio quella brutta caduta.
Guido: Dai, vieni, alzati, ti aiuto io...

2 ... Aveva quattro anni quando, guardando il pavimento *aveva detto che sarebbe piovuto e molto.* C'era soltanto *suo* fratello maggiore nella stanza. Lo osservò incuriosito. Fuori splendeva il sole, i meteorologi prevedevano un lungo periodo di siccità. Eppure piovve e molto. *Allora, quando il temporale cominciò, il fratello gli chiese come faceva a saperlo. Rispose che l'aveva annusato.* [...] Si voltò verso la villa bianca affacciata sulla spiaggia e disse semplicemente *che sarebbe* b*ruciata/che stava per bruciare.* [...] Suo fratello lo guarda perplesso *e gli chiede perché avendo quella facoltà non l'aveva mai usata per evitare in tempo i guai.* Solleva appena le spalle *e risponde che* un metal detector *non* sposta gli oggetti, semplicemente sa dove sono, all'occorrenza. *Il fratello gli chiede allora che cosa fiuta. Lui risponde che non fiuta nulla da mesi. Il fratello domanda se ha perso i suoi poteri e lui risponde di no con un sorriso che appartiene ad un altro momento, dice di non crederci proprio e che l'odore del nulla non era mai stato così forte come quando sono saliti su quell'aereo.*

3 **1.** Don Rodrigo disse che quel matrimonio non si doveva fare. **2.** Dante Alighieri scrisse che nel mezzo del cammino della sua vita si ritrovò per una selva oscura. **3.** J.W. Goethe disse di essere venuto al mondo a Francoforte sul Meno il 28 agosto 1749, a mezzogiorno, al dodicesimo rintocco della campana. **4.** Leporello disse che voleva fare il gentiluomo e non voleva più servire... **5.** Cesare Pavese scrisse che sarebbe venuta la morte e che questa avrebbe avuto i suoi occhi. **6.** Giulio Cesare disse che sarebbe venuto, avrebbe visto e avrebbe vinto. **7.** Seneca sosteneva di vivere ogni giorno della vita come se fosse l'ultimo.

U10, riepilogo - grammatica:

2 **a.** Il giornalista chiede al signore dove *ha/abbia imparato* l'italiano. Il signore risponde che *ha iniziato* a studiarlo al liceo e poi *ha frequentato* diversi corsi all'università. Il giornalista dice che *gli pare* di aver capito che lui *abbia* una motivazione di tipo professionale. Il signore risponde *che è vero* e che è *stato assunto* dopo la laurea in legge da un'azienda italiana che *ha* una succursale nel *suo* paese. In quell'assunzione le *sue* conoscenze in legge *hanno giocato* un ruolo decisivo. Il giornalista chiede *di fargli capire/di spiegargli* bene *se lui intenda* approfondire ora il *suo* italiano piuttosto in senso culturale. Il signore *conferma* che *vorrebbe* allargare le *sue* competenze culturali, anche perché *lui* e *sua* moglie *pensano* di trasferirsi in Italia, prima o poi. **b.** Il giornalista *chiese* al signore dove *aveva/avesse imparato* l'italiano. Il signore *rispose* che *aveva iniziato* a studiarlo al liceo e poi *aveva frequentato* diversi corsi all'università. Il giornalista *disse* che *gli pareva* di aver capito che lui *avesse* una motivazione di tipo professionale. Il signore *rispose che era vero* e che *era stato assunto* dopo la laurea in legge da un'azienda italiana che *aveva* una succursale nel *suo* paese. In quell'assunzione le *sue* conoscenze in legge *avevano giocato* un ruolo decisivo. Il giornalista chiese *di fargli capire/di spiegargli* bene *se lui intendesse* approfondire ora il *suo* italiano piuttosto in senso culturale. Il signore *confermò* che *avrebbe voluto* allargare le *sue* competenze culturali, anche perché *lui* e *sua* moglie *pensavano* di trasferirsi in Italia, prima o poi.

Gioco di ruolo
Unità 5
Percorsi, pagina 75

Profilo A: sei un tradizionalista, ti piacciono le vacanze rilassanti, sempre con gli stessi amici, sempre nello stesso posto; preferisci non fare lunghi viaggi.
Profilo B: per te il lavoro è tutto e anche in vacanza devi avere il portatile e l'agendina, magari anche un fax. Poi devi assolutamente controllare le quotazioni di borsa ogni quattro ore.
Profilo C: sei attratto da paesi lontani, nuovi popoli, donne bellissime, uomini attraenti. Ami l'avventura e l'imprevisto, non ti piace pianificare. Prenderesti semplicemente il primo volo che parte.
Profilo D: hai una concezione mistica della vacanza come viaggio spirituale. Nepal, Tibet, sciamani, aborigeni, ecco quello che fa per te. Il tuo viaggio non finisce mai.

Giochi degli intervalli
Intervallo 1

Lo san tutti!, pagina 37
Descrizione: è una gara di caccia alle informazioni, vince chi accumula più punti, cercando di completare il cruciverba e trovando il maggior numero di informazioni per rispondere alle domande entro il termine stabilito. L'insegnante è il giudice arbitro e assegnerà il punteggio finale a ogni squadra.
Punteggio: per il cruciverba ogni risposta esatta vale 1 punto, per le risposte l'insegnante può assegnare un punteggio da 1 a 4 per ogni risposta, 4 è il punteggio massimo.
Tempo necessario: per completare la caccia al tesoro occorre del tempo, concordate con l'insegnante il termine massimo entro il quale ogni squadra dovrà consegnare tutti i risultati delle sue indagini, ad esempio entro 4 incontri a scuola dal giorno in cui si inizia.
Risorse necessarie: accesso a Internet e, se possibile, italiani da intervistare.
Procedimento: gli studenti si dividono in squadre di 3 o 4 e si dividono i compiti per trovare, entro il tempo stabilito, il numero maggiore di informazioni e risposte.
Un aiuto: osservando attentamente le immagini accanto al cruciverba si possono trovare alcune soluzioni.

Intervallo 3

Gioco a punti, pagina 89
Materiale necessario: una tabella segnapunti disegnata alla lavagna.
Descrizione: vince chi conquista più punti, rispondendo bene a delle domande. L'insegnante è il giudice arbitro e assegnerà il punteggio finale a ogni squadra.
Procedimento: formate due squadre. Ogni squadra deve preparare una domanda relativa alla lingua e cultura italiana per ogni categoria indicata nel tabellone a pag. 89.
Per iniziare: un rappresentante di ogni squadra apre il libro a caso, la squadra che ha trovato il numero più alto inizia a rispondere alla prima domanda degli avversari. Poi si procede alternativamente. La squadra che deve rispondere sceglie la categoria per la domanda.
Punteggio: per ogni risposta si possono guadagnare al massimo 6 punti, sia per la correttezza del contenuto che per la correttezza linguistica.

Intervallo 4

Gioco a tempo, pagina 115
Materiale necessario: un orologio o un cronometro.
Descrizione: si formano due squadre e ognuna deve fare tutto quello che c'è scritto nelle 9 caselle nel minor tempo possibile ed entro il tempo massimo che è di 60 minuti. Quando ritiene di aver finito, ogni squadra presenta le sue soluzioni all'insegnante che registra il tempo di consegna della squadra.
Punteggio: l'insegnante controlla tutte le soluzioni e assegna 3 minuti di penalità per ogni compito che non è stato eseguito correttamente. Quindi calcola il tempo finale sommando al tempo reale di consegna il tempo di penalità per gli esercizi sbagliati. Vince la squadra con il minor tempo assoluto.

Testi e informazioni

In questa sezione trovate testi di riferimento e informazioni utili per confrontare le vostre ipotesi di soluzione nelle attività legate alla cultura e alla civiltà italiana.

Bentornati, Chi lo sa?, pagina 9

Foto 1: è stata scattata nel mercato della **Vucciria**, a Palermo. Come gli altri tre mercati storici della città sicula Capo, Ballarò e Borgo vecchio il mercato della Vucciria è rimasto immutato nel tempo e appare agli occhi del visitatore del XXI secolo con la stessa atmosfera, gli stessi profumi, gli stessi colori che si offrivano al mercante arabo del X secolo.
Foto 2: lunga e stretta, **Spaccanapoli** è la strada che divide in due la parte antica della città di Napoli. Ne attraversa il cuore e "come una ferita la divide in due", di qui il nome. Separa la parte protesa verso il mare da quella rivolta alle colline. Nell'area delimitata come Spaccanapoli si trovano anche tipici mercati alimentari, ma il mercato più famoso è quello di Natale in via San Gregorio Ameno, dove è possibile ammirare e comprare le famose statuine del presepio.
Foto 3: **Campo dei Fiori** è una piazza di Roma lontana dai più consueti itinerari turistici e rappresenta uno dei luoghi dove Roma manifesta con maggior trasparenza il suo carattere più autentico dalla prima mattina con il mercato all'aperto fino a notte inoltrata con l'intrattenimento offerto dai bar, ristoranti e trattorie della zona.

U1 – A3, Traduciamo, pagina 13

Stefano: Ciao ragazzi.
Roberto: Ciao Stefano, ho visto che mi hai chiamato.
Stefano: C'è qualcosa che non va? Ti ho chiamato molte volte, ti ho mandato 20 messaggi sul cellulare ma tu non mi hai mai risposto.
Roberto: Eh... ho dei problemi. La mia ragazza mi ha lasciato e io mi sento confuso.
Stefano: Che cosa è successo?
Roberto: Proprio non lo so, ieri sera sono andato con lei al pub per incontrare Davide e gli altri, dovevamo fare una colletta per comprare un regalo alla professoressa di matematica e c'era anche la mia ex ragazza che continuava a guardarmi...
Stefano: Ma non eri tu che l'avevi lasciata?
Roberto: Certo, ma anche se facevo finta di niente la guardavo anch'io. La mia ragazza se n'è accorta e si è arrabbiata.
Glossarietto:
Raga: ragazzi, Ste: Stefano, come sei messo? ma come stai?, ti ho sparato 20 sms: ti ho mandato... , neanche di striscio: per niente, sono in palla: sono molto confuso, la mia tipa: la mia ragazza, mi ha scaricato: mi ha lasciato, sono incasinato: ho dei problemi, la banda: gli amici, l'avevi mollata: l'avevi lasciata, lumavo: guardavo, ha sgamato: se ne è accorta, andar fuori di testa: arrabbiarsi.

U1 – E1, Parole famose, pagina 17

Napoli: pizza e mozzarella, **Milano:** panettone e risotto, **Venezia:** ciao (da *schiavo*).

U1 – F1, Indovinello, pagina 18

È la lingua che usa molti termini relativi a Internet e al computer, si parla di "internettese" o "computerese".

U1 – I1, Capite il friulano?, pagina 22

- Ciao, come stai ? - Io sono Giacomo. - Sono friulano, vengo da Udine. - Oggi fa proprio caldo.

U2 – C2, Un pezzo di storia italiana, pagina 26

La "settimana rossa" e l'attentato di Sarajevo sono del 1914.

U2 – C3, Un'altra prospettiva, pagina 27

Verso la fine del 1914 mi trovavo in campagna a Onigo di Piave, ospite di un vecchio amico della mia famiglia. Una sera, di ritorno dai *colli*, trovai un telegramma per me: mio padre mi richiamava a Treviso, per raggiungere il reggimento a cui ero stato destinato. Partii quella sera stessa. [...] Lasciai tutto commosso quella villa solitaria tra i *colli*, nella notte, accompagnato fino alla stazione da un contadino mio compagno di giochi che mi rischiarava il *viottolo* con una lanterna appesa ad un *bastone*. Con lui e con altri tra quelle colline e sui *ghiaioni* del Piave, tutte le domeniche dopo il vespro, ci si divertiva a fare la guerra graffiandoci e *strappandoci* i vestiti. Ora, partivo per fare il soldato sul serio e forse anche la guerra. [da Giovanni Comisso, *Giorni di guerra,* © Longanesi (1950)]

U2 – F1, La storia d'Italia attraverso una sua città, pagina 33

Perugia, il capoluogo di regione dell'Umbria, domina dall'alto di un colle aspro e irregolare la valle del Tevere. Attualmente la città ha una popolazione di circa 150.000 abitanti.
Proprio la particolare conformazione della collina su cui si è sviluppata nel corso dei secoli ha prodotto una grande varietà di soluzioni urbanistiche contribuendo a dare alla città un aspetto unico.
L'area su cui sorge Perugia fu abitata già in epoca preistorica e divenne poi un insediamento della popolazione antico-italica degli Umbri.
Intorno al VII / VIII secolo a.C. l'Italia centrale cadde sotto il dominio di un altro popolo, probabilmente di origini non indoeuropee: gli Etruschi, che nel luogo corrispondente all'odierna Perugia fondarono una delle loro città più importanti a cui diedero il nome di "*Perusia*". Della ricchezza e potenza della città è ancor oggi testimonianza il cosiddetto Arco Etrusco, edificato nel III secolo a.C.
Quando Roma ancora non era che un povero villaggio sul Tevere, *Perusia* poteva fregiarsi di ben sette porte d'accesso al nucleo cittadino. Nel periodo della guerra civile condotta da Ottaviano nel 40 d.C. i romani conquistarono la città e le diedero l'appellativo di "*Augusta*".
Dopo la caduta dell'impero romano, Perugia conobbe la distruzione per mano del barbaro Totila nel 547 d.C. ed entrò poi a far parte dei domini bizantini in Italia.
Fu solo a partire dall'XI secolo che la città divenne un potente comune indipendente, alleato dello Stato Pontificio. I secoli successivi furono caratterizzati, come in molte altre città italiane del tempo, dalle lotte tra diverse famiglie e fazioni, ma anche da splendide realizzazioni architettoniche come la Fontana Maggiore del XIII secolo o il Palazzo dei Priori.
Nel 1540 Perugia perse definitivamente la sua indipendenza e divenne parte dello Stato Pontificio.
Del periodo barocco è testimonianza il Palazzo Gallenga-Stuart, sede dell'Università per Stranieri.
A seguito della spedizione dei Mille la città entrò infine a far parte del Regno d'Italia divenendo capoluogo della regione Umbria.
Nel 1907 nacque quella che ancor oggi rappresenta l'industria più nota di Perugia e cioè la *Perugina*, produttrice dei celebri "baci".

Intervallo 1, Accenti regionali, pagina 36

La persona che parla ha un accento del nord Italia.

U3 – E3, La libertà, pagina 44

Testo completo della canzone di G. Gaber e A. Luporini © Curci Milano.

[parlato]: Vorrei essere libero, libero come un uomo.
Vorrei essere libero come un uomo.
Come un uomo appena nato
che ha di fronte solamente la natura
e cammina dentro un bosco
con la gioia di inseguire un'avventura.
Sempre libero e vitale
fa l'amore come fosse un animale
incosciente come un uomo
compiaciuto della propria libertà.
La libertà non è star sopra un albero
non è neanche il volo di un moscone
la libertà non è uno spazio libero
libertà è partecipazione.
[parlato]: Vorrei essere libero, libero come un uomo.
Come un uomo che ha bisogno
di spaziare con la propria fantasia
e che trova questo spazio
solamente nella sua democrazia.
Che ha il diritto di votare
e che passa la sua vita a delegare
e nel farsi comandare
ha trovato la sua nuova libertà.
La libertà non è star sopra un albero
non è neanche avere un'opinione
la libertà non è uno spazio libero
libertà è partecipazione.
La libertà non è...
[parlato]: Vorrei essere libero, libero come un uomo.
Come l'uomo più evoluto
che si innalza con la propria intelligenza
e che sfida la natura
con la forza incontrastata della scienza
con addosso l'entusiasmo
di spaziare senza limiti nel cosmo
e convinto che la forza del pensiero
sia la sola libertà.
La libertà non è star sopra un albero
non è neanche un gesto o un'invenzione
la libertà non è uno spazio libero
libertà è partecipazione.

Intervallo 2, Accenti regionali, pagina 62: La persona che parla ha un accento del sud Italia.

Intervallo 3, Accenti regionali, pagina 88: La persona che parla ha un accento toscano.

Intervallo 3, Sorridiamo, pagina 88

Testi tratti da: Beppe Severgnini, *La testa degli italiani. Una visita guidata.* © Rizzoli 2005.

Il semaforo. Guardate questo semaforo rosso. Sembra uguale a qualsiasi semaforo del mondo: in effetti, è un'invenzione italiana. Non è un ordine come credono gli ingenui; e neppure un consiglio, come dicono i superficiali. È invece lo spunto per un ragionamento. Non si tratta quasi mai di una discussione sciocca. Inutile, magari. Sciocca, no. Molti di noi guardano il semaforo, e il cervello non sente un'inibizione (Rosso! Stop. Non si passa). Sente, invece, uno stimolo. Bene: che tipo di rosso sarà? Un rosso pedonale? Ma sono le sette del mattino, pedoni a quest'ora non ce ne sono. Quel rosso, quindi, è un rosso discutibile, un rosso-non-proprio-rosso: perciò, passiamo. Oppure è un rosso che regola un incrocio? Ma di che incrocio si tratta? Qui si vede bene chi arriva, e non arriva nessuno. Quindi il rosso è un quasi-rosso, un rosso relativo. Cosa facciamo? Ci pensiamo un po': poi passiamo. [pp. 21 e 22]

In auto: l'uso dei fari. E il lampeggio? Non vuol dire "Passa tu"; vuol dire, invece, "Passo io" (lo straniero che ignora questo linguaggio, lo fa a suo rischio e pericolo). Sulle autostrade, in corsia di sorpasso, significa "Fammi passare". Quando appare immotivato, serve a segnalare la presenza di una pattuglia della polizia stradale. È uno dei rari casi in cui noi italiani – felici di gabbare l'autorità costituita – ci coalizziamo, manifestando solidarietà con gli sconosciuti. È un caso di civismo incivile. Qualcuno dovrebbe studiarlo. [pag. 24]

Abitudini alimentari. Prendere il cappuccino dopo le dieci del mattino è immorale (forse anche illegale!). Al pomeriggio è insolito, a meno che faccia freddo; dopo pranzo, invece, è da americani. La pizza a mezzogiorno è roba da studenti. Il risotto con la carne è perfetto; la pasta con la carne, imbarazzante (a meno che la carne non sia dentro un sugo). L'antipasto come secondo piatto è consueto; ma il secondo piatto come antipasto è da ingordi. Il parmigiano sulle vongole è blasfemo; ma se un giovane chef ve lo propone, applauditelo. I fiaschi di vino sono da turisti; se sono appesi alle pareti da gita sociale. Infine l'aglio: come l'eleganza, dev'esserci ma non si deve notare. Le bruschette che offrono in alcuni ristoranti italiani all'estero, in Italia porterebbero alla scomunica.
Una volta un'amica inglese ha definito tutto ciò "fascismo alimentare". Le ho risposto: esagerata. Hai ordinato il

cappuccino dopo cena, e non ti abbiamo nemmeno condannata al confino. [pag. 39]

Il Ferragosto. Ferragosto è distante, ma dovete sapere cos'è, in modo da poterlo riconoscere. È infatti una ricorrenza che spiazza gli stranieri: non capite cosa festeggiamo. La fine dell'estate? Troppo presto. Il culmine della stagione? Troppo tardi. Facciamo troppa cagnara perché i pensieri siano rivolti alla Madonna Assunta, festeggiata quel giorno, e siamo troppo ansiosi perché il 15 agosto sia una vera festa. C'è poi quel nome metallico che confonde. *Ferragosto!* Agosto, d'accordo; ma cosa c'entra il ferro? Una volta ho sentito una teoria sul surriscaldamento dei metalli. Inesatto, ma affascinante quanto la "feria d'agosto". [pag. 191]

U7-A3, La canzone, pagina 91

il titolo della canzone è *La terra dei cachi* di Elio e le Storie Tese © Hukapan, Sugar Music, BMG

Parcheggi abusivi, applausi abusivi
Villette abusive, abusi sessuali abusivi
Tanta voglia di ricominciare abusiva
Appalti truccati, trapianti truccati
Motorini truccati che scippano donne truccate
Il visagista delle dive è truccatissimo
Papaveri e papi, la donna cannolo, una lacrima sul visto
Italia sì, Italia no, Italia bum, la strage impunita
Puoi dir di sì, puoi dir di no, ma questa è la vita
Prepariamoci un caffè, non rechiamoci al caffè
C'è un commando che ci aspetta per assassinarci un po'
Commando sì, commando no, commando omicida
Commando pam commando papapapapam,
Ma se c'è la partita
Il commando non ci sta e allo stadio se ne va
Sventolando il bandierone non più il sangue scorrerà
Infetto sì, infetto no, quintali di plasma
Primario sì, primario dai, primario fantasma
Io fantasma non sarò e al tuo plasma dico no
Se dimentichi le pinze fischiettando ti dirò
Ti devo una pinza ce l'ho nella panza
Viva il crogiuolo di pinze, viva il crogiuolo di panze
Quanti problemi irrisolti ma un cuore grande così
Italia sì, Italia no, Italia gnamme, se famo du spaghi
Italia sob, Italia prot, la terra dei cachi
Una pizza in compagnia, una pizza da solo
Un totale di due pizze e l'Italia è questa qua
Fufafifi fufafifi Italia evviva Italia perfetta
Perepepè nananana i
Una pizza in compagnia, una pizza da solo
In totale molto pizzo, ma l'Italia non ci sta
Italia sì, Italia no, Italia sì
Uè Italia no uè uè uè uè uè
Perché la terra dei cachi, è la terra dei cachi, no

Intervallo 4, Accenti regionali, pagina 114: le persone che parlano hanno un accento romano.

Intervallo 4, Slogan made in Italy, pagina 114: **Soluzioni: 1.** i, **2.** b, **3.** o, **4.** e, **5.** g, **6.** h, **7.** a, **8.** l, **9.** m, **10.** d, **11.** n, **12.** f, **13.** p, **14.** c.

U8 – D4, Trovate le intruse!, pagina 108: Le foto che non sono direttamente collegate con i contenuti del testo sono la a, immagine storica dello stabilimento "Lingotto" della Fiat a Torino, e la e, immagine di prodotti artigianali della lavorazione del vetro di Murano.

U10 – C1, Che romanzo sarà?, pagina 133: Il romanzo è *Il nome della rosa* di Umberto Eco © 1980 Bompiani

U10 – D1, Poesiodromo, pagina 136

Son forse un poeta?
No, certo.
Non scrive che una parola, ben strana,
la penna dell'anima mia:
"follia".
Son dunque un pittore?
Neanche.
Non ha che un colore
la tavolozza dell'anima mia:
"malinconia".
Un musico allora?
Nemmeno.
Non c'è che una nota nella tastiera dell'anima mia:
"nostalgia".
Son dunque ... che cosa
Io metto una lente
Davanti al mio cuore
Per farlo vedere alla gente.
Chi sono?
Il saltimbanco dell'anima mia.
[Aldo Palazzeschi, *Poemi*, 1909]

U10 – E2, In quale regione italiana si svolgono i fatti narrati, pagina 138
In Basilicata o Lucania. Eboli è l'ultimo paese in Campania al confine con questa regione.

Istruzioni e informazioni sul test finale

Ascolto – Prima prova (5 punti): dettato, pagina 160
Prato sempre più capitale multietnica
Il problema sarà fare l'appello e districarsi tutte le mattine fra una ventina di nomi stranieri. Infatti, all'Istituto Marco Polo di Prato i primi a fare esercizio con la lingua dovranno essere innanzitutto gli insegnanti, visto che tra pochi giorni saranno alle prese con una classe, la prima elementare, composta interamente da alunni non italiani. Ci saranno cinesi, soprattutto, rumeni, indiani, albanesi e sudamericani: una ventina di bambini a cui bisognerà insegnare l'italiano, prima di tutto, e poi la storia, la geografia e la matematica partendo da un divario non trascurabile, anche se molti degli alunni hanno frequentato la scuola materna.
[di Leonardo Biagiotti, *La Nazione* 2005]
Punteggio massimo: punti 5, i punti saranno così assegnati:
punti 5: fino a un massimo di 1 errore di ortografia;
punti 4: fino a un massimo di 4 errori di ortografia;
punti 3: fino a un massimo di 8 errori di ortografia;
punti 2: fino a un massimo di 14 errori di ortografia;
punti 1: fino a un massimo di 20 errori di ortografia.
Una parola non capita o omessa equivale a 3 errori di ortografia. Tre errori di punteggiatura equivalgono a 1 errore di ortografia.

Ascolto – Seconda prova, pagina 160
Punteggio massimo: punti 15, 3 punti per ogni risposta corretta
1. b, **2.** c, **3.** c, **4.** a, **5.** c.

Lettura – Prima prova, pagine 161 e 162
Punteggio massimo: 10 punti, 1 punto per ogni risposta corretta
1. vero, **2.** falso, **3.** falso, **4.** vero, **5.** vero, **6.** vero, **7.** falso, **8.** falso, **9.** vero, **10.** vero.

Lettura – Seconda prova, pagina 162
Punteggio massimo: 10 punti, 1 punto per ogni risposta corretta
L'operaio Arturo Massolari faceva il turno della notte, quello che finisce alle sei. Per rincasare aveva un lungo tragitto, che compiva in bicicletta nella bella stagione, in tram nei mesi piovosi e invernali. Arrivava a casa tra le sei e tre quarti e le sette, cioè alle volte un po' prima alle volte un po' dopo che suonasse la sveglia della moglie, Elide. Spesso i due rumori: il suono della sveglia e il passo di lui che entrava si sovrapponevano nella mente di Elide, raggiungendola in fondo al sonno, il sonno compatto della mattina presto che lei cercava di spremere ancora per qualche secondo col viso affondato nel guanciale. Poi si tirava su dal letto di strappo e già infilava le braccia alla cieca nella vestaglia, coi capelli sugli occhi. Gli appariva così, in cucina, dove Arturo stava tirando fuori i recipienti vuoti dalla borsa che si portava con sé sul lavoro: il portavivande, il termos, e li posava sull'acquaio. Aveva già acceso il fornello e aveva messo su il caffè.
Alle volte invece era lui che entrava in camera a destarla, con la tazzina del caffè, un minuto prima che la sveglia suonasse; allora tutto era più naturale, la smorfia per uscire dal sonno prendeva una specie di dolcezza pigra, le braccia che s'alzavano per stirarsi, nude, finivano per cingere il collo di lui. S'abbracciavano. Arturo aveva indosso il giaccone impermeabile; a sentirselo vicino lei capiva che tempo faceva: se pioveva o faceva nebbia o c'era neve, a seconda di com'era umido e freddo. Ma gli diceva lo stesso: - Che tempo fa?

Strutture – Prima prova, pagina 163
Punteggio massimo: punti 5, 0,5 punti per ogni risposta corretta
(1) miei/nostri, (2) lo, (3) loro, (4) mia, (5) le, (6) lei, (7) mi, (8) li, (9) gli, (10) loro.

Strutture – Seconda prova, pagina 163
Punteggio massimo: punti 5, 0,5 punti per ogni risposta corretta
(1) *racconta/ha raccontato*, (2) *Sono partita,* (3) *avevo avuto,* (4) *Avevo/ho lasciato*, (5) *mi ritrovavo/mi sono ritrovata*, (6) *immaginavo,* (7) *fosse*, (8) *sorprende*, (9) *siano diventati*, (10) *dirige*.

Strutture – Terza prova, pagina 164
Punteggio massimo: punti 10, 1 punto per ogni risposta corretta
(1) invenzione, (2) educazione, (3) interrompere, (4) chiamata, (5) chiudere, (6) colloquio, (7) interruzione, (8) spegnere, (9) gesticolare, (10) noto/famoso.

Scritto – Prima prova, pagina 165
Punteggio massimo: punti 10, i punti saranno così assegnati:
a) efficacia comunicativa*: **fino a punti 4;**
b) correttezza morfosintattica: **fino a punti 3,5;**
c) adeguatezza e ricchezza lessicale: **fino a punti 1,5;**
d) ortografia e punteggiatura: **fino a punti 1.**

Scritto – Seconda prova, pagina 165
Punteggio massimo: punti 10, i punti saranno così assegnati:
a) adeguatezza e completezza di contenuto: **fino a punti 2;**
b) efficacia comunicativa*: **fino a punti 2;**
c) registro/adeguatezza stilistica**: **fino a punti 1;**
d) correttezza morfosintattica: **fino a punti 3;**
e) adeguatezza e ricchezza lessicali: **fino a punti 1;**
f) ortografia e punteggiatura: **fino a punti 1.**

* L'efficacia comunicativa comprende l'adeguatezza di contenuto, la coerenza e la coesione.
** Nella lettera o e-mail devono essere indicati: data, destinatario, formula di presentazione e di congedo, firma.
Adeguatezza di contenuto: il contenuto è adeguato e coerente con lo stimolo dato.
Coerenza: si intende il carattere unitario di un testo, cioè il fatto che un testo deve presentare una struttura che lega le sue parti sul piano semantico - pragmatico o su quello logico. Tra le varie parti del testo ci deve essere concordanza nel significato e non si devono creare problemi di comprensione dovuti a passaggi eccessivamente impliciti.
Coesione: si intende l'insieme dei legami che si stabiliscono tra le varie parti di un testo. Si realizza quando le varie parti di un testo sono connesse tra loro da legami di tipo semantico - lessicale e di tipo morfosintattico, ad esempio congiunzioni, pronomi, clitici, legami che indicano relazioni tra le varie parti del testo (relazioni di causa, di tempo, ecc.). [Fonte: Certificazione di Italiano come Lingua Straniera, Cils Università per Stranieri di Siena, LIVELLO DUE, *Giugno 2004*]

Grammatica per unità

Unità 1

I tempi del passato – uso dell'imperfetto e del passato prossimo

(*Per un'illustrazione dettagliata di forme e uso di imperfetto e passato prossimo si veda la sintesi grammaticale delle unità 1 e 4 di* ***Caffè Italia 2***)

Il **passato prossimo** *indica un fatto compiuto nel passato.*	Fausto **è andato** via un'ora fa.
*L'***imperfetto** *esprime la durata o la ripetizione dell'azione nel passato.*	**Nevicava** ormai da 10 giorni. In estate **mangiavo** sempre i fichi d'India.

Il trapassato prossimo – forme

	fare	andare
(io)	avevo fatto	ero andato/-a
(tu)	avevi fatto	eri andato/-a
(lui/lei)	aveva fatto	era andato/-a
(noi)	avevamo fatto	eravamo andati/-e
(voi)	avevate fatto	eravate andati/-e
(loro)	avevano fatto	erano andati/-e

Il trapassato prossimo si forma con l'imperfetto dei verbi ausiliari **essere** *o* **avere** *e il participio passato.*

Il trapassato prossimo – uso

Il **trapassato prossimo** *indica un'azione del passato che avviene prima di un'altra azione anch'essa del passato.*	**Eri** appena **uscita** quando ti ho chiamato.

Connettivi avversativi

I **connettivi avversativi** *si usano per introdurre una frase che introduce un'idea in contrasto, o limita quanto detto prima*, tra i più frequenti: **ma, però, comunque, invece, anzi, eppure, tuttavia, ciò nonostante, nonostante ciò, al contrario, bensì, mentre**.	L'italiano non deriva direttamente dal latino classico, **ma** dal latino usato dal popolo. **Mentre** il latino classico scriveva *domus,* il latino volgare diceva *casa.* Io non trovo che Mario sia scortese, **anzi** lo trovo molto gentile. Non trovo più i biglietti dell'autobus, **eppure** sono certa di averli comprati.

L'avverbio – forme

L'avverbio può essere di tre tipi: semplice, composto o derivato.

*L'***avverbio semplice** *ha una sua forma propria e quindi non deriva da altre parole:* **bene, male, sempre, mai, spesso, qui, là.**	Con te sto **sempre** bene, lo sai. Vado **spesso** a Udine da mia madre. **Qui** in Sicilia il mare è bellissimo.
*L'***avverbio composto** *si forma dalla fusione di una o più parole diverse:* **malgrado** (mal-grado), **almeno** (al-meno), **dappertutto** (da-per-tutto), **infatt**i (in-fatti)	**Malgrado** fosse molto simpatico, era sempre solo. Ho cercato la chiave di casa **dappertutto**, ma non l'ho trovata.
*L'***avverbio derivato** *si forma da un'altra parola, perlopiù un aggettivo, trasformando la desinenza e aggiungendo un suffisso. Ci sono due possibilità:* *gli aggettivi in* **-o**, *perdono la finale:* sicuro ➛ sicur + **a** + **-mente** ➛ sicuramente *gli aggettivi in* **-e** *perdono la finale solo se l'ultima sillaba è* **-le** *o* **-re** veloce ➛ veloce + **-mente** ➛ velocemente probabile ➛ probabil + **-mente** ➛ probilmente regolare ➛ regolar + **-mente** ➛ regolarmente	Faremo **sicuramente** in tempo a portarvi in stazione. Laura è apprezzata dal suo capo perché lavora **velocemente** e bene. **Probabilmente** Flavia non è ancora arrivata. La banca apre **regolarmente** alle 8 e 30.

L'avverbio – uso

L'avverbio è una delle parti invariabili del discorso e si usa per modificare o integrare il significato di una frase o di un suo elemento.

In base al loro significato possiamo distinguere gli avverbi	
di modo: allegramente, leggermente, naturalmente, bene, male, ecc.	Sono **leggermente** raffreddata, ma vengo lo stesso.
di luogo: qui, qua, lì, là, su, giù, fuori, dentro, dietro, davanti, ecc.	Il gatto di Cesare vuole stare sempre **fuori** la notte.
di tempo: ora, adesso, oggi, domani, allora, presto, tardi, ancora, mai, ecc.	Domani partiremo molto **presto**.
di giudizio: sicuro, sicuramente, certamente, appunto, proprio, non, neanche, forse, quasi, probabilmente, ecc.	Gianna non è venuta, **forse** perché era stanca.
di quantità: tanto, molto, poco, assai, abbastanza, niente, quanto, ecc.	La sera non mangio **molto**.
interrogativi: come? dove? quando? quanto? perché?	**Quanto** ti fermi da tua sorella?

Locuzioni avverbiali

Le locuzioni avverbiali sono sequenze fisse di elementi che corrispondono agli avverbi per significato e funzione.

Un modello molto frequente è quello degli **avverbi di modo** *che si forma come segue:*	
in modo + aggettivo ➛ in modo assoluto	Paolo rifiuta **in modo assoluto** di lavorare con Stefano.
Questa costruzione può essere modificata con l'uso del superlativo relativo.	Claudia nega **nel modo più assoluto** di conoscere Giovanna.
Altre locuzioni molto frequenti hanno valore **temporale**: **a lungo, all'improvviso, d'un tratto**	Stavo dormendo quando **all'improvviso** ho sentito un forte rumore. La domenica posso dormire **a lungo**.

Unità 2

La formazione delle parole – il suffisso *-ismo*

Il suffisso **-ismo** (variante **-esimo**) *consente di derivare nomi da aggettivi. I nomi così derivati indicano in genere un movimento, un'ideologia, una disposizione dell'animo o un atteggiamento.*	ateo ➛ ate**ismo** sociale ➛ social**ismo** fatale ➛ fatal**ismo** urbano ➛ urban**esimo** umano ➛ uman**esimo**

Il passato remoto – forme regolari

	arrivare	**dovere**	**dormire**
(io)	arriv**ai**	dov**ei (etti)**	dorm**ii**
(tu)	arriv**asti**	dov**esti**	dorm**isti**
(lui/lei*)	arriv**ò**	dov**é (ette)**	dorm**ì**
(noi)	arriv**ammo**	dov**emmo**	dorm**immo**
(voi)	arriv**aste**	dov**este**	dorm**iste**
(loro*)	arriv**arono**	dov**erono (ettero)**	dorm**irono**

* *Essendo il passato remoto un tempo impiegato prevalentemente nell'italiano scritto e letterario compare spesso in concomitanza con i pronomi soggetto dell'uso letterario* egli/ella *ed* essi/esse.

Il passato remoto – forme irregolari

	dire	**cadere**	**nascere**	**mettere**	**fare**
(io)	dis**si**	cad**di**	na**cqui**	mi**si**	fe**ci**
(tu)	di**cesti**	cad**esti**	na**scesti**	mett**esti**	fa**cesti**
(lui/lei)	dis**se**	cad**de**	na**cque**	mi**se**	fe**ce**
(noi)	di**cemmo**	cad**emmo**	na**scemmo**	mett**emmo**	fa**cemmo**
(voi)	di**ceste**	cad**este**	na**sceste**	mett**este**	fa**ceste**
(loro)	dis**sero**	cad**dero**	na**cquero**	mi**sero**	fe**cero**

	bere	decidere	correre	venire	volere
(io)	bev**vi**	deci**si**	cor**si**	ven**ni**	vol**li**
(tu)	bev**esti**	decid**esti**	corr**esti**	ven**isti**	vol**esti**
(lui/lei)	bev**ve**	deci**se**	cor**se**	ven**ne**	vol**le**
(noi)	bev**emmo**	decid**emmo**	corr**emmo**	ven**immo**	vol**emmo**
(voi)	bev**este**	decid**este**	corr**este**	ven**iste**	vol**este**
(loro)	bev**vero**	deci**sero**	cor**sero**	ven**nero**	vol**lero**

La maggior parte delle forme irregolari segue la formula 133: cioè sono irregolari solo le forme della **prima**, *della* **terza persona singolare** *e della* **terza plurale**.

Il passato remoto – uso

Il passato remoto è un tempo verbale utilizzato prevalentemente nella lingua scritta. Nel parlato esso viene impiegato prevalentemente in alcune zone d'Italia, come ad esempio in Sicilia o Toscana. La dominanza dell'uso scritto, che va soggetto a modifiche più lente, spiega anche l'esistenza di un gran numero di forme irregolari.

I tempi del passato – uso del passato prossimo e del passato remoto

A differenza del **passato prossimo**, *che viene utilizzato per riferire fatti ed avvenimenti ancora legati al presente, il* **passato remoto** *viene impiegato per riferire avvenimenti ed azioni collocati in un passato lontano sia in senso cronologico oggettivo che in senso emotivo soggettivo. Questa differenza di base tuttavia, non viene rispettata nell'uso parlato dell'italiano, in cui prevale il* **passato prossimo**.	Questa mattina **ho letto** una notizia interessante sul giornale. Quella mattina del 1915 **lesse** il telegramma che annunciava l'inizio della guerra.

I tempi del passato – uso del passato remoto e dell'imperfetto

L'uso del **passato remoto** *rispetto all'***imperfetto** *segue le stesse regole che valgono per l'alternanza tra passato prossimo ed imperfetto.* *Azioni compiute e puntuali, sequenze di azioni, avvenimenti conclusi vengono resi con il* **passato remoto**. *Azioni abitudinarie, descrizioni di persone e luoghi, azioni parallele si esprimono con l'***imperfetto**.	In quel momento **pensai** subito a lui. **Aprì** la porta, **fece** due passi e **si guardò** intorno. Garibaldi e il re **si incontrarono** nei pressi di Napoli. Mentre **fuggiva**, **pensava** a tutto quello che era stato. La situazione politica **era** assai confusa.

Connettivi temporali, conclusivi, dichiarativi

Temporali (*stabiliscono una relazione temporale*): **quando, dopo che, una volta che, appena che, mentre, allorché, finché**	Era questa la situazione italiana **quando** nel luglio 1914 arrivò la notizia. **Dopo che** lo specchio ebbe terminato di parlare, la terribile matrigna fu presa dall'ira.
Conclusivi (*stabiliscono una relazione di causa con la frase che precede e introducono la conseguenza*): **così... che, di modo che, a tal punto che, tanto... che**	Fu **così che** decisi di trasferirmi all'estero.
Dichiarativi (*introducono una spiegazione, un chiarimento*): **quindi, cioè, in effetti, allora, dunque**	Il cielo era nuvoloso. **In effetti** le previsioni del tempo non erano delle migliori.

Il trapassato remoto – forme

	andare	**leggere**	**finire**
(io)	fui andato/a	ebbi letto	ebbi finito
(tu)	fosti andato/a	avesti letto	avesti finito
(lui/lei)	fu andato/a	ebbe letto	ebbe finito
(noi)	fummo andati/e	avemmo letto	avemmo finito
(voi)	foste andati/e	aveste letto	aveste finito
(loro)	furono andati/e	ebbero letto	ebbero finito

Per la scelta dell'ausiliare tra **essere** *ed* **avere** *valgono le stesse regole in vigore per il passato prossimo.*

Trapassato remoto – uso

A differenza del trapassato prossimo, che viene utilizzato anche in frasi principali, il **trapassato remoto** *viene impiegato esclusivamente in frasi secondarie dipendenti da una principale al passato remoto.*	Arrivò dopo che **ebbe chiarito** tutta la faccenda. Una volta che **furono partiti**, **ci prese** una grande malinconia.

Unità 3

Il congiuntivo presente – forme regolari

	parlare	**prendere**	**partire**	**finire**
io	parl**i**	prend**a**	part**a**	fin**isca**
tu	parl**i**	prend**a**	part**a**	fin**isca**
lui/lei	parl**i**	prend**a**	part**a**	fin**isca**
(noi)	parl**iamo**	prend**iamo**	part**iamo**	fin**iamo**
(voi)	parl**iate**	prend**iate**	part**iate**	fin**iate**
(loro)	parl**ino**	prend**ano**	part**ano**	fin**iscano**

Il congiuntivo presente – forme irregolari

	essere	**dare**	**dire**	**fare**	**potere**	**andare**
io	sia	dia	dica	faccia	possa	vada
tu	sia	dia	dica	faccia	possa	vada
lui/lei	sia	dia	dica	faccia	possa	vada
(noi)	siamo	diamo	diciamo	facciamo	possiamo	andiamo
(voi)	siate	diate	diciate	facciate	possiate	andiate
(loro)	siano	diano	dicano	facciano	possano	vadano

	avere	**sapere**	**volere**	**dovere**	**venire**
io	abbia	sappia	voglia	debba/deva	venga
tu	abbia	sappia	voglia	debba/deva	venga
lui/lei	abbia	sappia	voglia	debba/deva	venga
(noi)	abbiamo	sappiamo	vogliamo	dobbiamo	veniamo
(voi)	abbiate	sappiate	vogliate	dobbiate	veniate
(loro)	abbiano	sappiano	vogliano	debbano/devano	vengano

Il congiuntivo passato

	fare	**andare**
io	abbia fatto	sia andato/-a
tu	abbia fatto	sia andato/-a
lui/lei	abbia fatto	sia andato/-a
(noi)	abbiamo fatto	siamo andati/-e
(voi)	abbiate fatto	siate andati/-e
(loro)	abbiano fatto	siano andati/-e

Il congiuntivo passato si forma con il congiuntivo presente dei verbi ausiliari **essere** *o* **avere** *e il participio passato.*

Il congiuntivo – uso

In opposizione all'indicativo, *che afferma una realtà o certezza, il* **congiuntivo** *è il modo dell'incertezza, del dubbio, della possibilità, della supposizione. L'indicativo quindi è il modo verbale dell'oggettività (tutto ciò che è sicuro e univoco) mentre il congiuntivo è il modo della soggettività (tutto ciò che è personale e soggetto a interpretazione).*

Il congiuntivo si usa soprattutto in vari tipi di **proposizioni subordinate**, *quando nella principale ci sono verbi che esprimono:*	
sentimento: avere paura, temere, piacere / dispiacere, sperare, essere contento / lieto / felice / soddisfatto, rincrescere, essere sorpreso, vergognarsi	**Ci dispiace che** non possiate venire al mare con noi. **Sono** molto **contenta che** sia riuscita ad arrivare in tempo, signora Bonino.
opinione: pensare, credere, ritenere, supporre, avere l'impressione	**Suppongo che** abbiano capito il senso del discorso. **Credo che** Tiziano sia già partito. **Ho l'impressione che** Sandro sia soddisfatto.

Il congiuntivo – uso (continua)

volontà: desiderare, chiedere, domandare, essere d'accordo, augurarsi, lasciare, aspettare, permettere, preferire, pregare, preferire, pretendere, proibire, raccomandare, sperare, volere	**Mi auguro che tu possa** superare l'esame. **Preferisco che lascino** la chiave in portineria. **Desidero che siate** felici.
dubbio: dubitare, non essere sicuro/certo	**Dubitiamo** fortemente **che** le cose **cambino** in meglio. **Non sono sicura che** il tecnico **possa** risolvere il problema del computer.
dopo **i verbi impersonali:** basta, bisogna, sembra, pare, importa, può darsi, conviene, occorre	**Sembra che** Mara **abbia** aperto un agriturismo. **Basta** solo **che tu faccia** quello che dico.
dopo **essere** *alla forma impersonale* + **aggettivo / avverbio / nome:** è importante, è impossibile, è meglio, è un peccato, è giusto, è possibile.	**È impossibile che tu** non **abbia** ancora capito. **È un peccato che siano** già **finite** le vacanze.
Attenzione! Dopo il verbo **dire** *si usa il congiuntivo solo quando la forma del verbo* dire *è impersonale*: **si dice che / dicono che**.	**Si dice che** Vinicio **ritorni** in Italia entro la fine dell'anno.
Dopo il verbo **sapere** *si usa il congiuntivo solo se sapere è alla forma negativa.*	**Non sappiamo se sia** il caso di dire tutto a Flavia.

Uso del congiuntivo in dipendenza da congiunzioni

Le seguenti congiunzioni richiedono obbligatoriamente il congiuntivo:	
affinché, purché, a patto che, sebbene, a condizione che, sempre che, benché, qualora, malgrado/nonostante, quantunque, caso mai, a meno che, senza che, prima che, nel caso in cui, ammesso che	Ti presto i soldi **a patto che** tu me li **restituisca** entro sabato. Speriamo di poter partire **prima che cominci** a nevicare. **Caso mai** ci **fossero** problemi vi preghiamo di farcelo sapere per tempo.

La congiunzione *perché* – due significati

La congiunzione perché *ha due significati diversi a seconda del modo del verbo:*	
causale: *se il verbo che la segue è all'indicativo*	Le telefono **perché desidero** invitarla a cena questa sera.
finale: *se il verbo che la segue è al congiuntivo*	La invito a cena **perché abbia** l'occasione di conoscere la mia famiglia.

Altri usi del congiuntivo

Secondo le regole dell'italiano più corretto, anche i casi seguenti richiedono l'uso del congiuntivo in proposizioni subordinate. Nella lingua parlata, tuttavia, si trova assai frequentemente l'uso dell'indicativo in questi casi.

Si usa il congiuntivo	
in una **proposizione relativa** *per sottolineare una caratteristica*	Cerco un ragazzo **che sia** sempre gentile ed educato.
dopo un **superlativo relativo**	È il film **più** brutto **che** io **abbia** mai **visto**.
dopo **di quanto** *preceduto da un* **comparativo**	Giusi è **più** simpatica **di quanto pensassi**.
con alcuni aggettivi e pronomi indefiniti: **chiunque, ovunque, qualunque**	**Chiunque conosca** la verità, è pregato di parlare. **Ovunque** tu **sia**, prima o poi ti troverò.
in frasi **interrogative indirette**	Non so **chi sia andato** alla festa ieri sera. Mi sono sempre chiesto **che cosa avessero** nella valigia.

Uso del congiuntivo in proposizioni indipendenti

Il congiuntivo si usa in particolari tipi di **proposizioni indipendenti** *per esprimere un dubbio o una supposizione, un desiderio o un augurio.*	Che **stia** per piovere? **Potessero** almeno prendere il treno di mezzanotte.

Attenzione! Si usa il congiuntivo soprattutto se il soggetto della subordinata è diverso da quello della frase principale.	(io) Credo che Maria **sia tornata** a casa molto tardi ieri sera.
Quando il soggetto della subordinata è uguale a quello della principale si usa l'infinito.	(io) Penso di (io) tornare a casa molto tardi stasera.

Unità 4

Il congiuntivo imperfetto – forme regolari

	parlare	**prendere**	**partire**	**finire**
io	parl**assi**	prend**essi**	part**issi**	fin**issi**
tu	parl**assi**	prend**essi**	part**issi**	fin**issi**
lui/lei	parl**asse**	prend**esse**	part**isse**	fin**isse**
(noi)	parl**assimo**	prend**essimo**	part**issimo**	fin**issimo**
(voi)	parl**aste**	prend**este**	part**iste**	fin**iste**
(loro)	parl**assero**	prend**essero**	part**issero**	fin**issero**

Il congiuntivo imperfetto – forme irregolari

	essere	dare	dire	fare	stare	bere
io	fossi	dessi	dicessi	facessi	stessi	bevessi
tu	fossi	dessi	dicessi	facessi	stessi	bevessi
lui/lei	fosse	desse	dicesse	facesse	stesse	bevessi
(noi)	fossimo	dessimo	dicessimo	facessimo	stessimo	bevessimo
(voi)	foste	deste	diceste	faceste	steste	beveste
(loro)	fossero	dessero	dicessero	facessero	stessero	bevessero

Il congiuntivo trapassato

	fare	andare
io	avessi fatto	fossi andato/-a
tu	avessi fatto	fossi andato/-a
lui/lei	avesse fatto	fosse andato/-a
(noi)	avessimo fatto	fossimo andati/-e
(voi)	aveste fatto	foste andati/-e
(loro)	avessero fatto	fossero andati /-e

Il congiuntivo trapassato si forma con il congiuntivo imperfetto dei verbi ausiliari **essere** *o* **avere** *e il participio passato.*

Uso del congiuntivo in dipendenza da *come se* e uso dell'indicativo in dipendenza da *come*

come se + *congiuntivo esprime un fatto probabile ma non certo*	Giulio raccontava la storia **come se** fosse vera.
come + *indicativo esprime un fatto certo*	Sai bene **come** mi piace dormire.

Concordanza dei tempi (1) – Uso del congiuntivo imperfetto e trapassato in dipendenza da tempi del passato

Quando il verbo della frase principale richiede il congiuntivo ed è al passato (passato prossimo, passato remoto, imperfetto, trapassato prossimo) il verbo della frase subordinata deve essere al congiuntivo imperfetto o trapassato.

Il verbo al **congiuntivo imperfetto** *nella frase secondaria esprime* **contemporaneità** = **allora, in quel momento**	**Ho pensato** che Jacopo non **avesse** più voglia di vedermi dopo tutto quello che gli avevo fatto. **Pensai** che Anna **stesse studiando** per l'esame.
Il verbo al **congiuntivo trapassato** *nella frase secondaria esprime:* **anteriorità** = **prima**	**Pensavo** che i tuoi genitori **fossero** già **partiti** per le vacanze. **Avevo pensato** che lei **avesse** già **informato** suo marito.

Attenzione! Si usa il congiuntivo soprattutto se il soggetto della subordinata è diverso da quello della frase principale.	I miei genitori speravano che (io) **finissi** gli studi al più presto.
Quando il soggetto della subordinata è uguale a quello della principale si usa l'infinito.	(io) Speravo (io) di finire gli studi al più presto.

Il pronome relativo – forme e uso

Il pronome relativo ha la funzione di mettere in relazione due frasi, una principale con una secondaria, detta appunto relativa, sostituendo il nome o il pronome inclusi nella frase principale.	Ho visto **tua sorella**. **Tua sorella** andava al cinema. ➛ Ho visto tua sorella **che** andava al cinema.
che *è invariabile e può fungere sia da soggetto che da oggetto*	Conosco un ragazzo **che** studia legge a Milano. Il ragazzo **che** incontriamo oggi studia legge.
cui *è invariabile ed è preceduto da una preposizione semplice. Può essere sostituito dalle forme:* **il quale, i quali, la quale, le quali**	Lei è la ragazza **con cui (con la quale)** vado sempre in palestra. È un attore **di cui (del quale)** vanno pazze tutte le donne.
cui *può essere usato senza la preposizione semplice:*	
quando sostituisce un complemento di termine	L'ufficio, **cui (a cui)** ci siamo rivolti, ci ha dato tutte le informazioni necessarie.
quando sostituisce un complemento di specificazione (genitivo) ed è preceduto dall'articolo determinativo	Sono andata a scuola con un ragazzo **il cui** padre (il padre **del quale**) era stato campione di sci.
il quale, i quali, la quale, le quali *si usano sia in funzione di soggetto che, con la preposizione articolata, in funzione di complemento*	Ho conosciuto la figlia della signora, **la quale** abita in un palazzo vicino al nostro. Le città italiane, **nelle quali** siamo state, ci sono piaciute tantissimo.
chi *è un pronome relativo doppio, perché sostituisce un pronome dimostrativo* **(colui/quello, colei/quella)** *o indefinito* **(qualcuno, qualcuna)** *e uno relativo* **(che, il quale, la quale)**. *Si riferisce solo a persone, mai a cose. Il verbo che lo segue è al singolare.*	**Chi (colui che)** ti ha detto che sono partita, si sbaglia. C'è **chi (qualcuno che)** nella vita non crede mai a nessuno.

Il pronome relativo *che* – casi particolari

La forma che *può essere preceduta dall'articolo e riferirsi in tal modo a un'intera frase:* **il che** *ha valore neutro e significa* "la qual cosa".	Sandro vuole smettere di fumare, **il che** non è facile.
Nella lingua parlata e nello scritto informale **che** *è usato molto spesso anche con funzioni diverse da quelle di soggetto e oggetto. I linguisti chiamano questo fenomeno tipico dell'italiano parlato oggi* "che polivalente".	L'anno **che** mi sono sposata era il 1985. (*qui* **che** = **in cui**, *complemento di tempo*) Vieni a trovarmi a casa **che** ci facciamo due chiacchiere in santa pace! (*qui* **che** = **così**, *connettivo conclusivo*)

Unità 5

Concordanza dei tempi (2) – schema dell'indicativo

Il verbo della **frase principale** *è all'***indicativo presente** *o* **passato**. *La* **proposizione subordinata** *è* **all'indicativo** *o* **al condizionale**.

Posteriorità: *l'azione della subordinata avviene* **dopo** *quella della principale*		
(*presente*) Sono sicura che Gino	**parte** stasera. **partirà** stasera. **partirebbe** stasera.	*presente indicativo* *futuro semplice* *condizionale presente*
(*passato*) Sapevo / Seppi / Ho saputo che Gino	**sarebbe partito** stasera.	*condizionale passato*

Contemporaneità: *l'azione della subordinata avviene* **nello stesso momento**		
(*presente*) Sono sicura che Gino	**parte / sta partendo** adesso. **partirebbe** adesso.	*presente indicativo* *condizionale presente*
(*passato*) Sapevo / Seppi / Ho saputo che Gino	**partiva / stava partendo** in quel momento.	*imperfetto*

Anteriorità: *l'azione della subordinata avviene* **prima** *di quella della principale*		
(*presente*) Sono sicura che Gino	**è partito** un mese fa. **partì** senza salutare. mentre partiva, **pensava** a me.	*passato prossimo* *passato remoto* *imperfetto*
(*passato*) Sapevo / Seppi / Ho saputo che Gino	**era partito**.	*trapassato prossimo*

Concordanza dei tempi (3) – schema del congiuntivo

Il verbo della **frase principale** *è all'***indicativo presente.** *La* **proposizione subordinata** *è* **al congiuntivo presente** *o* **passato** *o al* **futuro** *o al* **condizionale**.

Posteriorità: *l'azione della subordinata avviene* **dopo** *quella della principale*		
Penso che Gino	**parta** domani. **partirà** domani. **partirebbe** volentieri domani.	*congiuntivo presente* *futuro semplice* *condizionale presente*

Contemporaneità: *l'azione della subordinata avviene* **nello stesso momento**		
Penso che Gino	**parta / stia partendo** adesso. **partirebbe** adesso.	*congiuntivo presente* *condizionale presente*

Anteriorità: *l'azione della subordinata avviene* **prima** *di quella della principale*		
Penso che Gino	**sia partito** ieri.	*congiuntivo passato*

Il verbo della **frase principale** *è all'***indicativo passato.** *La* **proposizione subordinata** *è* **al congiuntivo imperfetto** *o* **trapassato** *o al* **condizionale passato**.

Posteriorità: *l'azione della subordinata avviene* **dopo** *quella della principale*		
Ho pensato / Pensai / Pensavo / Avevo pensato che Gino	**partisse** il giorno dopo. **sarebbe partito** il giorno dopo.	*congiuntivo imperfetto* *condizionale passato*

Contemporaneità: *l'azione della subordinata avviene* **nello stesso momento**		
Ho pensato / Pensai / Pensavo / Avevo pensato che Gino	**stesse partendo / partisse** in quel momento.	*congiuntivo imperfetto*

Anteriorità: *l'azione della subordinata avviene* **prima** *di quella della principale*		
Ho pensato / Pensai / Pensavo / Avevo pensato che Gino	**fosse partito** il giorno prima.	*congiuntivo trapassato*

Le preposizioni – reggenza di verbi

Di seguito trovate degli elenchi di verbi correlati alla preposizione che li segue. Questi elenchi non sono completi, tuttavia possono essere di orientamento nella scelta della preposizione corretta.

Verbi che reggono la preposizione *di*

accettare, aver bisogno, avere compassione, avere fiducia, avere voglia, concedere, consistere, credere, decidere, dimenticarsi, discutere, essere in grado, evitare, far parte, fare a meno, fidarsi, fingere, finire, innamorarsi, lamentarsi, meravigliarsi, minacciare, occuparsi, pentirsi, rendersi conto ricordarsi, rifiutarsi, riuscire, sperare, stancarsi, vergognarsi

Verbi che reggono la preposizione *a*

abbandonarsi, abituarsi, affrettarsi, andare, aspirare, cominciare, continuare, costringere, credere, decidersi, divertirsi, dispiacere, fermarsi, imparare, incominciare, invitare, limitarsi, mettersi, pensare, piacere, provare, rinunciare, riuscire, tendere, tenerci

Verbi che reggono la preposizione *da*

difendersi, dipendere, distinguere, dividere, divorziare, escludere, estrarre, pretendere, separare

Verbi che reggono la preposizione *in*

credere, confidare, consistere, avere fiducia, imbattersi, includere, riuscire, sperare

Unità 6

La posizione dell'aggettivo

Le regole che governano la posizione dell'aggettivo rispetto al nome in italiano sono piuttosto complesse e difficili da sintetizzare. Trovate qui di seguito alcune informazioni che vi possono aiutare.

L'aggettivo si trova **normalmente dopo il sostantivo.**	Ho comprato un libro **interessante**.
In particolare l'aggettivo si trova **sempre dopo il sostantivo** *quando indica*	
colore *forma* *nazionalità* *appartenenza geografica* *confessione religiosa.*	la casa **rossa** il tavolo **rotondo** il ragazzo **spagnolo** la ragazza **siciliana** la chiesa **protestante**
L'aggettivo si trova **sempre davanti al sostantivo** *quando indica una quantità.*	C'è **molta / poca / tanta** gente in quel bar.

Aggettivi che cambiano di significato a seconda della posizione

Normalmente *si trovano* **davanti al sostantivo** *aggettivi corti e di uso frequente in funzione descrittiva* **bello, brutto, grande, piccolo, caro.**	Abitano in una **bella casa**. Sono uscita con la mia **cara amica** Giulia. Ho comprato una **piccola pianta** per il mio balcone.
Questi aggettivi, tuttavia, possono trovarsi **anche dopo il sostantivo**, *assumendo in tal caso una funzione distintiva o contrastiva.*	Ho detto che è una **casa bella**, non comoda. Prendi la **pianta piccola** e mettila qui. La **pianta grande** invece resta là.
Ci sono anche altri aggettivi che assumono significati diversi a seconda della posizione rispetto al sostantivo.	Abita in una **vecchia casa**. (*la casa può essere bella, antica.*) Abita in una **casa vecchia**. (*la casa è in cattivo stato*) È un **pover uomo**. (*è un uomo che fa pena per qualche ragione morale*) È un **uomo povero**. (*è un uomo che non ha soldi, né ricchezze*)
Nella maggior parte dei casi, oltre alla posizione, cambia anche la collocazione dell'aggettivo: con sostantivi diversi la posizione e il significato variano.	Claudia è una **buona/cara/vecchia amica**. (*io e Claudia siamo amiche da molto tempo*) Miriam è una **bambina buona**. (*Miriam è generosa / educata*) Questa è **un'auto cara**. (*molto costosa*) Questa è una **notizia vecchia**. (*la notizia non è più nuova*)

Il periodo ipotetico

Il periodo ipotetico è formato da una frase principale e da una frase secondaria introdotta da **se**.
La frase secondaria o subordinata indica la condizione, l'ipotesi da cui dipende (o potrebbe dipendere) la realizzazione di quanto avviene nella frase principale.
Se Gloria mi scrive (*ipotesi*) io le rispondo subito (*conseguenza*).

Il periodo ipotetico della realtà

Il fatto espresso nella frase principale è reale: quasi sicuramente si realizzerà.

Se + *indicativo presente / futuro*	**Se** Dario **passa / passerà** da casa
indicativo presente / futuro semplice / imperativo	gli **do / darò** il libro. **dagli** il libro.

Il periodo ipotetico della possibilità

Il fatto espresso nella frase principale è possibile: forse si realizzerà.

Se + *congiuntivo imperfetto*	**Se** Dario **passasse** da casa
condizionale semplice	gli **darei** il libro.

Il periodo ipotetico della irrealtà

Il fatto espresso nella frase principale è impossibile, irrealizzabile.

Se + *congiuntivo trapassato*	**Se** Dario **fosse passato** da casa
condizionale semplice o composto.	ora **saprei** come sta. gli **avrei dato** il libro.

Periodo ipotetico – particolarità

Nell'italiano parlato la struttura **se** + *congiuntivo imperfetto e condizionale semplice spesso viene sostituita da* **se** + *indicativo imperfetto e indicativo imperfetto.*	**Se** Dario **passava** da casa gli **davo** il libro.
L'ordine delle frasi può essere invertito.	Avrei dato il libro a Dario **se fosse passato** da casa.

Unità 7

Il gerundio – forme

	-are	-ere	-ire
presente	analizz**ando**	mett**endo**	part**endo**
passato	avendo analizzato	avendo messo	essendo partito

Frasi infinitive (1) – Usi del gerundio

Il gerundio, il participio e l'infinito, si chiamano modi indefiniti perché sono senza desinenze diversificate per persona e si usano nelle frasi secondarie cosiddette implicite.

*Il gerundio presente indica un'***azione contemporanea** *a quella della frase principale.*	**Passeggiando** per le vie di Napoli ho incontrato un mio vecchio conoscente. (Mentre passeggiavo… ho incontrato…)
*Il gerundio passato indica un'***azione anteriore** *(che è avvenuta prima) a quella della frase principale.*	**Avendo lavorato** tutto il giorno mi sento veramente stanca. (Prima ho lavorato e ora mi sento stanca.)
Il gerundio può essere usato con i seguenti significati:	
causale	**Avendo studiato** poco, non ho superato l'esame. (Siccome avevo studiato poco…)
modale	Mi diverto **ballando**. (con il ballo)
temporale	Mi sono rotto la gamba **sciando**. (mentre sciavo)
concessivo *(preceduto da* **pur***)*	**Pur mangiando** molti dolci, non ingrasso. (Anche se mangio… / Benché io mangi…)
condizionale (ipotetico)	**Avendo** altre opportunità di lavoro, mi licenzierei subito. (Se avessi…)
Di solito il soggetto del gerundio è uguale a quello della frase principale, ma in caso contrario il soggetto diverso della frase con il gerundio viene specificato.	Sentendo che piangeva, ho cercato di consolarla. **Essendo morto mio padre**, non ho potuto continuare gli studi.
I pronomi atoni si collocano dopo la forma gerundiva, con la quale formano una sola parola.	Non avendo**gli** più parlato, non so che cosa abbia deciso.

Frasi infinitive (2) – Usi del participio passato

Il participio passato può essere usato:	
come nome	Scusi, dov'è l'**entrata**?
come aggettivo, *che con i verbi transitivi ha valore passivo*	La finestra è **aperta**. I bambini **abbandonati** (= che sono stati abbandonati) non hanno più alcuna fiducia nelle persone.

Frasi infinitive (2) – Usi del participio passato (continua)

Il participio passato può sostituire una frase secondaria	
causale	**Offesa** per il suo comportamento, cercavo di evitare di incontrarlo. (Siccome / Dato che ero offesa...)
temporale	**Lavati** i piatti, si mise davanti alla televisione. (Dopo che aveva lavato i piatti...)
relativa	Saranno prese in considerazione solo le iscrizioni al corso **pervenute** (che sono pervenute) entro le ore 18.00 di oggi.
Se il soggetto è diverso da quello della frase principale, il soggetto del participio passato deve essere espresso.	**Partiti** tutti i parenti, Maria riordinò la casa.
Il participio passato si accorda in genere e numero	
con il complemento oggetto diretto	**Messe** a letto le bambine, potremo parlarne con calma.
con il soggetto se il verbo del participio è riflessivo	**Vestitasi** velocemente, se ne è andata senza dire una parola.
I pronomi atoni sono dopo il participio e formano una sola parola.	**Calmatala**, è uscito a fare una passeggiata.

Connettivi causali, concessivi, condizionali

Causali (*stabiliscono una relazione di causa*): ***perché, poiché, siccome, visto che, dato che, dal momento che, considerato che***.	Mi preparo un piatto di pasta, **perché** ho fame. **Siccome** ho fame, mi preparo un piatto di pasta.
Concessivi (*esprimono una condizione contraria all'azione della frase principale*): **anche se** + *indicativo*, **sebbene, seppure, malgrado, benché, nonostante che** + *congiuntivo*	**Anche se** c'era il sole, sono rimasto a casa. **Sebbene** ci fosse il sole, sono rimasto a casa.
Condizionali/ipotetici:	
se + *indicativo (ipotesi reale)*	**Se** piove, porto l'ombrello.
se + *congiuntivo (ipotesi possibile e irreale)*	**Se** studiassi di più, avresti dei bei voti a scuola.
qualora, a patto che, a condizione che, purché, nel caso che + *congiuntivo*	Ti presto la macchina, **a patto che** tu sia prudente nella guida.

I sostantivi e l'uso dell'articolo determinativo

L'articolo determinativo si usa per indicare una cosa ben definita, già conosciuta.	È **la** signora Rossi. *(indica che la signora Rossi è già nota all'interlocutore)*
Richiedono l'articolo i nomi:	
- di continenti, nazioni e regioni	**l'**Africa, **l'**Italia, **la** Campania
- di monti, fiumi e laghi	**le** Alpi, **il** Tevere, **il** Trasimeno
- di isole grandi o di isole che formano un arcipelago	**la** Sardegna, **le** Eolie
- di palazzi	**il** Palazzo Ducale (*ma con un cognome di famiglia:* Palazzo Pitti)
- di malattie	Claudia ha preso **il** morbillo.
- di colori	A me piace molto **il** rosso.
Non si mette l'articolo, salvo eccezioni:	
- con i nomi propri di persona	È arrivata Giovanna? (*ma se si intende la famiglia:* Ho visto **i** Ferri – **la** famiglia Ferri)
- con i nomi geografici preceduti dalla preposizione **in**	Abito **in** Puglia. Vado **in** Perù (ma se sono accompagnati da un attributo: **nell'** Italia Settentrionale)
- con i nomi di città e di piccole isole	Milano, Palermo (*ma:* **L'**Aquila, **La** Spezia, **L'**Aia, **Il** Cairo); Capri, Malta (*ma:* **l'**Elba, **il** Giglio)
- con i nomi dei mesi	Marzo è il mio mese preferito. Sono nata in ottobre. In autunno cadono le foglie (*ma:* Preferisco **la** primavera.)
- con i complementi che indicano materia, forma e aspetto (con le preposizioni **a**, **in**, **di***)*	un pavimento **in** marmo un quaderno **a** righe un foglio **di** carta
L'articolo è facoltativo con i nomi di strade, piazze, ma non si usa dopo una preposizione.	**(La)** via Manzoni arriva fino a Piazza della Scala. Vado **in** via Manzoni. Passo **per** via Manzoni.

Unità 8

La formazione delle parole – i suffissi *-zione* e *-bile*

-zione *dal verbo al nome*	costruire ➛ costruzione esportare ➛ esportazione
-bile *dal verbo all'aggettivo* *si tratta di aggettivi di senso passivo che esprimono possibilità*	realizzare ➛ realizzabile (che può essere realizzato) estrarre ➛ estraibile

Costruzione attiva e costruzione passiva – ordine delle parole e funzione degli elementi

Nella forma passiva il complemento oggetto della forma attiva diventa il soggetto che subisce l'azione. Il vero agente della frase è il cosiddetto complemento d'agente.

Solo i verbi transitivi, cioè i verbi che hanno un complemento oggetto, hanno la forma passiva!

Forma attiva: **soggetto + verbo + compl. oggetto**	La polizia **ha catturato** i ladri.
Forma passiva: **soggetto + verbo + compl. d'agente**	I ladri sono stati catturati dalla polizia.

Il passivo – forme e significati a confronto

La coniugazione passiva si forma con l'ausiliare **essere** *e il participio passato del verbo.*

Il participio passato si accorda in genere e numero con il soggetto.

Il passivo si usa soprattutto quando si vuole enfatizzare l'oggetto dell'azione.

Forma attiva	Forma passiva
Giulia **compra** il giornale.	Il giornale **è comprato** da Giulia.
Mio padre **amava** molto mia madre.	Mia madre **era** molto **amata** da mio padre.
Romolo e Remo **fondarono** Roma.	Roma **fu fondata** da Romolo e Remo.
La scuola **regalerà** un libro a tutti i bambini.	Un libro **sarà regalato** dalla scuola a tutti i bambini.
La polizia **ha catturato** i ladri.	I ladri **sono stati catturati** dalla polizia.
Non **avevano fatto** i compiti.	I compiti non **erano stati fatti**.
Quando **ebbe risolto** il problema, se ne andò a casa.	Quando il problema **fu risolto**, se ne andò a casa.
Comincerò a lavorare, dopo che **avrò firmato** il contratto.	Comincerò a lavorare, dopo che il contratto **sarà stato firmato**.
Penso che mio cugino **ami** la mia amica.	Penso che la mia amica **sia amata** da mio cugino.
Non credo che mia sorella **abbia spedito** la lettera.	Non credo che la lettera **sia stata spedita** da mia sorella.
Non voleva che gli **restituissero** i soldi.	Non voleva che i soldi gli **fossero restituiti**.
Se l'**avessero portato** subito all'ospedale, forse si sarebbe salvato.	Se **fosse stato portato** subito all'ospedale, forse si sarebbe salvato.
La polizia lo **arresterebbe** subito.	**Sarebbe** subito **arrestato** dalla polizia.
I carabinieri lo **avrebbero** già **fermato** a un posto di blocco.	**Sarebbe** già **stato fermato** dai carabinieri a un posto di blocco.
Attenzione! *È possibile non esprimere il complemento d'agente.* **Hanno rubato** un quadro di grande valore.	**È stato rubato** un quadro di grande valore.

Il passivo si può formare anche con gli ausiliari: **venire**, *che si può usare solo con i tempi semplici e sottolinea maggiormente l'azione nel suo compiersi*	Elena da piccola **veniva** sempre **chiamata** "Nena" dai suoi genitori.
andare, *con il significato di obbligo, necessità.*	I libri **vanno restituiti** entro il termine indicato. (*il termine deve essere rispettato*)

Unità 9

La costruzione impersonale (1) – tempi semplici

Tra le diverse forme presenti in italiano per esprimere un soggetto impersonale la più importante è quella che prevede l'utilizzo del **si**.

Nei tempi semplici bisogna concordare con l'oggetto della costruzione impersonale.	**Si** lavorava tutto il giorno. **Si mangerà** pesce al venerdì. **Si mangeranno** gli spaghetti a pranzo.
In caso di verbi riflessivi il **si impersonale** *si trasforma in* **ci** *e ad esso fa seguito il* **si riflessivo**.	**Ci si lava** il viso. **Ci si lavano** le mani.
I pronomi diretti vengono posti prima del **si impersonale**.	**Lo si** potrebbe riconoscere dal cappello. **Li si** potrebbe incontrare al porto.
Aggettivi o sostantivi retti da una costruzione impersonale vanno al plurale maschile.	Quando **si è** vecch**i** **ci si sente** stanch**i.**

La costruzione impersonale (2) – tempi composti

Nei tempi composti si deve distinguere se alla costruzione con il **si** *faccia seguito un oggetto diretto,* **si passivante**, *o meno:* **si impersonale** *vero e proprio.* *Nel primo caso bisogna concordare il participio con l'oggetto.*	Non si sono comprat**e** cos**e** inutili. Non si sono comprat**i** oggetti inutili. Non si è comprat**a** alcuna cos**a**. Non si è comprat**o** alcun oggett**o**.
Nel secondo caso, se il verbo nella costruzione personale richiede l'ausiliare **essere**, *esso assume la desinenza del maschile plurale, se, invece, richiede l'ausiliare* **avere**, *quella al maschile singolare.*	La sera poi si era andat**i** al cinema. A pranzo si era mangiat**o** molto.
In caso di verbo riflessivo va usato il maschile plurale.	Ci si è rivist**i** molti anni dopo. Ci si è avviat**i** insieme verso il centro.

Aggettivi, avverbi e pronomi indefiniti

Gli indefiniti costituiscono un gruppo eterogeneo di parole che svolgono in maggioranza sia funzione pronominale/avverbiale che aggettivale, risultando, quindi, sia variabili che invariabili. Alcuni svolgono solo una delle suddette funzioni.

Variabili: **tanto/a/i/e, molto/a/i/e, poco/a/chi/che, altrettanto/a/i/e, quanto/a/i/e, tutto/a/i/e, alcuno/a/i/e, altro/a/i/e, ecc.**
Invariabili: **qualche, chiunque, ognuno(a), qualcuno(a), ecc.**

Unità 10

Il discorso indiretto (1) – trasformazioni di pronomi, avverbi e locuzioni

Pronomi		**Avverbi e indicatori temporali**	
Discorso diretto	**Discorso indiretto**	**Discorso diretto**	**Discorso indiretto**
io/tu	lui/lei	qui/qua	lì/là
noi/voi	loro	ora/adesso	allora
mi/ti	gli/le	oggi	quel giorno
ci/vi	gli	ieri	il giorno prima
mio/tuo	suo	domani	il giorno dopo
nostro/vostro	loro	scorso	passato
questo	quello	fra un mese	un mese dopo
		un mese fa	un mese prima

Attenzione! *Il verbo* **venire** *va sostituito con il verbo* **andare***!*

Il discorso indiretto (2) – trasformazioni nelle forme dei verbi con frase principale al passato

Discorso diretto	**Discorso indiretto**
imperativo	di + infinito (cong. imperfetto)
presente ind./cong.	imperfetto ind./cong.
imperfetto ind./cong.	imperfetto ind./cong.
passato prossimo ind./cong.	trapassato prossimo ind./cong.
passato remoto	trapassato
trapassato prossimo	trapassato prossimo
futuro semplice e composto	condizionale composto
condizionale semplice	condizionale composto

Sostantivi con il plurale irregolare

Si possono distinguere le seguenti categorie di sostantivi con plurale irregolare:	
- nomi con accento sulla vocale finale restano invariati	civilt**à**, virt**ù**, inferiorit**à**, tiv**ù**
- nomi terminanti con consonante restano invariati	fil**m**, autobu**s**, tra**m**
- nomi che terminano in **-i** *oppure* **-ie** *restano invariati*	cris**i**, spec**ie**, analis**i**, ser**ie**
- nomi consistenti in abbreviazioni restano invariati	aut**o**, cinem**a**, radi**o**, mot**o**
- nomi terminanti in **-ista** *hanno due plurali*	turist**a** - turist**i/e**, escursionist**a** - escursionist**i/e**

Glossario per unità

- Questo glossario presenta una scelta di espressioni e vocaboli tratti dai testi di ogni unità. La selezione è stata fatta in base al criterio della frequenza d'uso del lessico pertinente alle relative aree tematiche e dell'utilità ai fini della comprensione e dell'espressione.

- I vocaboli e le espressioni sono indicati sotto l'indicazione dell'unità in cui compaiono per la prima volta.

- Prima dei vocaboli vengono registrate le frasi o le espressioni per le quali è particolarmente utile fissare il significato globale dell'intero gruppo di parole, anziché dei vocaboli isolati.

Unità 1
Ma che lingua parliamo?
A
Problemi di cuore
Fare finta di niente
Andare fuori di testa
Scaricare
Di striscio
Che cavolo è successo?
Che ne so io?
Fare una colletta
l'italiano giovanile
... corrente

B
Stare dietro a qc
Dire la propria
espressioni gergali
il millennio
l'inchiesta
scherzoso
ludico
creativo
la sigla
inventare
rielaborare
accorciare
il tormentone
il dialetto
la meteora
durare
rubare
scomparire
esperto
quotidianamente

C
la scheda prepagata
il codice

D
Avere una parola sulla punta della lingua
Avere perso la lingua
Tenere a freno la lingua
Tenere la lingua a posto
Mordersi la lingua
Non avere peli sulla lingua
Avere la lingua lunga
La lingua batte dove il dente duole
Ne uccide più la lingua che la spada
derivare
tuttavia
la flotta

F
cliccare
e-mailare
chattare
ceccare
bannare
downlodare
formattare
loggare

G
valorizzare
il patrimonio
la tutela
il principio

I
l'idioma
limitrofe
la statistica
la pubblica amministrazione

Unità 2
La storia siamo noi
A
I movimenti in difesa di
Gli interessi dei lavoratori
Rendere possibile
L'ascesa al potere di
Entrare in guerra
il boom economico
paramilitare
fascista
il capolavoro
il cannocchiale
il principio
la rotazione della terra
fiorire
la civiltà rinascimentale
il segno indelebile
architettonico
il simbolo
l'epoca
in particolare
l'elettrodomestico

B
Sentirsi offesi
Sentirsi esclusi
Rompere il silenzio
Dare torto
Dare ragione
Fare la storia
Si tratta di
Dare i brividi
Passare la mano
Un modo per convincere
Un modo di comportarsi
Gli argomenti a favore della tesi
il prato
l'ago
l'onda
il rumore
masticare
nella stessa maniera
il portone
bruciare
il nascondiglio
il grano
lo spettatore
il narratore
la provvidenza
l'essere soprannaturale
la successione casuale

l'evento
senza senso
direzione

C

Alla scoperta di
Approfondire lo studio di
Avere origini
Scendere in sciopero
Avere profonde radici
Rispondere all'appello
Riportare una forte impressione
Costare la vita a
La tendenza politica
... sociale
... culturale
Non fare tante storie!
Ma che storia è questa?!
Ti racconti una storia
È sempre la solita storia
È una storia lunga
È un secolo che non ci vediamo
Roba dell'altro secolo
il duce
il moto
la rivolta
la protesta
gli insorti
i ribelli
la prova
affrontare
designare
l'improvvisazione
la spontaneità
provocare
lo sconvolgimento
svilupparsi
principalmente
l'opposizione
repubblicano
anarchico
socialista
provinciale
a livello nazionale
... locale
la solidarietà
minaccioso
il sintomo
conservatore
una visione approssimativa
la dichiarazione
il colle
il viottolo
il bastone
il reggimento
il ghiaione
coinvolgere
l'avvenimento
liberale
idealista
razionalista
il consumismo

D

Finire in prigione
Essere indagato
Condurre le indagini
Assistere a uno spettacolo unico
Fare parte di
Venire a contatto con
Mettere nelle mani di
recente
un caso isolato
la disonestà
lo sfruttamento
la carica pubblica
minimizzare
il mariuolo
la corruzione
l'appalto
attribuire
la tangente
variabile
il partito politico
a favore di
il dirigente
la gestione
la cosa pubblica
una serie impressionante
la sequenza
l'arresto
l'inchiesta
l'interrogatorio
il panorama politico
l'ospizio
bisognoso
la mazzetta
l'avviso di garanzia
l'indipendenza
l'unificazione
ampio
mobilitare
fondare
di fatto
vero e proprio
la comparsa
il protagonista
la biografia
originario
l'apprendistato
sfuggire
condividere
la lotta
l'impresa
immortale
l'eroe
la conquista
contrariamente
l'aspettativa
il dominio
il papato
annesso
la raccomandazione

E

inghiottire
terminare
emettere
la matrigna
la furia
l'orco
le sembianze

F

Innamorarsi follemente
Un bel giorno
A suo tempo
Il massimo periodo di fioritura
In fasce
sorgere
l'antichità
i barbari
invadere
la schiava
ammaliare
proibire
la leggenda
accadere
i gemelli
la prigioniera
il fiume in piena
il cespuglio
il colle
la lupa
il pastore
allattare
fondare

Percorsi

Entrare nella storia
la macchina del tempo
il personaggio famoso
... storico
esemplare

Unità 3
La musica è vita!

B

Il trampolino di lancio
In origine
A seconda di
A disposizione di
Farsi conoscere
Canzone di consumo
In diretta
Di un certo spessore
il dibattito
apprendere
condurre
il presentatore
la co-presentatrice
il palco
la competizione
la giuria
l'evento
mediatico
la polemica
la manifestazione
canoro
prestigioso
il pubblico
vasto
tuttora
trasmettere
vario
emergere
banale
eterno
supporre
evitare
la peste
orecchiabile
abolire

C

Macchina da soldi
Pubblico d'oltralpe
Ente no profit
Modello educativo
... multiculturale
... multietnico
Solido network
Di grande portata
Operare in collaborazione
Fine primario
Conseguimento di utili
Farsi un'idea di
Navigare in Internet
Perseguire l'obiettivo
Punto di riferimento
Soffermare il proprio interesse
Ammesso che
attuale
la diffusione
il riconoscimento
preservare
la potenzialità
l'espressività
discriminatorio
il talento
l'osservatorio
autorevole
la tendenza
il costume
ennesimo
affinché
nonostante
a patto che/di
convenire
nel caso
a meno che
sebbene
purché

D

Rimanere nel cuore
Al secolo
l'infanzia
compatto
allineato
attorcigliato
i baffi
la coda
mitico
ideare
lo scopo
favorire
stimolare
il compositore
destinare
indimenticabile
il pupazzo
il mago
la fata
la calzamaglia
i lustrini
la bacchetta magica
il mantello
il paggio
il giullare
il buffone
la corte
la fiaba

E

libertario
liberticida
libertino
libertinaggio
liberalizzare
la partecipazione
delegare
evoluto
astuto
innalzarsi
esigenza
entusiasmo
sarcasmo
forestiero
l'opinione
godere
il gusto
l'inclinazione
insindacabile

F

Mettere al corrente
Secondo gli usi
Secondo le usanze locali
Spirito d'avventura
Unirsi in matrimonio
Acquisire il diritto
la sinossi
accomunare
sbarcare
la vanità
ripudiare
la patria
la sposa
ardente
tenace
struggersi
l'attesa
incrollabile
la fiducia
regolarmente
occidentale
l'evidenza
l'illusione
svanire
il clamore
trafiggere
il pugnale
sconvolgere
il rimorso
il perdono
il ricevimento
improvvisamente
sopraggiungere
scandaloso
l'onore
angustiato
acconsentire

la collera
la gelosia
suscitare
lo sdegno
il rimprovero
il malore
impazzare
la carità
eppure
il medaglione
il vincolo
rianimarsi
lo strazio

G
Personalità di spicco
La responsabilità è sulle spalle di
Un bene secondario
il tastierista
il chitarrista
il batterista
il violinista
il percussionista
il bassista
il musicista
rischiare
riproporre
l'originalità
cosiddetto
apprezzare
l'esagerazione
l'enfasi
imporsi

H
il sassofono
il flauto traverso
la fisarmonica
la chitarra
l'arpa
il mandolino
il pianoforte
l'armonica a bocca
il contrabbasso
il tamburello
il violino

I
l'ingegno
intenso
compatto
maneggevole
celebre
il conservatorio
ospitare
l'infinito
la siepe
l'orizzonte
sovrumano
la quiete
l'immensità
annegare
naufragare

Percorsi
la telefonista
la colonna sonora
il concerto
il ritornello

Unità 4
Un'Italia, mille volti
A
la convivenza
il cittadino
l'abitazione
il soggiorno
il moderatore

B
Letteratura della migrazione
Libri scritti a quattro mani
Racconto autobiografico
Percorso di integrazione
Regolare permesso di soggiorno
Dare retta a
Fare finta di
le ferie
telegrafare
annunciare
la visita
il telegramma
l'euforia
il dono
sorprendere
suggerire
indirettamente
discreto
l'agiatezza
raggiante
chiunque
di colpo
la realtà
il filtro
contemporaneamente
comprensibile
ignoto
sconosciuto
il paesaggio
desolato
il territorio
stepposo
stagnare
ruvido
ripercorrere
l'individuo
il destino
puntualmente
estraneo
risiedere
il protagonista
il diario
ignorare
mentire
cordiale
disponibile

C
Essere il pilastro di
Settore agroalimentare
... dell'economia
A fine contratto
Essere a pezzi
Ai tempi della gioventù
Trovarsi bene
Occhi a mandorla
Spargere la voce
Essere un mito
Farcela
Coppia affiatata
la manodopera
il meridione
infaticabile
la malerba
il diserbante
chimicamente
il turbante
l'argine
punteggiare
sbucare
leggendario
la barba
il pugnale
popolare
mungere
la stalla
etnico
la metallurgia
la macellazione
il gigante
il laboratorio
tessile
assumere
mollare
mondare
tradizionale
il timore
la cooperativa

l'agronomo
conterraneo
orientale
la produzione
assistere
il cambiamento
familiarizzare
pentito
rispettivo
puntuale

D
La legittima difesa
Parola chiave
l'emisfero
minacciare
incuriosirsi
la disgrazia
la chiacchiera
vessare
il portafogli
il passaparola
l'altoparlante
l'aspirapolvere
la radiografia
il posacenere
l'attaccapanni
lo scolapasta
l'accendisigari
lo stuzzicadenti
l'asciugamano
la lavastoviglie
l'apriscatole
il segnalibro

E
il resoconto
il colloquio
la fama

Percorsi
La convivenza pacifica
Regione a Statuto Speciale
Province Autonome
il razzismo
il bilinguismo

Unità 5
Sì, viaggiare
A
Sulla via del ritorno
Al seguito
Le credenze religiose
A bordo
Compagno di viaggio
Un viaggio nel tempo
il viaggiatore
il continente
lo scopritore
l'accademico
intensamente
la cera
le piume
il telaio l'ala
artificiale
l'impresa
violare
il patto
il navigatore
ispirare
successivamente
rifornire
dettagliato
l'indigeno
la dieta
salpare
la sosta
la conquista
l'equipaggio
la caravella
identificare
generare
l'equivoco
il mercante
il commerciante
il colonizzatore
l'area
l'invenzione
la valigia

B
Guardare storto
Partire in quarta
Mettersi in moto
Perdere il controllo di sé
Mezzo di trasporto
insignificante
l'itinerario
turistico
il ferro
il carbone
la povertà
l'abbandono
la disoccupazione
mutare
ribattezzare
lo smistamento
il passeggero
la destinazione
prevedere
il collegamento
il crocevia
il beneficio
oltrepassare
il perimetro
l'era
il declino
il vettore
il concorrente
l'aeroporto
l'incremento
l'investitore
il raddoppio
la rotta
sovvertire
il traffico
il timore
il bancone
severamente
scocciato
sbrigare
la faccenda
dirigersi
il controllo
l'imbarco
decollare
il turno
gracchiare
educatamente

C
il maratoneta
il corridore
il podista
la slitta
il lupo
l'alce
la volpe
purificarsi

D
Viaggio full immersion
Non tenermi così sul filo!
Spendere un capitale
Non esserci verso
Non venirci a capo
Fare del proprio meglio
il sottomarino/il sommergibile
prenotare
la savana
esplorare
il cammino
la goffaggine
affollato
orientarsi
l'indicazione
la destinazione
la direzione

il vagone
il tragitto
il controllore
disagevole

E
Fare caso a
In condizioni pietose
Sul livello del mare
Giocare un ruolo importante
Specie in via di estinzione
il disappunto
segnalare
recentemente
il posto cuccetta
l'aria condizionata
sigillare
schiacciare
ignaro
il nido
la pulce
la zecca
divorare
la puntura
sospettare
avvertire
il prurito
insistente
la bolla
l'indignazione
il personale
la capra
la gallina
la catena montuosa
la conservazione
la fauna
il lupo
il camoscio
l'orso
il bosco
il faggio
il pino
il cervo
il capriolo
il cinghiale
il picchio
l'attrattiva
l'esemplare
il gatto selvatico
la lontra
la martora
la faina
il tasso
la puzzola
la volpe
la lepre
la talpa
il riccio
la donnola
il ghiro
lo scoiattolo
l'aquila
il gufo
l'allocco
il grifone
la penisola
il clima
vivido
consultare
attività ecoturistiche
...naturalistiche
l'equipaggiamento
il binocolo
la mappa
la comitiva

Unità 6
A che gioco giochiamo?
A
Fare un giro a carte
Imbrogliare le carte
Leggere o fare le carte
Fare una partita a carte
Mettere/Cambiare le carte in tavola
Giocare a carte scoperte
Avere delle buone carte
Giocare l'ultima carta
Dare le carte
il soldato
l'avventuriero
il passatempo
stravagante
usuale
il nobile
attraente

B
In onore di
Togliere dalla circolazione
Volesse il cielo
Se non ti dispiace...
Sarebbe bello...
Gesta epiche
la statua
il cartello
il re
il tiranno
l'imperatore
governare
l'incenso
la parata
possedere
la tassa
il bisognoso
degno
l'esercito
il nemico
l'utensile
faticare
gigantesco
la bontà
il formicaio
magari
mica
piuttosto
al contrario
in breve
in realtà
addirittura

C
lo slogan
vantare
il tentativo
l'imitazione
l'edicola

D
Avere l'imbarazzo della scelta
Avere a disposizione
Dare una mano
l'isola deserta
l'assegno in bianco

E
folle
assennato
intellettivo
stimato
lodevole
indegno
mansueto
crudele
mite
molle
svariato
mediocre
eccellente
orrendo
notevole
munifico
prodigo
malizioso
sospettoso
ingannevole
maligno
forzuto
molleggiato

elastico
sciolto
melodioso
sgradevole
armonioso
maniacale
morboso
ossessionante
odierno
recente
micidiale
mortale
letale
monumentale
colossale

G
il bronzo
feroce
proteggere
il profeta
il guerriero
la scultura
l'eccezionalità
il ritrovamento
il restauro
il battello
il carico
sommergere
la sabbia
la profondità
impregnare
la salsedine
corrodere
estrarre
il santuario
la decorazione
l'archeologo
abbellire
cromatico
enfatizzare
il ghigno
satanico
bestiale
divorare
il cervello
l'antropofagia
la spedizione
l'equipaggio
la chiglia
affiancare
disfare

Percorsi
La meta turistica
Il peccato
Il liquido

Unità 7
Tendenze italiane

A
il parcheggio
l'applauso
l'abuso
abusivo
l'appalto
il trapianto
truccato
scippare
il visagista
la diva
il papavero
recarsi
il commando
sventolare
infetto
il fantasma
il crogiuolo
la pinza
il caco
l'edilizia
lo scippo
il terrorismo
la buona tavola
la tangente
il pizzo

B
Fare i conti con
la generazione
il coetaneo
la transizione
l'occupazione
la dipendenza
la famiglia di origine
la maggioranza
la minoranza
il sistema sociale
il sostegno
frustrante
la vita coniugale
la prossimità
sopperire
iniquo
la fase formativa
qualificato
la borsa di studio
carente
svantaggiato
lo svantaggio
comprimere
la mobilità sociale
il dinamismo
il contesto
adeguato
salvaguardare
il ricambio generazionale
giovarsi
la risorsa
il legame
la carenza
laurearsi
il debito
adottare
il modello
quantomeno
l'ostilità
l'aspettativa
l'urgenza
l'anatomia
il torneo di tennis
la caviglia

C
Avere una buona dose di ironia
Mettersi al centro dell'attenzione
L'appetito vien mangiando
Sbagliando s'impara
Tra il dire e il fare c'è di mezzo il mare
Sposa bagnata, sposa fortunata
Detto, fatto
Uomo avvisato, mezzo salvato
Morto un papa, se ne fa un altro
Fare e disfare è tutto un lavorare
Fidarsi è bene, non fidarsi è meglio
Tentar non nuoce
l'ortopedico
l'otorinolaringoiatra
il dentista
il radiologo
il cardiologo
l'oculista
il ginecologo
lo psichiatra
lo psicologo
il pediatra
il dermatologo
il chirurgo plastico
motivare
il cliente
la fascia d'età
lo specialista
il ritocco
esaltare
l'intervento
la sala d'attesa
la classifica

i ricorso
il bisturi
il parametro
sanitario

D
il benessere
l'oasi
il getto d'acqua
il momento di relax
la cascata
l'enoterapia
aromatizzato
il viandante
abbandonarsi
concedersi
rigenerarsi
rilassarsi
il fieno
la fermentazione
l'erba officinale
il fienile
il vapore

Unità 8
Fatto in Italia
A
Il made in Italy
Fare riferimento a
il settore produttivo
l'abbigliamento
l'arredamento
aerospaziale
automobilistico
il veicolo a motore
enogastronomico

B
manifatturiero
beni di consumo
il distretto industriale
saldo positivo
rilevante
la quota
la competitività
generare
volume di esportazioni
l'interscambio
l'estero
la specializzazione
la localizzazione
l'area produttiva
duplice
la collaborazione
la competizione
la gemmazione
scarso
limitato
investire
la globalizzazione
agguerrito
la delocalizzazione
il coordinamento

C
la zona di produzione
l'industria
la densità
l'azienda produttrice
meccanico
oreficeria
calzaturiero
prodotti per la casa
tessile
il rientro

D
Avere un cuore d'oro
Valete tanto oro quanto pesa
Pagare/vendere a peso d'oro
Nuotare nell'oro
Parole d'oro
Neppure per tutto l'oro del mondo
Prendere per oro colato
Non è tutto oro quello che luccica
L'apparenza inganna
la saggezza
il metallo
prezioso
la gioielleria
esportare
la rassegna
secolare
il dopoguerra
la pietra
il patrimonio di conoscenze
assimilare
la particolarità
la peculiarità
importare
intraprendere

E
la caratterizzazione
inconfondibile
i punti salienti
la nocciola
l'idea geniale
merceologico
il prestito
la scadenza
il casco protettivo
il basilico
finemente
il cassonetto delle immondizie

Unità 9
Mass media
A
dietro le quinte
mezzo di comunicazione di massa
l'apparecchio
cospicuo
il tubo catodico
l'intrattenimento
lo schermo
ancestrale
il torchio
l'odorato
il tatto
interconnettere
malvolentieri

B
Lasciare libero corso alla fantasia
In carne e ossa
Andare in onda
il primato
presupporre
l'analfabeta
la fruizione
l'emittente
la manipolazione
a riprova di
la suggestione
in diretta
decretare
il declino
irreversibile
il programma radiofonico
sintonizzarsi
il conduttore
il commentatore
le previsioni meteorologiche
l'intervallo pubblicitario

D
Cadere nel dimenticatoio
Fare zapping
Sciogliere le briglie
l'inquilino
la parolaccia
sgrammaticato
la dichiarazione d'amore
la democratizzazione
la televisione spazzatura
il palinsesto televisivo
vorace

l'ingaggio
il calo
imputare
trastullarsi
la buona società
l'annunciatrice televisiva
la crisi di pianto
la nostalgia di casa
il montaggio
la vicissitudine
catapultare
sorbirsi
fregiarsi
il dato d'ascolto
riciclare
estroso

E
la divulgazione scientifica
il tabloid
sensazionalistico

F
la propaggine
montuoso
lo scorcio di paesaggio
incontaminato
il litorale
arroccato
preponderante
l'escursione
il parapendio
il fuoristrada
speleologico

Percorsi
il telegiornale
la politica interna
la cronaca
il quotidiano
il settimanale

Unità 10
Nero su bianco
A
Avere naso
avvincente
l'intellettuale
la guida turistica
indisciplinato
svogliato
le vestigia
l'investigatore
il diario
il giallo
la fiaba
il dizionario
l'enciclopedia
il romanzo
la narrativa
la poesia
il romanzo rosa
... d'appendice
il tascabile
l'atlante
la sceneggiatura
il copione
acustico

B
Da quale pulpito?
Non mollare la presa
Perdere l'equilibrio
Perdere il segno
rinfacciare
platealmente
la coerenza
vergognarsi
la segreteria telefonica
la sauna
la galleria
scaricarsi
la truffa
la musica di sottofondo

C
succintamente
acume
sagacia
desinare
scaltrezza
sfacciatamente
fidanzarsi
il lusso
addossarsi
il meteorologo
la siccità
l'acquazzone
fiutare

D
la lente
il musico
la nota
la tastiera
la nostalgia
il saltimbanco
il poeta
il pittore
la tavolozza
la malinconia
l'acrobata

E
la vocazione artistica
grato
il conforto
la frase proverbiale
refrattario
arcaico
il giacimento di petrolio
il fabbisogno